UNION GÉNÉRALE D'ÉDITIONS
8, rue Garancière - PARIS

LA ROUTE
DES FLANDRES

PAR

Claude SIMON

suivi de

UN ORDRE
DANS LA DÉBÂCLE

PAR

Jean RICARDOU

et d'une
interview de Claude Simon
par Claude Sarraute

le monde en
10 18

LISEZ DANS

Les romans les plus significatifs
de la littérature d'aujourd'hui

PARUS :

Alain ROBBE-GRILLET

Les Gommes, *suivi de* : Clefs pour les Gommes, par Bruce Morrissette

Michel BUTOR

La Modification, *suivie de* : Le Réalisme mythologique de Michel Butor, par Michel Leiris

Samuel BECKETT

Molloy — L'Expulsé, *suivis de* : Beckett le précurseur, par Bernard Pingaud

Marguerite DURAS

Moderato cantabile, *suivi de* : L'Univers romanesque de Marguerite Duras, par Henri Hell

A PARAITRE :

Robert PINGET

Graal Filbuste, présenté par Olivier de Magny

I

Je croyais apprendre à vivre, j'apprenais à mourir.

LÉONARD DE VINCI.

Il tenait une lettre à la main, il leva les yeux me regarda puis de nouveau la lettre puis de nouveau moi, derrière lui je pouvais voir aller et venir passer les taches rouges acajou ocre des chevaux qu'on menait à l'abreuvoir, la boue était si profonde qu'on enfonçait dedans jusqu'aux chevilles mais je me rappelle que pendant la nuit il avait brusquement gelé et Wack entra dans la chambre en portant le café disant Les chiens ont mangé la boue, je n'avais jamais entendu l'expression, il me semblait voir les chiens, des sortes de créatures infernales mythiques leurs gueules bordées de rose leurs dents froides et blanches de loups mâchant la boue noire dans les ténèbres de la nuit, peut-être un souvenir, les chiens dévorants nettoyant faisant place nette : maintenant elle était grise et nous nous tordions les pieds en courant, en retard comme toujours pour l'appel du matin, manquant de nous fouler les chevilles dans les profondes empreintes laissées par les sabots et devenues aussi dures que de la pierre, et au bout d'un moment il dit Votre mère m'a écrit. Ainsi elle l'avait fait malgré ma défense, je sentis que je rougissais, il s'interrompit es-

sayant quelque chose comme un sourire mais sans doute
lui était-il impossible, non d'être aimable (il désirait certainement l'être) mais de supprimer cette distance : cela
étira seulement un peu sa petite moustache dure poivre
et sel, il avait cette peau du visage tannée des gens qui
vivent tout le temps au grand air et mate, quelque chose
d'arabe en lui, sans doute un résidu d'un que Charles
Martel avait oublié de tuer, alors peut-être prétendait-il
descendre non seulement de Sa Cousine la Vierge
comme ses nobliaux de voisins du Tarn mais encore par
dessus le marché sans doute de Mahomet, il dit Je crois
que nous sommes plus ou moins cousins, mais dans son
esprit je suppose qu'en ce qui me concerne le mot devait
plutôt signifier quelque chose comme moustique insecte
moucheron, et de nouveau je me sentis rougir de colère
comme lorsque j'avais vu cette lettre entre ses mains,
reconnu le papier. Je ne répondis pas, il vit sans doute
que j'étais en rogne, je ne le regardais pas lui mais la
lettre, j'aurais voulu pouvoir la lui prendre et la déchirer,
il agita un peu la main qui la tenait dépliée, les coins
battirent comme des ailes dans l'air froid, ses yeux noirs
sans hostilité ni dédain, cordiaux même mais distants eux
aussi : peut-être était-il seulement tout aussi agacé que
moi, me sachant gré de mon agacement tandis que nous
continuions cette petite cérémonie mondaine plantés là
dans la boue gelée, faisant cette concession aux usages
aux convenances par égard tous deux pour une femme
qui malheureusement pour moi était ma mère, et à la fin
il comprit sans doute car sa petite moustache remua de
nouveau tandis qu'il disait Ne lui en veuillez pas Il est
tout à fait normal qu'une mère Elle a bien fait Pour ma
part je suis très content d'avoir l'occasion si jamais vous
avez besoin de, et moi Merci mon capitaine, et lui Si
quelque chose ne va pas n'hésitez pas à venir me, et moi
Oui mon capitaine, il agita encore une fois la lettre, il
devait faire quelque chose comme environ moins sept
ou moins dix dans le petit matin mais il ne semblait

même pas s'en apercevoir. Après avoir bu les chevaux repartaient en trottant, par deux, les hommes courant au milieu jurant après eux et s'amusant à se suspendre aux bridons, on pouvait entendre le bruit des sabots sur la boue gelée, lui répétant Si quelque chose ne va pas je serai heureux de pouvoir, pliant ensuite la lettre la mettant dans sa poche m'adressant de nouveau quelque chose qui dans son esprit devait être encore un sourire et qui tirailla simplement une nouvelle fois sur le côté la moustache poivre et sel après quoi il tourna les talons. Par la suite je me contentai simplement d'en faire encore moins que je n'en faisais déjà, j'avais simplifié la question à l'extrême, décrochant les deux étrivières en descendant de cheval, débouclant la sous-gorge dès que je lui avais coupé l'eau une ou deux fois et alors enlevant toute la bride d'un seul coup, trempant le tout dans l'abreuvoir pendant qu'il finissait de boire, et ensuite il rentrait tout seul à l'écurie, moi marchant à côté prêt à l'attraper par une oreille, après quoi je n'avais plus qu'à passer un chiffon sur les aciers et de temps en temps un petit coup de toile émeri quand ils étaient vraiment trop rouillés, mais de toute façon ça ne changeait pas grand' chose parce que sur ce point-là ma réputation était faite depuis longtemps et ils avaient renoncé à m'embêter et je suppose d'ailleurs qu'en ce qui le concerne il s'en fichait pas mal et que faire semblant de ne pas me voir quand il passait l'inspection du peloton était une politesse faite à ma mère sans trop d'effort, à moins que l'astiquage ne fît aussi partie pour lui de ces choses inutiles et irremplaçables, de ces réflexes et traditions ancestralement conservés comme qui dirait dans la Saumur et fortifiés par la suite, quoique d'après ce qu'on racontait elle (c'est-à-dire la femme c'est-à-dire l'enfant qu'il avait épousée ou plutôt qui l'avait épousé) s'était chargée en seulement quatre ans de mariage de lui faire oublier ou en tout cas mettre au rancart un certain nombre de ces traditionnelles traditions, que cela lui plût ou non, mais

même en admettant qu'il eût renoncé à un certain nombre d'entre elles (et peut-être non pas tant par amour
que par force ou si l'on préfère par la force de l'amour
ou si l'on préfère forcé par l'amour) il y a des choses
que le pire des abandons des renoncements ne peut faire
oublier même si on le voulait et ce sont en général les
plus absurdes les plus vides de sens celles qui ne se rai-
sonnent ni se commandent, comme par exemple ce réflexe qu'il a eu de tirer son sabre quand cette rafale lui
est partie dans le nez de derrière la haie : un moment
j'ai pu le voir ainsi le bras levé brandissant cette arme
inutile et dérisoire dans un geste héréditaire de statue
équestre que lui avaient probablement transmis des générations de sabreurs, silhouette obscure dans le contre-
jour qui le décolorait comme si son cheval et lui avaient
été coulés tout ensemble dans une seule et même matière, un métal gris, le soleil miroitant un instant sur la
lame nue puis le tout — homme cheval et sabre —
s'écroulant d'une pièce sur le côté comme un cavalier
de plomb commençant à fondre par les pieds et s'incli-
nant lentement d'abord puis de plus en plus vite sur le
flanc, disparaissant le sabre toujours tenu à bout de bras
derrière la carcasse de ce camion brûlé effondré là, in-
décent comme un animal une chienne pleine traînant
son ventre par terre, les pneus crevés se consumant lentement exhalant cette puanteur de caoutchouc cramé la
nauséeuse puanteur de la guerre suspendue dans l'éclatant après-midi de printemps, flottant ou plutôt stagnant
visqueuse et transparente mais aurait-on dit visible
comme une eau croupie dans laquelle auraient baigné
les maisons de brique rouge les vergers les haies : un
instant l'éblouissant reflet de soleil accroché ou plutôt
condensé, comme s'il avait capté attiré à lui pour une
fraction de seconde toute la lumière et la gloire, sur
l'acier virginal... Seulement, vierge, il y avait belle lurette qu'elle ne l'était plus, mais je suppose que ce n'était
pas cela qu'il lui demandait espérait d'elle le jour où il

avait décidé de l'épouser, sachant sans doute parfaitement dès ce moment ce qui l'attendait, ayant accepté
par avance ayant assumé ayant par avance consommé
si l'on peut dire cette Passion, avec cette différence que
le lieu le centre l'autel n'en était pas une colline chauve,
mais ce suave et tendre et vertigineux et broussailleux
et secret repli de la chair... Ouais : crucifié, agonisant
sur l'autel la bouche l'antre de... Mais après tout n'y
avait-il pas aussi une putain là-bas, à croire que les putains sont indispensables dans ces sortes de choses, femmes en pleurs se tordant les bras et putains repenties, à
supposer qu'il lui ait jamais demandé de se repentir ou
du moins attendu espéré qu'elle le fît qu'elle devînt autre chose que ce qu'elle avait la réputation d'être et donc
attendu de ce mariage autre chose que ce qui devait
logiquement s'en suivre, prévoyant même peut-être ou
du moins ayant peut-être envisagé jusqu'à cette ultime
conséquence ou plutôt conclusion, ce suicide que la
guerre lui donnait l'occasion de perpétrer d'une façon
élégante c'est-à-dire non pas mélodramatique spectacu-
laire et sale comme les bonnes qui se jettent sous le mé-
tro ou les banquiers qui salissent tout leur bureau mais
maquillé en accident si toutefois on peut considérer
comme un accident d'être tué à la guerre, profitant en
quelque sorte avec discrétion et opportunité de l'occasion offerte pour en finir avec ce qui n'aurait jamais dû
commencer quatre ans auparavant...
   J'ai compris cela, j'ai compris que tout ce qu'il cherchait espérait depuis un moment c'était de se faire descendre et pas seulement quand je l'ai vu rester là planté
sur son cheval arrêté bien exposé au beau milieu de la
route sans même se donner la peine ou faire semblant
de se donner la peine de le pousser jusque sous un pom-
mier, cet imbécile de petit sous-lieutenant se croyant
obligé de faire comme lui, s'imaginant sans doute que
c'était le dernier chic le nec plus ultra de l'élégance et
du bon ton pour un officier de cavalerie sans se dou-

ter un instant des véritables raisons qui poussaient l'autre
à faire ça c'est-à-dire qu'il ne s'agissait là ni d'honneur
ni de courage et encore moins d'élégance mais d'une affaire purement personnelle et non pas même entre lui
et elle mais entre lui et lui. J'aurais pu le lui dire, Iglésia aurait pu le lui dire encore mieux que moi. Mais à
quoi bon. Je suppose qu'il devait être persuadé qu'il faisait là quelque chose d'absolument sensationnel et d'ailleurs pourquoi l'aurions-nous détrompé puisque comme
cela il mourrait au moins content béat même, mourant à
côté de et comme un de Reixach, mieux valait donc
qu'il le croie mieux valait donc qu'il soit idiot qu'il ne se
demande pas ce qu'il y avait derrière ce visage à peine
légèrement ennuyé légèrement impatient attendant nous
faisant ou plutôt faisant au règlement du service en campagne et aux dispositions prescrites en cas d'attaque par
avion volant bas et mitraillant la concession d'attendre
jusqu'à ce qu'ils se soient éloignés et que nous sortions
du fossé, se tournant légèrement sur sa selle un peu im-
patienté mais se contenant nous montrant ce visage toujours impénétrable dépourvu d'expression attendant
simplement que nous soyons de nouveau à cheval tandis
qu'ils disparaissaient pas plus gros que des points maintenant au-dessus de l'horizon, puis dès que nous fûmes
en selle repartant poussant son cheval d'une imperceptible pression des jambes, le cheval se remettant semblait-
il en marche de lui-même et toujours au pas naturellement sans précipitation sans lenteur non plus et pas nonchalamment non plus : simplement au pas. Je suppose
qu'il n'aurait pas pris le trot pour tout l'or du monde,
qu'il n'aurait pas donné un coup d'éperon pas donné sa
place pour un boulet de canon c'est le cas de le dire il
y a comme ça des expressions qui tombent à pic : au pas
donc, cela devait faire partie de ce qu'il avait commencé quatre ans plus tôt et avait décidé, était en train
de finir ou plutôt de chercher à terminer avançant tranquillement, impassible (de même que, d'après ce que di-

sait Iglésia, il avait toujours fait semblant de ne s'apercevoir de rien, n'avait jamais laissé transparaître le moindre sentiment ni jalousie ni colère) sur cette route qui était quelque chose comme un coupe-gorge, c'est-à-dire pas la guerre mais le meurtre, un endroit où l'on vous assassinait sans qu'on ait le temps de faire ouf, les types tranquillement installés comme au tir forain derrière une haie ou un buisson et prenant tout leur temps pour vous ajuster, le vrai casse-pipe en somme et un moment je me suis demandé s'il n'espérait pas qu'Iglésia y laisserait aussi sa peau, si tout en finissant avec lui-même il n'assouvissait pas en même temps une vengeance longtemps désirée, mais tout bien pesé je ne le crois pas je pense qu'à ce moment-là tout lui était devenu indifférent si tant est qu'il en ait jamais voulu à Iglésia puisqu'en définitive il l'avait gardé à son service et que maintenant il se souciait autant ou plutôt aussi peu de lui que de moi ou de cet idiot de sous-lieutenant, ne se sentant sans doute plus tenu à aucun devoir non pas en ce qui nous concernait personnellement mais en ce qui concernait son rôle sa fonction d'officier, pensant probablement que ce qu'il pouvait faire ou ne pas faire sur ce plan n'avait au stade où nous en étions arrivés plus aucune espèce d'importance : délivré donc libéré relevé pour ainsi dire de ses obligations militaires à partir du moment où l'effectif de son escadron avait été réduit à nous quatre (son escadron lui-même étant à peu près tout ce qui avait fini par rester du régiment tout entier avec peut-être quelques autres cavaliers démontés perdus par-ci par-là dans la nature) ce qui ne l'empêchait pas de se tenir toujours droit et raide sur sa selle aussi droit et aussi raide que s'il avait été en train de défiler à la revue du quatorze juillet et non pas en pleine retraite ou plutôt débâcle ou plutôt désastre au milieu de cette espèce de décomposition de tout comme si non pas une armée mais le monde lui-même tout entier et non pas seulement dans sa réalité physique mais encore dans

la représentation que peut s'en faire l'esprit (mais peut-
être était-ce aussi le manque de sommeil, le fait que depuis dix jours nous n'avions pratiquement pas dormi, sinon à cheval) était en train de se dépiauter se désagréger s'en aller en morceaux en eau en rien, et deux ou
trois fois quelqu'un lui cria de ne pas continuer (combien je ne sais, ni qui ils étaient : j'imagine, des blessés,
ou cachés dans des maisons ou dans le fossé, ou peut-
être de ces civils qui s'obstinaient de façon incompréhensible à errer traînant une valise crevée ou poussant devant eux de ces voiturettes d'enfant chargées de vagues
bagages (et même pas des bagages : des choses, et probablement inutiles : simplement sans doute pour ne
pas errer les mains vides, avoir l'impression l'illusion
d'emporter avec soi, de posséder n'importe quoi pourvu
que s'y attachât — à l'oreiller éventré au parapluie
ou à la photographie en couleurs des grands-parents
— la notion arbitraire de prix, de trésor) comme
si ce qui comptait c'était de marcher, que ce fût
dans une direction ou une autre : mais je ne les vis
pas véritablement, tout ce que je pouvais voir, étais encore capable de reconnaître, comme une sorte de point
de mire, de repère, c'était ce dos osseux maigre raide et
très droit posé sur la selle, et la tunique de serge légèrement plus brillante sur la saillie symétrique des omoplates, et il y avait longtemps que j'avais cessé de m'intéresser — de pouvoir m'intéresser — à ce qui pouvait se
passer sur le bord de la route) ; des voix donc, irréelles
et geignardes criant quelque chose (mise en garde, aver-
tissement) et qui me parvenaient à travers l'éblouissante
et opaque lumière de cette journée de printemps
(comme si la lumière elle-même était sale, comme si l'air
invisible contenait en suspension, comme une eau souillée troublée, cette sorte de crasse poussiéreuse et puante
de la guerre), et lui (chaque fois je pouvais voir sa tête
bouger et sous le casque apparaître en profil perdu le
bord de son visage, la découpe sèche dure du front, du

sourcil, et au-dessous l'encoche de l'orbite puis la ligne
ferme sèche inaltérable, descendant tout droit de la pommette au menton) les regardant, son œil inexpressif
incurieux se posant un instant (mais apparemment sans
voir) sur celui (ou peut-être même pas : seulement l'endroit le point d'où venait la voix) qui l'avait interpellé, et
même pas réprobateur sévère ou indigné, même pas
un froncement de sourcil : simplement cette absence
d'expression, d'intérêt — tout au plus peut-être un étonnement : un peu interdit, impatient, comme si dans un
salon quelqu'un l'avait brusquement abordé sans lui
avoir été présenté ou interrompu au milieu d'une phrase
par une de ces remarques hors de propos (comme par
exemple lui signaler la cendre de son cigare sur le point
de se détacher ou son café en train de refroidir) et cherchant peut-être, faisant effort, montre de bonne volonté
de patience de courtoisie pour essayer de comprendre les
raisons ou l'intérêt de la remarque ou si celle-ci pouvait
être rattachée d'une manière quelconque à ce qu'il était
en train de raconter, puis renonçant à comprendre prenant son parti sans même un haussement d'épaules pensant sans doute qu'il est inévitable de rencontrer toujours
partout et en toutes circonstances — dans les salons ou à
la guerre — des gens stupides et sans éducation, et cela
fait — c'est-à-dire remémoré — oubliant l'interrupteur,
l'effaçant cessant de le voir avant même d'avoir détourné les yeux, cessant alors pour de bon de regarder
cet endroit où il n'y avait rien, redressant la tête et reprenant avec ce petit sous-lieutenant sa paisible conversation du genre de celles que peuvent tenir deux cavaliers chevauchant de compagnie (au manège ou dans la
carrière) et où il devait sans doute être question de chevaux, de camarades de promotion, de chasse ou de
courses. Et il me semblait y être, voir cela : des ombra-
ges verts avec des femmes en robes de couleurs impri-
mées, debout ou assises sur des fauteuils de jardin en fer,
et des hommes en culottes claires et bottes en train de

leur parler, légèrement penchés sur elles, tapotant leurs
bottes à petits coups de leur cravache de jonc, les robes
des chevaux et celles des femmes et les cuirs fauves des
bottes faisant des taches vives (acajou, mauve, rose,
jaune) sur l'épaisseur verte des frondaisons, et les femmes de cette espèce particulière non pas à laquelle ap-
partiennent mais que constituent à l'exclusion de toutes
autres les filles de colonels ou de noms à particules : un
peu fades, un peu insignifiantes et grêles, conservant
tard (même mariées, même après le deuxième ou troisième enfant) cet air de jeunes filles, avec leurs longs
bras délicats et nus, leurs courts gants blancs de pensionnaires, leurs robes de pensionnaires (jusqu'à ce qu'elles
se muent brusquement — vers le milieu de la trentaine
— en quelque chose d'un peu hommasse, un peu cheva-
lin (non, pas des juments : des chevaux) fumant et parlant chasse ou concours hippiques comme des hommes),
et le bourdonnement léger des voix suspendu sous les
lourds feuillages des marronniers, les voix (féminines ou
d'hommes) capables de rester bienséantes, égales et parfaitement futiles tout en articulant les propos les plus
raides ou même de corps de garde, discutant de saillies
(bêtes et humains), d'argent ou de premières commu-
nions avec la même inconséquente, aimable et cavalière
aisance, les voix donc se mêlant à l'incessant et confus
piétinement des bottes et des hauts talons sur le gravier,
stagnant dans l'air, le chatoyant et impalpable poudroiement de poussière dorée suspendu dans le paisible et vert
après-midi aux effluves de fleurs, de crottin et de parfums, et lui...

« Ouais !... » fit Blum (maintenant nous étions couchés dans le noir c'est-à-dire imbriqués entassés au
point de ne pas pouvoir bouger un bras ou une jambe
sans rencontrer ou plutôt sans demander la permission
à un autre bras ou à une autre jambe, étouffant, la
sueur ruisselant sur nous nos poumons cherchant l'air
comme des poissons sur le sec, le wagon arrêté une fois

de plus dans la nuit on n'entendait rien d'autre que le
bruit des respirations les poumons s'emplissant désespérément de cette épaisse moiteur cette puanteur s'exhalant des corps emmêlés comme si nous étions déjà plus
morts que des morts puisque nous étions capables de
nous en rendre compte comme si l'obscurité les ténèbres... Et je pouvais les sentir les deviner grouillant rampant lentement les uns sur les autres comme des reptiles
dans la suffocante odeur de déjections et de sueur,
cherchant à me rappeler depuis combien de temps nous
étions dans ce train un jour et une nuit ou une nuit un
jour et une nuit mais cela n'avait aucun sens le temps
n'existe pas Quelle heure est-il dis-je est-ce que tu peux
réussir à voir l', Bon sang dit-il qu'est-ce que ça peut
foutre qu'est-ce que ça changera quand il fera jour tu
tiens à voir nos sales gueules de lâches de vaincus tu
tiens à voir ma sale gueule de juif ils, Oh dis-je ça va ça
va ça va), Blum répétant : « Ouais. Et alors il a dégusté
à bout portant cette rafale de mitraillette. Peut-être qu'il
aurait été plus intelligent de sa part de

— Non : écoute... Intelligent ! Oh bon Dieu qu'est-ce
que l'intell... Ecoute : à un moment il nous a payé à
boire. C'est-à-dire, je pense, pas exactement pour nous :
à cause des chevaux. C'est-à-dire qu'il a pensé qu'ils devaient avoir soif et alors par la même occasion... » Et
Blum : « Payé à boire ! », et moi : « Oui. C'était...
Ecoute : on aurait dit une de ces réclames pour une
marque de bière anglaise, tu sais ? La cour de la vieille
auberge avec les murs de brique rouge foncé aux joints
clairs, et les fenêtres aux petits carreaux, le châssis peint
en blanc, et la servante portant le pichet de cuivre et le
groom en jambières de cuir jaune avec les languettes des
boucles retroussées donnant à boire aux chevaux pendant que le groupe des cavaliers se tient dans la pose
classique : les reins cambrés, l'une des jambes bottées en
avant, un bras replié sur la hanche avec la cravache
dans le poing tandis que l'autre élève une chope de bière

dorée en direction d'une fenêtre du premier étage où
l'on aperçoit, entrevoit à demi derrière le rideau un visage qui a l'air de sortir d'un pastel... Oui : avec cette
différence qu'il n'y avait rien de tout cela que les murs
de brique, mais sales, et que la cour ressemblait plutôt
à celle d'une ferme : une arrière-cour de bistrot, d'estaminet, avec des caisses de limonade vides entassées et
des poules errantes et du linge en train de sécher sur une
corde, et qu'en fait de tablier blanc à bavette la femme
portait un de ces sarreaux de toile à petites fleurs
comme on en vend sur les marchés en plein vent et
qu'elle était jambes nues dans de simples pantoufles
et apparemment pas tellement étonnée de ce qu'elle et
nous étions en train de faire là, comme si c'eût été une
chose normale de vider tranquillement, debout et tout
équipés, chacun notre cannette de bière, lui et le sous-
lieutenant un peu à l'écart comme il sied (et je ne sais
même pas s'il a bu, je ne le crois pas, je ne le vois pas
vidant une cannette de bière au goulot), et nous tenant
d'une main notre bouteille et de l'autre les rênes des chevaux en train de boire à l'abreuvoir, et cela à côté de
cette route sur le bord de laquelle il y avait un type
mort (ou une femme, ou un enfant), ou un camion, ou
une voiture brûlée à peu près tous les dix mètres, et
quand il a payé — car il a payé — j'ai pu voir sa main
descendre tranquillement dans sa poche, sous le moel-
leux tissu gris vert de l'élégante culotte, les deux bosses
formées par l'index et le majeur repliés tandis qu'il sai-
sissait son porte-monnaie, l'extirpait et comptait les
pièces dans la main de la femme aussi paisiblement que
s'il avait réglé une orangeade ou une de ces boissons
chic au bar d'un quelconque pesage à Deauville ou Vi-
chy... » Et de nouveau il me semblait voir cela : se détachant sur le vert inimitable des opulents marronniers,
presque noir, les jockeys passant dans le tintement de la
cloche pour se rendre au départ, haut perchés, simies-
ques, sur les bêtes graciles et élégantes, leurs casaques

multicolores se suivant dans les pastilles de soleil, comme
ceci : Jaune, bretelles et toque bleues — le fond vert
noir des marronniers — Noire, croix de Saint-André
bleue et toque blanche — le mur vert noir des marronniers — Damier bleu et rose toque bleue — le mur vert
noir des marronniers — Rayée cerise et bleue, toque
bleu ciel — le mur vert noir des marronniers — Jaune,
manches cerclées jaune et rouge, toque rouge — le mur
vert noir des marronniers — Rouge, coutures grises, toque rouge — le mur vert noir des marronniers — Bleu
clair, manches noires, brassard et toque rouges — le
mur vert noir des marronniers — Grenat, toque grenat
— le mur vert noir des marronniers — Jaune, cercle et
brassards verts, toque rouge — le mur vert noir des marronniers — Bleue, manches rouges, brassard et toque
verts — le mur noir des marronniers — Violette, croix
de Lorraine cerise, toque violette — le mur vert noir des
marronniers — Rouge, pois bleus, manches et toque rouges — le mur vert noir des marronniers — Marron cerclé
bleu ciel, toque noire... les casaques étincelantes glissant,
le mur vert sombre des feuilles, les casaques étincelantes,
les pastilles de soleil dansant, les chevaux aux noms dan-
sants — Carpasta, Milady, Zeida, Naharo, Romance,
Primarosa, Riskoli, Carpaccio, Wild-Risk, Samarkand,
Chichibu — les jeunes pouliches posant l'un après l'autre, leurs sabots délicats et les retirant comme si elles se
brûlaient, dansant, semblant se tenir, suspendues et dan-
santes, au-dessus du sol, sans toucher terre, la cloche, le
bronze tintant, n'en finissant plus de tinter, tandis que
l'une après l'autre les chatoyantes casaques glissaient
silencieusement dans l'élégant après-midi et Iglésia passant sans la regarder avec sur le dos cette casaque rose
qui semblait laisser derrière lui comme le sillage parfumé de sa chair à elle, comme si elle avait pris une de
ces soyeuses lingeries et la lui avait jetée dessus, encore
tiède, encore imprégnée de l'odeur de son corps, et au-
dessus son profil jaune et triste d'oiseau de proie, et ses

petites jambes repliées, les genoux remontés, accroupi
sur cette alezane dorée à la démarche majestueuse, opulente, aux hanches opulentes (jusqu'à cette opulente raideur de l'arrière-train, des membres faits non pour
marcher mais pour galoper, les longs postérieurs se mouvant l'un après l'autre avec cette raide distinction, cette
hautaine maladresse, la longue queue blonde se balançant, accrochant les éclats de soleil), et les dernières casaques maintenant de dos (une bleu foncé avec une
croix de Saint-André rouge, une marron à pois bleus),
disparaissant derrière les balances, le bâtiment au toit
de chaume, aux fausses poutres normandes, et elle (elle
qui n'a pas non plus tourné la tête, pas fait mine de le
voir) assise dans un de ces fauteuils de fer, sous les om-
brages, avec peut-être dans une main une de ces feuilles
jaunes ou roses sur lesquelles sont inscrites les dernières
cotes (mais ne la regardant pas non plus), parlant distraitement avec (ou écoutant distraitement, ou n'écoutant pas) un de ces personnages, de ces colonels ou com-
mandants à la retraite que l'on ne voit plus que dans ces
sortes d'endroits, vêtus d'un pantalon rayé, coiffés d'un
melon gris (et sans doute rangés quelque part, tout habillés, pendant le reste de la semaine, et ressortis uniquement le dimanche, rapidement épousetés, défroissés
et posés là en même temps que les corbeilles de fleurs
sur les balcons et les escaliers des tribunes, et aussitôt
après rangés de nouveau dans leur boîte), et à la fin Corinne se levant nonchalamment, se dirigeant sans hâte —
sa vaporeuse et indécente robe rouge oscillant, se balançant au-dessus de ses jambes — vers les tribunes...

Mais il n'y avait pas de tribunes, pas de public élégant pour nous regarder : je pouvais toujours les voir
devant nous se silhouettant en sombre (formes donqui-
chottesques décharnées par la lumière qui mordait, cor-
rodait les contours), indélébiles sur le fond de soleil
aveuglant, leurs ombres noires tantôt glissant à côté
d'eux sur la route comme leurs doubles fidèles, tantôt

raccourcies, tassées ou plutôt télescopées, naines et difformes, tantôt étirées, échassières et distendues, répétant en raccourci et symétriquement les mouvements de leurs doubles verticaux auxquels elles semblent réunies par des liens invisibles : quatre points — les quatre sabots — se détachant et se rejoignant alternativement (exactement à la façon d'une goutte d'eau qui se détache d'un toit ou plutôt se scinde, une partie d'elle-même restant accrochée au rebord de la gouttière (le phénomène se décomposant de la façon suivante : la goutte s'étirant en poire sous son propre poids, se déformant, puis s'étranglant, la partie inférieure — la plus grosse — se séparant, tombant, tandis que la partie supérieure semble remonter, se rétracter, comme aspirée vers le haut aussitôt après la rupture, puis se regonfle aussitôt par un nouvel apport, de sorte qu'un instant après il semble que ce soit la même goutte qui pende, s'enfle de nouveau, toujours à la même place, et cela sans fin, comme une balle cristalline animée au bout d'un élastique d'un mouvement de va-et-vient), et, de même, la patte et l'ombre de la patte se séparant et se ressoudant, ramenées sans fin l'une vers l'autre, l'ombre se rétractant sur elle-même comme le bras d'un poulpe tandis que le sabot se soulève, la patte décrivant une courbe naturelle, arrondie, cependant que sous elle et légèrement en arrière recule seulement un peu, compressée, la tache noire qui revient ensuite se recoller au sabot — et en raison de la pente oblique des rayons, la vitesse à laquelle l'ombre revient pour ainsi dire toucher but allant croissant, de sorte que partant lentement elle semble à la fin se précipiter comme une flèche, aspirée, sur le point de contact, de jonction) comme par un phénomène d'osmose, le double mouvement multiplié par quatre, les quatre sabots et les quatre ombres télescopées se disjoignant et se rejoignant dans une sorte de va-et-vient immobile, de piétinement monotone, tandis que sous elles défilent bas-côtés poussiéreux, pavés ou herbe, comme

une tache d'encre aux multiples bavures se dénouant et
se renouant, glissant sans laisser de traces sur les décombres, les morts, l'espèce de traînée, de souillure, de sillage
d'épaves que laisse derrière elle la guerre, et ce dut être
par là que je le vis pour la première fois, un peu avant
ou après l'endroit où nous nous sommes arrêtés pour
boire, le découvrant, le fixant à travers cette sorte de
demi-sommeil, cette sorte de vase marron dans laquelle
j'étais pour ainsi dire englué, et peut-être parce que nous
dûmes faire un détour pour l'éviter, et plutôt le devi-
nant que le voyant : c'est-à-dire (comme tout ce qui ja-
lonnait le bord de la route : les camions, les voitures, les
valises, les cadavres) quelque chose d'insolite, d'irréel,
d'hybride, en ce sens que ce qui avait été un cheval
(c'est-à-dire ce qu'on savait, ce qu'on pouvait reconnaître, identifier comme ayant été un cheval) n'était plus
à présent qu'un vague tas de membres, de corne, de cuir
et de poils collés, aux trois quarts recouvert de boue —
Georges se demandant sans exactement se le demander,
c'est-à-dire constatant avec cette sorte d'étonnement paisible ou plutôt émoussé, usé et même presque complètement atrophié par ces dix jours au cours desquels il avait
peu à peu cessé de s'étonner, abandonné une fois pour
toutes cette position de l'esprit qui consiste à chercher
une cause ou une explication logique à ce que l'on voit
ou ce qui vous arrive : donc ne se demandant pas comment, constatant seulement que quoiqu'il n'eût pas plu
depuis longtemps — du moins à sa connaissance — le
cheval ou plutôt ce qui avait été un cheval était presque
entièrement recouvert — comme si on l'avait trempé
dans un bol de café au lait, puis retiré — d'une boue liquide et gris-beige, déjà à moitié absorbé semblait-il par
la terre, comme si celle-ci avait déjà sournoisement commencé à reprendre possession de ce qui était issu d'elle,
n'avait vécu que par sa permission et son intermédiaire
(c'est-à-dire l'herbe et l'avoine dont le cheval s'était
nourri) et était destiné à y retourner, s'y dissoudre de

nouveau, le recouvrant donc, l'enveloppant (à la façon de ces reptiles qui commencent par enduire leurs proies de bave ou de suc gastrique avant de les absorber) de cette boue liquide secrétée par elle et qui semblait être déjà comme un sceau, une marque distinctive certifiant l'appartenance, avant de l'engloutir lentement et définitivement dans son sein en faisant sans doute entendre comme un bruit de succion : pourtant (quoiqu'il semblât avoir été là depuis toujours, comme un de ces animaux ou végétaux fossilisés retournés au règne minéral, avec ses deux pattes de devant repliées dans une posture fœtale d'agenouillement et de prière à la façon des membres antérieurs d'une mante religieuse, son cou raide, sa tête raide et renversée dont la mâchoire ouverte laissait voir la tache violette du palais) il n'y avait pas longtemps qu'il avait été tué — peut-être seulement lors du dernier passage des avions ? — car le sang était encore frais : une large tache rouge clair et grumeleuse, brillante comme un vernis, s'étalant sur ou plutôt hors de la croûte de boue et de poils collés comme s'il sourdait non d'un animal, d'une simple bête abattue, mais d'une inexpiable et sacrilège blessure faite par les hommes (à la façon dont, dans les légendes, l'eau ou le vin jaillissent de la roche ou d'une montagne frappée d'un bâton) au flanc argileux de la terre ; Georges le regardant tandis qu'il faisait machinalement décrire à sa monture un large demi-cercle pour le contourner (le cheval obéissant docilement sans faire d'écart ni presser le pas ni obliger son cavalier à le tenir serré pour le maîtriser, Georges pensant à l'agitation, l'espèce de mystérieuse frayeur qui s'emparait des chevaux lorsque, partant pour l'exercice, il leur arrivait de longer, au bout du champ de manœuvres, le mur de l'entreprise d'équarrissage, et alors les hennissements, les tintements des gourmettes, les jurons des hommes cramponnés aux rênes, pensant : « Et là-bas c'était seulement l'odeur. Mais maintenant même la vue d'un de leurs pareils mort ne leur fait plus rien, et sans doute marcheraient-ils même dessus, rien que parce que ça leur ferait trois pas de moins », pensant encore : « Et moi aussi d'ailleurs... » Il le vit lentement pivoter au-dessous de lui, comme s'il avait été posé sur un plateau tournant (d'abord au premier plan, la tête renversée, présentant sa face inférieure, fixe, le cou raide, puis insensiblement, les pattes repliées s'interposant, masquant la tête, puis le flanc maintenant au premier plan, la blessure, puis les membres postérieurs en extension, collés l'un à l'autre comme si on les avait ligotés, la tête réapparaissant alors, tout là-bas derrière, dessinée en perspective fuyante, les contours se modifiant d'une façon continue, c'est-à-dire cette espèce de destruction et de reconstruction simultanée des lignes et des volumes (les saillies s'affaissant par degrés tandis que d'autres reliefs semblent se soulever, se profilent, puis s'affaissent et disparaissent à leur tour) au fur et à mesure que l'angle de vue se déplace, en même temps que semblait bouger tout autour l'espèce de constellation — et d'abord il ne vit que de vagues taches — constituée d'objets de toutes sortes (selon l'angle aussi les distances entre eux diminuant ou s'élargissant) éparpillés en désordre autour du cheval (sans doute le chargement de la charrette qu'il avait traînée mais on ne voyait pas de charrette : peut-être les gens s'y étaient-ils attelés eux-mêmes et avaient-ils continué ainsi ?), Georges se demandant comment la guerre répandait (puis il vit la valise éventrée, laissant échapper comme des tripes, des intestins d'étoffe) cette invraisemblable quantité de linges, le plus souvent noirs et blancs (il y en avait pourtant un d'un rose passé, projeté sur ou accroché par la haie d'aubépines, comme si on l'avait mis là à sécher), comme si ce que les gens estimaient le plus précieux c'étaient des chiffons, des loques, des draps déchirés ou tordus, dispersés, étirés, comme des bandes, de la charpie, sur la face verdoyante de la terre...

Puis il cessa de se demander quoi que ce fût, cessant

en même temps de voir quoiqu'il s'efforçât de garder les yeux ouverts et de se tenir le plus droit possible sur sa selle tandis que l'espèce de vase sombre dans laquelle il lui semblait se mouvoir s'épaississait encore, et il fit noir tout à fait, et tout ce qu'il percevait maintenant c'était le bruit, le martellement monotone et multiple des sabots sur la route se répercutant, se multipliant (des centaines, des milliers de sabots à présent) au point (comme le crépitement de la pluie) de s'effacer, se détruire lui-même, engendrant par sa continuité, son uniformité, comme une sorte de silence au deuxième degré, quelque chose de majestueux, monumental : le cheminement même du temps, c'est-à-dire invisible immatériel sans commencement ni fin ni repère, et au sein duquel il avait la sensation de se tenir glacé, raide sur son cheval lui aussi invisible dans le noir, parmi les fantômes de cavaliers aux invisibles et hautes silhouettes glissant horizontalement, oscillant ou plutôt se dandinant faiblement au pas cahoté des chevaux, si bien que l'escadron, le régiment tout entier semblait progresser sans avancer, comme au théâtre ces personnages immobiles dont les jambes imitent sur place le mouvement de la marche tandis que derrière eux se déroule en tremblotant une toile de fond sur laquelle sont peints maisons arbres nuages avec cette différence qu'ici la toile de fond était seulement la nuit, du noir, et à un moment la pluie commença à tomber, elle aussi monotone, infinie et noire, et non pas se déversant mais, comme la nuit elle-même, englobant dans son sein hommes et montures, ajoutant mêlant son imperceptible grésillement à cette formidable patiente et dangereuse rumeur de milliers de chevaux allant par les routes, semblable au grignotement que produiraient des milliers d'insectes rongeant le monde (au reste les chevaux, les vieux chevaux d'armes, les antiques et immémoriales rosses qui vont sous la pluie nocturne le long des chemins, branlant leur lourde tête cuirassée de méplats, n'ont-ils pas quelque

chose de cette raideur de crustacés cet air vaguement ridicule vaguement effrayant de sauterelles, avec leurs
pattes raides leurs os saillants leurs flancs annelés évo-
quant l'image de quelque animal héraldique fait non pas
de chair et de muscles mais plutôt semblable — animal
et armure se confondant — à ces vieilles guimbardes
aux tôles et aux pièces rouillées, cliquetant, rafistolées à
l'aide de bouts de fils de fer, menaçant à chaque instant
de s'en aller en morceaux ?), rumeur qui, dans l'esprit
de Georges avait fini par se confondre avec l'idée même
de guerre, le monotone piétinement qui emplissait la
nuit semblable à un cliquetis d'ossement, l'air noir et dur
sur les visages comme du métal, de sorte qu'il lui semblait (pensant à ces récits d'expéditions au pôle où l'on
raconte que la peau reste attachée au fer gelé) sentir les
ténèbres froides adhérer à sa chair, solidifiées, comme si
l'air, le temps lui-même n'étaient qu'une seule et unique
masse d'acier refroidi (comme ces mondes morts, éteints
depuis des milliards d'années et couverts de glaces) dans
l'épaisseur de laquelle ils étaient pris, immobilisés pour
toujours, eux, leurs vieilles carnes macabres, leurs éperons, leurs sabres, leurs armes d'acier : tout debout et
intacts, tels que le jour lorsqu'il se lèverait les découvri-
rait à travers les épaisseurs transparentes et glauques,
semblables à une armée en marche surprise par un cataclysme et que le lent glacier à l'invisible progression restituerait, vomirait dans cent ou deux cent mille ans de
cela, pêle-mêle avec tous les vieux lansquenets, reîtres
et cuirassiers de jadis, dégringolant, se brisant dans un
faible tintement de verre...

« A moins que tout ça ne se mette aussitôt à pourrir
et puer, pensa-t-il. Comme ces mammouths... » Puis il
fut tout à fait réveillé (sans doute à cause du change-
men d'allure du cheval, c'est-à-dire, quoiqu'il fût toujours au pas, un déhanchement plus sec, chassant le
corps vers le pommeau de la selle, ce qui signifiait que
la route s'était maintenant mise à descendre) : mais il

faisait toujours aussi noir, et même en écarquillant les yeux tant qu'il pouvait il ne parvenait à rien distinguer, pensant (au bruit des sabots différent maintenant, sonnant plus creux et, pendant un moment, la sensation d'un silence différent aussi, d'une obscurité différente, non pas plus humide ou plus fraîche — car la même pluie tombait toujours — mais pour ainsi dire liquide et mouvante, au-dessous d'eux) qu'ils devaient passer sur un pont ; puis sous les sabots le sol rendit de nouveau un son plein et la route commença à monter.

Là où la culotte frottait contre la selle, entre le genou et les sacoches à avoine, le patient filet d'eau qui s'infiltrait avait complètement détrempé le drap et il pouvait sentir contre sa peau le froid de l'étoffe mouillée, et sans doute la route s'élevait-elle en lacets car à présent le crépitement monotone arrivait de partout : non plus seulement de l'avant et de l'arrière mais encore à droite, au-dessus, à gauche, au-dessous, et, les yeux grands ouverts sur le noir, presque insensible maintenant (les étriers déchaussés, penché à présent sur le pommeau, les deux jambes passées par dessus les sacoches pour soulager les genoux, se laissant ballotter comme un paquet) il croyait entendre tous les chevaux, les hommes, les wagons en train de piétiner ou de rouler en aveugles dans cette même nuit, cette même encre, sans savoir vers où ni vers quoi, le vieux et inusable monde tout entier frémissant, grouillant et résonnant dans les ténèbres comme une creuse boule de bronze avec un catastrophique bruit de métal entrechoqué, pensant à son père assis dans le kiosque aux vitres multicolores au fond de l'allée de chênes où il passait ses après-midi à travailler, couvrir de sa fine écriture raturée et surchargée les éternelles feuilles de papier qu'il transportait avec lui d'un endroit à l'autre dans une vieille chemise aux coins cornés, comme une sorte d'inséparable complément de lui-même, d'organe supplémentaire inventé sans doute pour remédier aux défaillances des autres (les muscles, les os

accablés sous le monstrueux poids de graisse et de chairs
distendues, de matière devenue impropre à satisfaire par
elle-même ses propres besoins de sorte qu'elle semblait
avoir inventé, secrété comme une sorte de sous-produit
de remplacement, de sixième sens artificiel, de prothèse
omnipotente fonctionnant à l'encre et à la pâte de
bois) ; mais ce soir-là, les journaux du matin encore éta-
lés pêle-mêle sur la table d'osier par dessus la chemise,
les précieux papiers qu'il avait apportés comme chaque
jour mais qui se trouvaient encore à l'endroit même où
ils les avaient posés en arrivant, au début de l'après-
midi, les journaux en désordre et froissés à force d'avoir
été relus et retenant encore dans la pénombre du kiosque la lumière du crépuscule d'été à travers lequel parvenait le halètement paisible du tracteur, le métayer finissant de faucher la grande prairie, le bruit du moteur
s'emballant, s'exaspérant quand il remontait la pente de
la colline, rageur, dominant leurs voix, puis, parvenu
en haut, se relâchant brusquement, s'effaçant presque
tandis qu'il passait derrière le bouquet de bambous en
tournant, redescendait la pente, tournait encore, longeait
le bas de la colline, puis se précipitait, se ruait de nouveau, le moteur s'arc-boutant semblait-il à l'assaut de la
pente, et Georges savait alors qu'il allait peu à peu le
voir apparaître, s'élevant, se hissant avec cette irrésisti-
ble lenteur de tout ce qui de près ou de loin et de quelque espèce que ce soit — hommes, animaux, mécani-
ques — touche aux choses de la terre, le buste immobile
du métayer imperceptiblement secoué par les trépida-
tions surgissant peu à peu dans le crépuscule devant le
fond de collines, les dépassant, se détachant enfin, sombre, sur le ciel pâle, et son père dans le fauteuil d'osier
qui grinçait sous son poids à chacun de ses mouvements,
le regard perdu dans le vide derrière les lunettes inutiles
où Georges pouvait voir se refléter deux fois la minuscule silhouette découpée sur le couchant traversant (ou
plutôt glissant lentement sur) la surface bombée des

verres en passant par les phases successives de déformation dues à la courbure des lentilles — d'abord étirée en hauteur, puis s'aplatissant, puis s'allongeant de nouveau, filiforme, tandis qu'elle pivotait lentement et disparaissait —, de sorte que tandis qu'il écoutait lui parvenir dans la pénombre la voix fatiguée du vieil homme il lui semblait voir l'invincible image du paysan non pas simplement traverser d'un bord à l'autre chacune des deux lunes de ciel mais (à la façon de ces personnages assis sur un manège) apparaître, grossir, s'approcher et décroître de nouveau comme si elle parcourait, éternelle, tremblotante et imperturbable, la ronde et éblouissante surface du monde...

Et son père parlant toujours, comme pour lui-même, parlant de ce comment s'appelait-il philosophe qui a dit que l'homme ne connaissait que deux moyens de s'approprier ce qui appartient aux autres, la guerre et le commerce, et qu'il choisissait en général tout d'abord le premier parce qu'il lui paraissait le plus facile et le plus rapide et ensuite, mais seulement après avoir découvert les inconvénients et les dangers du premier, le second c'est-à-dire le commerce qui était un moyen non moins déloyal et brutal mais plus confortable, et qu'au demeurant tous les peuples étaient obligatoirement passés par ces deux phases et avaient chacun à son tour mis l'Europe à feu et à sang avant de se transformer en sociétés anonymes de commis voyageurs comme les Anglais mais que guerre et commerce n'étaient jamais l'un comme l'autre que l'expression de leur rapacité et cette rapacité elle-même la conséquence de l'ancestrale terreur de la faim et de la mort, ce qui faisait que tuer voler piller et vendre n'étaient en réalité qu'une seule et même chose un simple besoin celui de se rassurer, comme des gamins qui sifflent ou chantent fort pour se donner du courage en traversant une forêt la nuit, ce qui expliquait pourquoi le chant en chœur faisait partie au même titre que le maniement d'armes ou les exercices de tir du pro-

gramme d'instruction des troupes parce que rien n'est
pire que le silence quand, et Georges alors en colère disant : « Mais bien sûr ! », et son père regardant toujours
sans le voir le boqueteau de trembles palpitant faiblement dans le crépuscule, l'écharpe de brume en train
de s'amasser lentement dans le fond de la vallée, noyant
les peupliers, les collines s'enténébrant, et disant :
« Qu'est-ce que tu as ? » et lui : « Rien je n'ai rien Je
n'ai surtout pas envie d'aligner encore des mots et des
mots et encore des mots Est-ce qu'à la fin tu n'en as pas
assez toi aussi ? » et son père : « De quoi ? » et lui :
« Des discours D'enfiler des... », puis se taisant, se rappelant qu'il partait le lendemain, se contenant, son père le
regardant maintenant, silencieux, puis cessant de le regarder (le tracteur avait terminé à présent, passait
bruyamment derrière le kiosque, le métayer juché sur le
siège haut perché, la tache claire de sa chemise seule
visible dans l'ombre dense sous les arbres glissant, rattachée à rien, fantomatique, s'éloignant, disparaissant au
coin de la grange, le bruit du moteur cessant peu après,
le silence refluant alors) ; il ne pouvait plus distinguer
le visage du vieil homme, seulement un masque flou suspendu au-dessus de l'énorme et confuse masse affalée
dans le fauteuil, pensant : « Mais il a de la peine et il
cherche à le cacher à se donner lui aussi du courage
C'est pour ça qu'il parle tant Parce que tout ce qu'il a
à sa disposition c'est seulement cela cette pesante obstinée et superstitieuse crédulité — ou plutôt croyance —
en l'absolue prééminence du savoir appris par procuration, de ce qui est écrit, de ces mots que son père à lui
qui n'était qu'un paysan n'a jamais pu réussir à déchif-
frer, leur prêtant, les chargeant donc d'une sorte de pouvoir mystérieux, magique... » ; la voix de son père, empreinte de cette tristesse, de cet intraitable et vacillant
acharnement à se convaincre elle-même sinon de l'utilité
ou de la véracité de ce qu'elle disait, du moins de l'utilité de croire à l'utilité de le dire, s'obstinant pour lui

tout seul — comme un enfant siffle en traversant un
bois dans le noir avait-il dit —, continuant à présent à
lui parvenir, non plus à travers la pénombre du kiosque
dans la stagnante chaleur d'août, de l'été pourrissant où
quelque chose finissait définitivement de se corrompre,
puant déjà, se gonflant comme un cadavre empli de vers
et crevant à la fin, ne laissant plus subsister qu'un insignifiant résidu, l'amas de journaux froissés où depuis
longtemps on ne distinguait plus rien (même pas des
lettres, des signes reconnaissables, même plus les gros titres à sensation : à peine une tache, une ombre un peu
plus grise sur la grisaille du papier), mais (la voix, les
paroles) s'élevant maintenant dans les ténèbres froides
où, invisibles, s'étirait interminablement la longue théorie des chevaux en marche depuis toujours semblait-il :
comme si son père n'avait jamais cessé de parler, Georges attrapant au passage un des chevaux et sautant dessus, comme s'il s'était simplement levé de son siège,
avait enfourché une de ces ombres cheminant depuis la
nuit des temps, le vieil homme continuant à parler à un
fauteuil vide tandis qu'il s'éloignait, disparaissait, la voix
solitaire s'obstinant, porteuse de mots inutiles et vides,
luttant pied à pied contre cette chose fourmillesque qui
remplissait la nuit d'automne, la noyait, la submergeait
à la fin sous son majestueux et indifférent piétinement.

Ou peut-être n'avait-il fait que fermer les yeux et les
rouvrir aussitôt, son cheval manquant de buter sur celui qui le précédait, et alors se réveillant tout à fait, se
rendant compte qu'à présent le bruit des sabots avait
cessé et que toute la colonne était arrêtée si bien que
l'on n'entendait plus maintenant que le ruissellement de
la pluie tout autour, la nuit toujours aussi noire, déserte,
un cheval renâclant parfois, s'ébrouant, puis le bruit de
la pluie recouvrant tout de nouveau et au bout d'un moment on entendit des ordres criés en tête de l'escadron et
à son tour le peloton s'ébranla pour s'immobiliser de
nouveau après quelques mètres, quelqu'un descendant

le long de la colonne au grand trot, la monture ferrant
légèrement, faisant entendre à chaque foulée un tintement clair, métallique, et, noire sur noir, une forme sur-
git du néant, passa dans un froissement musculeux de
bête en course, de buffletteries de harnachement et de
ferraille entrechoquée, le buste obscur incliné en avant
sur l'encolure, sans visage, casqué, apocalyptique,
comme le spectre même de la guerre surgi tout armé des
ténèbres et y retournant, après quoi il s'écoula encore un
temps assez long jusqu'à ce qu'à la fin l'ordre vint de
repartir et presque aussitôt ils distinguèrent les premières maisons, un peu plus noires encore que le ciel.

Puis ils furent dans la grange, avec cette fille tenant
la lampe au bout de son bras levé, semblable à une apparition : quelque chose comme une de ces vieilles
peintures au jus de pipe : brun (ou plutôt bitumeux) et
tiède, et, pour ainsi dire, non pas tant l'intérieur d'un
bâtiment que, semblait-il, comme s'ils avaient pénétré
(pénétrant en même temps dans l'odeur âcre des bêtes,
du foin) dans une sorte d'espace organique, viscéral,
Georges se tenant, un peu étourdi, un peu ahuri, clignant des yeux, les paupières brûlantes, stupide, gourd
dans ses vêtements roides et pesants de pluie, ses bottes
roides, sa fatigue, et cette mince pellicule de saleté et
d'insomnie interposée entre son visage et l'air extérieur comme une impalpable et craquelante couche de
glace, de sorte qu'il lui semblait pouvoir sentir en même
temps le froid de la nuit — ou plutôt maintenant de
l'aube — apporté, entré là avec lui, l'enserrant encore
(et, pensa-t-il, l'aidant sans doute, comme un corset, à se
tenir debout, pensant encore confusément qu'il lui fallait
se dépêcher de desseller et de se coucher avant qu'il se
mette à fondre, à se désagréger) et, d'autre part, cette
sorte de tiédeur pour ainsi dire ventrale au sein de laquelle elle se tenait, irréelle et demi nue, à peine ou mal
réveillée, les yeux, les lèvres, toute sa chair gonflée par
cette tendre langueur du sommeil, à peine vêtue, jam-

bes nues, pieds nus malgré le froid dans de gros souliers
d'homme pas lacés, avec une espèce de châle en tricot
violet qu'elle ramenait sur sa chair laiteuse, le cou lai-
teux et pur qui sortait de la grossière chemise de nuit,
dans cette nappe de lumière jaunâtre de la lampe qui
semblait couler sur elle à partir de son bras levé comme
une phosphorescente couche de peinture, jusqu'à ce que
Wack ait réussi à allumer la lanterne, et alors elle souf-
fla la lampe, se détourna et sortit dans le petit jour
bleuâtre semblable à une taie sur un œil aveugle, sa
silhouette se découpant un instant en sombre tant qu'elle
fut dans la pénombre de la grange, puis, sitôt le seuil
franchi, semblant s'évanouir, quoiqu'ils continuassent à
la suivre des yeux non pas s'éloignant mais, aurait-on
dit, se dissolvant, se fondant dans cette chose à vrai dire
plus grisâtre que bleuâtre et qui était sans doute le jour,
puisqu'il fallait tout de même bien qu'il arrivât, mais apparemment sans aucun des pouvoirs, des vertus inhéren-
tes au jour, quoiqu'on distinguât vaguement une murette
de l'autre côté du chemin, le tronc d'un gros noyer et,
derrière, les arbres du verger, mais tout ton sur ton, sans
couleurs ni valeurs, comme si murette, noyer et pommiers (la jeune femme avait maintenant disparu) étaient
pour ainsi dire fossilisés, n'avaient laissé là que leur empreinte dans cette matière inconsistante, spongieuse et
uniformément grise qui s'infiltrait maintenant peu à peu
dans la grange, le visage de Blum comme un masque
gris quand Georges se retourna, comme une feuille de
papier déchiré avec deux trous pour les yeux, la bouche
grise aussi, Georges continuant encore la phrase qu'il
avait commencée ou plutôt entendant sa voix la continuer (sans doute quelque chose comme : Dis donc tu as
vu cette fille, elle...), puis la voix cessant, les lèvres persistant peut-être encore à remuer sur du silence, puis
cessant elles aussi tandis qu'il regardait ce visage de papier, et Blum (il avait enlevé son casque et maintenant
son étroite figure de fille semblait plus étroite encore en-

tre les oreilles décollées, pas beaucoup plus grosse qu'un poing, au-dessus du cou de fille sortant du col raide et mouillé du manteau comme hors d'une carapace, souffreteux, triste, féminin, buté) disant : « Quelle fille ? », et Georges : « Quelle... Qu'est-ce que tu as ? », le cheval de Blum encore sellé, même pas attaché, et lui simplement appuyé au mur comme s'il avait eu peur de tomber, avec son mousqueton toujours en bandoulière, sans même avoir le courage de se déséquiper, et Georges disant pour la deuxième fois : « Qu'est-ce que tu as ? Tu es malade ? » et Blum haussant les épaules, se détachant du mur, commençant à déboucler la sangle, et Georges : « Bon sang, laisse donc ce cheval. Va te coucher. Si je te poussais tu tomberais... », lui-même dormant presque debout, mais Blum ne résista pas lorsqu'il l'écarta : sur les croupes cuivrées des chevaux les poils étaient collés par la pluie, sombres, ils étaient aussi collés et mouillés sous les tapis de selle, une odeur âcre, acide, s'en exhalant, et tandis qu'il rangeait leurs deux paquetages le long du mur il lui semblait toujours la voir, là où elle s'était tenue l'instant d'avant, ou plutôt la sentir, la percevoir comme une sorte d'empreinte persistante, irréelle, laissée moins sur sa rétine (il l'avait si peu, si mal vue) que, pour ainsi dire, en lui-même : une chose tiède, blanche comme le lait qu'elle venait de tirer au moment où ils étaient arrivés, une sorte d'apparition non pas éclairée par cette lampe mais luminescente, comme si sa peau était elle-même la source de la lumière, comme si toute cette interminable chevauchée nocturne n'avait eu d'autre raison, d'autre but que la découverte à la fin de cette chair diaphane modelée dans l'épaisseur de la nuit : non pas une femme mais l'idée même, le symbole de toute femme, c'est-à-dire... (mais était-il encore debout, défaisant courroies et boucles avec des gestes d'automate, ou déjà couché, dormant, gisant dans le foin entêtant, tandis que l'entourait, l'ensevelissait le lourd sommeil)... sommairement façonnés

dans la tendre argile deux cuisses un ventre deux seins la
ronde colonne du cou et au creux des replis comme au
centre de ces statues primitives et précises cette bouche
herbue cette chose au nom de bête, de terme d'histoire
naturelle — moule poulpe pulpe vulve — faisant penser
à ces organismes marins et carnivores aveugles mais
pourvus de lèvres, de cils : l'orifice de cette matrice le
creuset originel qu'il lui semblait voir dans les entrailles
du monde, semblable à ces moules dans lesquels enfant
il avait appris à estamper soldats et cavaliers, rien qu'un
peu de pâte pressée du pouce, l'innombrable engeance
sortie toute armée et casquée selon la légende et se multipliant grouillant se répandant sur la surface de la terre
bruissant de l'innombrable rumeur, de l'innombrable
piétinement des armées en marche, les innombrables
noirs et lugubres chevaux hochant balançant tristement
leurs têtes, se succédant défilant sans fin dans le crépitement monotone des sabots (il ne dormait pas, se tenait
parfaitement immobile, et non pas une grange à présent,
non pas la lourde et poussiéreuse senteur du foin desséché, de l'été aboli, mais cette impalpable, nostalgique et
tenace exhalaison du temps lui-même, des années mortes, et lui flottant dans les ténèbres, écoutant le silence,
la nuit, la paix, l'imperceptible respiration d'une femme
à côté de lui, et au bout d'un moment il distingua le second rectangle dessiné par la glace de l'armoire reflétant l'obscure lumière de la fenêtre — l'armoire éternellement vide des chambres d'hôtel avec, pendus à l'intérieur, deux ou trois cintres nus, l'armoire elle-même
(avec son fronton triangulaire encadré de deux pommes
de pin) faite de ce bois d'un jaune pisseux aux veinules
rougeâtres que l'on n'emploie semble-t-il que pour ces
sortes de meubles destinés à ne jamais rien renfermer sinon leur vide poussiéreux, poussiéreux cercueil des fantômes reflétés de milliers d'amants, de milliers de corps
nus, furieux et moites, de milliers d'étreintes emmaga-
sinées, confondues dans les glauques profondeurs de la

glace inaltérable, virginale et froide —, et lui se rappelant :) « ... Jusqu'à ce que je me rendisse compte que
c'était non pas des chevaux mais la pluie sur le toit de la
grange, ouvrant alors les yeux découvrant la lumière
filtrant en lamelles par les interstices entre les planches
de la paroi : il devait être tard et pourtant le jour était
encore de ce même blanc sale dans lequel elle avait disparu, qui l'avait absorbée et pour ainsi dire épongée
dans l'aube chargée d'eau ou plutôt imbibée imprégnée
comme une étoffe comme nos vêtements, sentant l'odeur
du drap mouillé buvard dans lesquels nous avions dormi
et nous tenions maintenant mal réveillés stupides regardant dans un bout de miroir accroché au-dessus d'un
seau de toile plein d'eau glacée nos visages gris sales eux
aussi tirés par le manque de sommeil blafards avec leurs
joues mal rasées nos tignasses mêlées de paille nos yeux
aux bords trop roses et cette espèce d'étonnement de malaise de répulsion (comme celle qu'on éprouve à la vue
d'un cadavre comme si la bouffissure de la décomposition s'était déjà par avance installée avait commencé son
travail le jour où nous avions revêtu nos anonymes tenues de soldats, revêtant en même temps, comme une
espèce de flétrissure, ce masque uniforme de fatigue de
dégoût de crasse) alors j'éloignai le miroir, mon ou plutôt ce visage de méduse basculant s'envolant comme as-
piré par le fond ombreux marron de la grange, disparaissant avec cette foudroyante rapidité qu'imprime aux
images reflétées le plus petit changement d'angle et à la
place je les vis à l'autre bout de l'écurie, palabrant ou
plutôt se taisant c'est-à-dire échangeant du silence
comme d'autres échangent des paroles c'est-à-dire une
certaine espèce de silence qu'ils étaient les seuls à comprendre et qui était sans doute pour eux plus éloquente
que tous les discours, entourant le cheval couché sur le
flanc : trois à têtes de paysans, de ces types taciturnes
méfiants renfermés qui composaient la majeure partie
de l'effectif du régiment avec cet on ne sait quoi de

douloureux dans leurs visages précocement ridés em-
preints de cette nostalgie de leurs champs de leur solitude de leurs bêtes de la terre noire et avare, et je dis
Qu'est-ce qu'il y a qu'est-ce qui se passe ? mais ils ne
me répondirent même pas, pensant sans doute que
c'était inutile ou que peut-être nous ne parlions pas la
même langue alors je m'approchai et regardai à mon
tour pendant un moment le cheval respirant péniblement, Iglésia était là lui aussi mais pas plus que les autres il n'avait paru m'entendre quoiqu'entre lui et moi
je pensais j'espérais qu'il pourrait au moins y avoir une
possibilité de contact, mais sans doute que d'être jockey c'est aussi un peu quelque chose comme paysan
malgré les apparences qui donneraient à croire qu'il,
c'est-à-dire que puisqu'il avait vécu dans les villes où
tout au moins au contact des villes il était permis de
l'imaginer quand même un peu différent d'un paysan,
c'est-à-dire pariant jouant et même plutôt affranchi
comme le sont souvent les jockeys, et ayant passé son
enfance non pas à garder les oies ou à conduire les vaches à l'abreuvoir mais à traîner sans doute dans un
ruisseau et sur le pavé des villes, mais il faut croire que
c'est moins la campagne que les bêtes la compagnie le
contact des bêtes, car il était à peu près aussi renfermé
aussi taciturne aussi peu communicatif que n'importe
lequel d'entre eux et comme eux toujours occupé absorbé (comme s'il était incapable de rester sans rien
faire) dans une de ces minutieuses et lentes besognes
qu'ils ont le secret de s'inventer : de là où j'étais (un
peu en arrière de lui assis sur une vieille brouette et
me tournant aux trois quarts le dos, ses épaules remuant
un peu, sans doute déjà en train d'astiquer son harnachement ou celui de de Reixach, passant les boucles de
cuivre au kaol et sur les rênes cette cire jaune dont il
semblait transporter un stock avec lui) je pouvais voir
son grand nez, sa tête penchée comme si elle était en-
traînée vers le bas par le poids de cette espèce de bec.

de truc postiche carnavalesque comme rajouté en avant
de sa figure en lame de couteau telle qu'on n'en fabri-
que sans doute plus depuis les spadassins de la Renais-
sance italienne enveloppés dans leurs capes d'assassins
laissant juste dépasser ce nez proéminent d'aigle lui
donnant cet air à la fois terrible et malheureux d'oiseau affligé de... Où avais-je lu cette histoire dans Kip-
ling je crois ce conte sinon où, de cet animal affligé
d'un bec, d'un tarin « Va te faire tarauder l'oignon »
disait-il, ou « Tu as le cul bordé de nouilles » expression de jockeys pour « avoir de la chance » mais il n'y
avait aucun soupçon de vulgarité dans sa voix, plutôt
une sorte de candeur, de naïveté, d'étonnement et aussi
de réprobation scandalisée comme quand il a vu la façon dont Blum avait sellé ce cheval et que malgré ça
il n'avait pas de gonfles après une aussi longue étape,
sa voix cassée enrouée et blanche étrangement douce,
au contraire de ce qu'on aurait pu attendre et même
humble avec quelque chose d'enfantin qui semblait
un paradoxal démenti à ce masque de carnaval osseux
et ridé sans compter le fait qu'il avait au moins quinze
ans de plus que la moyenne d'entre nous, se trouvait
là comme entouré de gamins uniquement parce que de
Reixach s'était arrangé, avait probablement fait jouer
ses relations pour le faire affecter à notre régiment de
façon à pouvoir le garder près de lui comme ordonnance, et de fait on aurait dit qu'ils ne pouvaient pas
se passer l'un de l'autre, tout autant lui de de Reixach
que celui-ci de lui, cet attachement hautain du maître
pour son chien et de bas en haut du chien pour son
maître sans se poser la question de savoir si le maître
en est digne ou non : admettant simplement, reconnaissant ne mettant pas une seconde en discussion l'état
des choses, respectueux de celui-ci comme tout le montrait comme par exemple cette manière ou plutôt manie de reprendre patiemment avec cette obstination et
cette fidélité domestique ceux qui écorchaient son nom

prononçant comme ça s'écrit : de Reixach, et lui : « Reichac vingt dieux t'as pas encore compris : chac l'ixe
comme ch-che et le ch à la fin comme k Mince alors
jte jure çuilà qu'est-ce qu'il peut être cloche ça fait au
moins dix fois que je lui explique t'as donc jamais été
aux courses patate c'est pourtant un nom assez
connu... » Fier du nom, des couleurs, de cette casaque
de soie brillante qu'il portait, rose bretelles noires toque noire sur le vert billard des pistes, une livrée, et
pourtant quand l'autre a pris cette rafale de mitraillette à bout portant et qu'un moment après j'ai proposé
de retourner, d'aller voir s'il était mort ou non, m'examinant (comme lorsqu'un peu plus tôt de Reixach
avait obligé ce soldat perdu à descendre de sur le cheval
de main sur lequel il nous avait supplié de le laisser
monter, me disant un moment après : C'était un es-
pion, et moi : qui ?, et lui, haussant les épaules : Ce
type, et moi : Un... Mais à quoi l'as-tu vu ? et lui me
dévisageant alors avec ces mêmes yeux globuleux, ce
même regard interdit à la fois doux réprobateur légèrement scandalisé et étonné comme s'il s'efforçait de
me comprendre, prenait en pitié mon imbécillité, tout
aussi stupéfait apparemment et choqué que lorsqu'il entendait quelqu'un maudire les officiers et envoyer,
vouer au diable son de Reixach qui maintenant y était
sans doute — au diable — pour de bon), cherchant
sans doute à percer cette pellicule cette croûte que je
pouvais sentir sur mon visage comme de la paraffine,
se craquelant aux rides, opaque, m'isolant, faite de fatigue de sommeil de sueur et de poussière, son visage à
lui toujours empreint de la même expression incrédule
réprobatrice et douce, disant : « Voir quoi ? », et moi :
« S'il est mort. Après tout même comme ça à bout portant ce type a pu le rater, peut-être seulement le blesser ou seulement tuer son cheval puisque le cheval est
tombé alors que nous l'avons vu dégainer son sabre et
que... », puis je me tus me rendant compte que je per-

dais mon temps, que la question pour lui de retourner
d'aller voir ne se posait même pas, non par lâcheté
mais se demandant sans doute simplement pourquoi au
nom de quoi (et vraiment ne trouvant pas) il aurait été
risquer sa peau pour faire une chose pour laquelle on
ne l'avait pas payé ni expressément commandé, problème qui sans doute le dépassait : cirer les bottes de
de Reixach astiquer son harnachement soigner et faire
gagner ses chevaux cela c'était son travail et il s'en ac-
quittait avec cette scrupuleuse application dont il avait
fait preuve depuis cinq ans qu'il montait pour lui, et pas
seulement ses chevaux racontait-on, grimpant sautant
aussi sa, mais que ne racontait-on pas sur lui sur eux... ».

Et cherchant (Georges) à imaginer cela : des scènes,
de fugitifs tableaux printaniers ou estivaux, comme
surpris, toujours de loin, à travers le trou d'une haie ou
entre deux buissons : quelque chose avec des pelouses
d'un vert éternellement éclatant, des barrières blanches,
et Corinne et lui l'un en face de l'autre, lui plus petit
qu'elle, planté sur ses courtes pattes arquées, avec ses
souples bottes à revers, sa culotte blanche et cette casaque en soie étincelante dont elle avait elle-même
choisi les couleurs et qui semblait (de cette même matière brillante et satinée dont sont faits les dessous
— soutien-gorge culotte et ces porte-jarretelles noirs —
féminins) comme un burlesque, agressif et voluptueux
travestissement : comme ces nains difformes que l'on
habillait autrefois aux couleurs des reines et des princesses, de teintes précieuses et tendres, lui avec son
masque de carnaval italien, sa peau jaune, son visage
osseux, ascétique, son nez en coupe-vent, ses gros yeux
globuleux, son air passif (pensif), réfléchi et souffreteux (apparence peut-être accusée par ce port de tête
particulier aux jockeys, le col officier de la casaque
sous lequel est noué un mouchoir qui ressemble à un
pansement leur engonçant le cou, lui donnant cette raideur, la tête projetée en avant, comme quelqu'un qui

souffre d'abcès à la nuque ou de furonculose), et elle
debout en face de lui (et apparemment rien d'autre
qu'un jockey déférent écoutant les ordres de sa pro-
priétaire, patient, triturant machinalement entre ses
mains la poignée de sa cravache) dans une de ces robes de voile multicolores et transparentes dans le contre-jour qui étire les ombres sur la pelouse, ou encore
de ce rouge qui semblait fait pour s'accorder avec la
couleur de ses cheveux, son corps dessiné à l'intérieur
en transparence (la fourche de ses jambes) par les
rayons frisants du soleil et se détachant nettement,
comme si elle était nue, en rouge foncé dans le nuage
vaporeux des voiles de sorte qu'elle faisait penser
(mais pas penser, pas plus que le chien ne pense quand
il entend la sonnette fatidique qui déclenche ses réflexes : donc pas penser, plutôt quelque chose comme
saliver) à quelque chose comme un de ces sucres d'orge
(et sirop, et orgeat, des mots aussi pour elle, pour cela),
de ces sucreries enveloppées de papier cellophane aux
teintes acides (papiers dont le froissement cristallin, la
couleur seule, la matière même, avec leurs cassures où
la paraffine apparaît en un fin réseau de lignes grises
entrecroisées, provoque déjà les réflexes physiologi-
ques), Georges pouvant voir remuer leurs lèvres, mais
pas entendre (trop loin, caché derrière sa haie, derrière
le temps, tandis qu'il écoutait (plus tard, lorsque Blum
et lui eurent réussi à l'apprivoiser un peu) Iglésia leur
raconter une de ses innombrables histoires de chevaux,
par exemple celle de ce trois ans qui souffrait d'une
lymphangite et avec lequel néanmoins il avait gagné
plusieurs... Georges disant : « Mais est-ce qu'elle... » et
Iglésia : « Elle venait surveiller quand je lui posais ce
révulsif. C'était une formule que m'avait donné mon
premier patron, mais il fallait faire attention de... », et
Georges : « Mais quand elle venait, est-ce que tu... je
veux dire : est-ce que vous... », et Iglésia répondant encore à côté) ; au surplus cela n'avait pas d'importance :

il n'avait pas besoin de savoir ce que disaient la bouche, les lèvres peintes qui remuaient doucement, ni ce que répondaient les grosses lèvres crevassées, dures, du masque de carnaval, et pour la bonne raison que c'étaient, que ce ne pouvaient être que des mots dépourvus d'importance, anodins (parlant probablement, elle et lui, du révulsif ou du tendon claqué, comme il le racontait avec cette espèce d'innocente naïveté ; probablement était-ce bien cela : c'est-à-dire pas une idylle, une intrigue se déroulant, verbeuse, convenue, ordonnée, s'engageant, se fortifiant, se développant suivant un harmonieux et raisonnable crescendo coupé par les indispensables arrêts et fausses manœuvres, et un point culminant, et après cela peut-être un palier, et après cela encore l'obligatoire decrescendo : non, rien d'organisé, de cohérent, pas de mots, de paroles préparatoires, de déclarations ni de commentaires, seulement cela : ces quelques images muettes, à peine animées, vues de loin : elle lui donnant ses ordres au pesage, ou encore lui souillé et crotté, des traînées de terre ou d'herbe écrasée, vert-jaune, sur sa culotte, et peut-être boitant légèrement, tenant sur le bras sa minuscule selle de poupée d'où pendent les étriers qui s'entrechoquent avec un tintement argentin, marchant à côté d'elle vers les balances derrière le cheval trempé et fumant que mène par la bride un de ces petits lads aux cheveux sales et trop longs, aux vêtements élimés et à la pâle figure de voyou ; ou encore un matin ensoleillé, devant les écuries, et lui, avec sa culotte reprisée de tous les jours et ses vieilles bottes craquelées, et en manches de chemise, accroupi, en train de savonner et masser les jarrets d'un cheval, et tout à coup, sur les pavés mouillés des abords, son ombre à elle, dans une de ces robes claires, simples, matinales, ou encore peut-être en tenue de cheval, bottée elle aussi, tapotant de sa cravache une de ses jambes, et lui restant accroupi, sans se retourner, continuant à masser le tendon malade jus-

qu'à ce qu'elle lui parle, et se levant alors, se tenant de
nouveau devant elle, le buste légèrement incliné en
avant, les bras savonneux jusqu'au coude et, aux mouvements de leurs deux têtes, au geste qu'à un moment
il fait avec l'un de ses bras, on comprend qu'ils parlent
du cheval, de l'emplâtre, et pas plus (sinon peut-être
un clin d'œil équivoque entre deux lads, la façon sour-
noise de la regarder d'un de ces petits garçons malin-
gres, dépenaillés et vicieux que l'on voit passer suspendus au bridon des bêtes étincelantes, avec leurs petites
gueules de frappes mal nourries, leur air crapuleux et
pitoyable, dans un électrique flamboiement de crinières, de muscles et de robes irisées), et donc pas beaucoup question d'amour, à moins que, justement, l'amour
— ou plutôt la passion — ce soit cela : cette chose
muette, ces élans, ces répulsions, ces haines, tout infor-
mulé — et même informé —, et donc cette simple suite
de gestes, de paroles, de scènes insignifiantes, et, au
centre, sans préambule, cet assaut, ce corps à corps ur-
gent, rapide, sauvage, n'importe où, peut-être dans
l'écurie même, sur une balle de paille, elle les jupes
haut troussées, avec ses bas, ses jarretelles, le bref éclair
de peau éblouissante en haut des cuisses, tous deux haletants, furieux, avec sans doute la terreur d'être surpris, elle guettant par dessus son épaule, l'œil fou, le
cou tordu, la porte de l'écurie, et autour d'eux l'odeur
ammoniacale des litières, et les bruits des bêtes dans
leurs stalles, et lui aussitôt après de nouveau avec ce
masque de cuir et d'os inchangé, impénétrable, triste,
taciturne, et passif, et morne, et servile...

Cela. Et par dessus, en filigrane pour ainsi dire, cet
insipide et obsédant bavardage qui, pour Georges, avait
fini par être non pas quelque chose d'inséparable de sa
mère quoique cependant distinct (comme, s'échappant
d'elle, un flot, un produit qu'elle eût secrété), mais
pour ainsi dire sa mère elle-même, comme si les éléments qui la composaient (la flamboyante chevelure

orange, les doigts endiamantés, les robes trop voyantes
qu'elle s'obstinait à porter non malgré son âge, mais,
semblait-il, en raison directement proportionnelle à celui-ci, le nombre, l'éclat, la violence des couleurs aug-
mentant en même temps que le nombre des années)
n'avaient constitué que l'éclatant et tapageur support de
ce caquetage volubile et encyclopédique à travers lequel, au milieu d'histoires de domestiques, de couturiè-
res, de coiffeur et d'innombrables relations et connaissances, les de Reixach — c'est-à-dire non seulement
Corinne et son mari, mais la lignée, la race, la caste, la
dynastie des de Reixach — lui étaient apparus, avant
même qu'il ait jamais approché l'un d'eux, nimbés d'une
sorte de prestige surnaturel, d'inaccessibilité d'autant
plus intangible qu'elle ne tenait pas seulement à la possession de quelque chose (comme la simple richesse)
qui se puisse acquérir et que, par conséquent, l'espoir
ou la possibilité (même théoriques) de posséder soi-
même un jour dépouille en grande partie de son prestige, mais bien plus (c'est-à-dire en plus de, ou plutôt
avant la fortune, rehaussant d'une manière inégalable
cette fortune) à cette particule, ce titre, ce sang, qui re-
présentaient apparemment pour Sabine (la mère de
Georges) une valeur d'autant plus prestigieuse que non
seulement ils ne pouvaient être acquis (puisque essentiellement constitués par quelque chose qu'aucune puissance ne peut donner, remplacer : l'ancienneté, le
temps) mais encore qu'elle éprouvait à leur sujet le sup-
pliciant, l'intolérable sentiment d'une frustration personnelle du fait qu'elle était elle-même (mais hélas, par
sa mère) une de Reixach : de là, sans doute, l'obstination, la constance ulcérée et plaintive qu'elle mettait à
rappeler sans cesse (cela — avec son endémique jalousie, son horreur de vieillir et les questions de cuisine ou
d'office — faisait partie des trois ou quatre thèmes
autour desquels sa pensée semblait graviter avec le monotone, opiniâtre et furieux acharnement de ces insec-

tes suspendus dans le crépuscule, voletant, tournoyant
sans trêve autour d'un invisible — et inexistant, sauf
pour eux seuls — épicentre), à rappeler sans cesse les
indiscutables liens de parenté qui l'unissaient à eux,
liens d'ailleurs reconnus, comme l'attestait la présence
sur la photographie de son mariage d'un de Reixach en
uniforme d'officier de dragons d'avant quatorze et que
corroborait au surplus la possession de l'hôtel familial
dont, à défaut du nom et du titre, elle avait hérité à la
suite d'une succession de partages et de legs dans le détail desquels elle était la seule sans doute à se reconnaître, comme elle était sans doute aussi la seule à savoir par cœur l'interminable liste des alliances et des
mésalliances passées, racontant en détail comment tel
lointain ancêtre de de Reixach avait été déchu de ses
droits de noblesse pour avoir dérogé aux lois de sa
caste en se livrant au commerce, et comment tel autre
dont elle montrait le portrait... (car elle avait aussi hérité des portraits — au moins de plusieurs — d'une
abondante galerie ou plutôt collection d'ancêtres, ou
plutôt de géniteurs, « Ou plutôt d'étalons, dit Blum,
parce que dans une famille pareille je suppose que
c'est comme ça qu'il faut les appeler, non ? Est-ce que
l'armée n'a pas par là-bas un centre d'élevage réputé,
un haras ? Est-ce que ce n'est pas ce qu'on appelle les
Tarbais, avec les diverses variétés... — Bon, bon, dit
Georges, va pour étalons, il... — ... pur-sangs, demi-
sangs, entiers, hongres... — Bon, dit Georges, mais lui
c'est pur-sang, il... », et Blum : « Ça se voit. Tu n'avais
pas besoin de me le dire. Croisement tarbo-arabe sans
doute. Ou tarno-arabe. Je voudrais seulement le voir
une fois sans ses bottes », et Georges : « Pourquoi ? »,
et Blum : « Seulement pour voir si ce ne sont pas des
sabots qu'il a à la place des pieds, seulement pour savoir de quelle race de jument était sa grand-mère... »,
et Georges : « Bon, ça va, tu as gagné... »). Et il lui
semblait voir les feuillets, les paperasses jaunies que

Sabine lui avait montré un jour, religieusement conservées dans une de ces malles poilues comme on en
trouve encore dans les greniers, et qu'il avait passé une
nuit à parcourir, obligé de se moucher tous les cinq minutes à cause de la poussière qui lui desséchait le nez
(actes notariés à l'encre blanchie, contrats de mariage,
cessions, achats de terre, testaments, brevets royaux, ordres de missions, décrets de la Convention, lettres avec
leurs cachets de cire brisés, liasses d'assignats, factures
de bijoutiers, relevés de redevances féodales, rapports
militaires, instructions, actes de baptême, déclarations
de décès, de sépulture : sillage de débris surnageants,
morceaux, parchemins semblables à des fragments
d'épiderme tels qu'en les touchant il lui semblait toucher au même moment — un peu racornis, un peu des-
séchés comme ces mains tavelées des vieillards, légères, fragiles et immatérielles, prêtes, semble-t-il, à se
briser et tomber en cendres lorsqu'on les saisit, mais
néanmoins vivantes — par delà les années, le temps
supprimé, comme l'épiderme même des ambitions, des
rêves, des vanités, des futiles et impérissables passions)
et parmi lequelles se trouvait un épais cahier à couverture bleue, râpée, fermée par des rubans vert olive,
dans les pages duquel l'un des lointains ancêtres (ou
géniteur, ou étalon comme le prétendait Blum) avait
accumulé un effarant mélange de poèmes, digressions
philosophiques, projets de tragédies, relations de voyages, dont il pouvait se rappeler mot pour mot certains
titres (« Bouquet envoyé à une Vieille Dame qui dans
sa jeunesse sans être jolie avait fait des passions »), ou
certaines pages, comme celle-là, transcrite semble-t-il
de l'italien, si l'on en jugeait par la traduction des mots
en marge :

                 La vingt-huitième Estampe et les trois
                 autres semblables sont aufsi belles et
morbidezza   aufsi nobles les unes que les autres et

molefse
flexibilité
délicatefse

Candido
blanc
d'un blanc
éclatant

attegiamento
geste
attitude

carnagione
carnation

ottimo
très bon

otremodo
autrement

controverfia
dispute

paraifsent être faites de la même main
tout dans la femme Centaure est gra-
tieux, e délicat, et tout mérite D'être regardé avec une attention particulière le
nœud et la jointure ou la partie umaine
finit avec la partie cheval est certainement admirable l'œil distingue la délicat-
téfse de la blanche carnation dans la
femme de la netteté du pelage éclatant
dans la bette d'un bay clair mais on confond ensuite en voulant déterminer les
Confins L'attitude de la main gauche
avec laquelle elle touche les cordes de la
lire est agréable il en est de même pour
celle où Elle Semble vouloir frapper avec
une partie de cimbale quelle tient dans
la main droite et l'autre partie que le pin-
tre par une idée vraiment noble de peinture (*ces deux mots barrés*) et pittoresque
a placé dans la main droite Du jeune
homme qui l'embrafse étroitement en
pafsant fous le bras droit de cette femme
fa main gauche qui Refsort fous fon
épaule la robe du jeunhomme est violette
et l'habit qui flotte pendant fur le bras de
la femme Centaure est jaune : il est bon
D'obferver encore la Coifure, les bra-
cellets et le Colier nottapoi l'attenenza
che hanno i centauri con Bacco equili-
mente, et con Venere...

Georges pensant : « Oui, il n'y a qu'un cheval qui a pu
écrire ça », répétant : « Bon. Très bien. Etalons », pensant à tous ces morts énigmatiques, figés et solennels
qui dans leurs cadres dorés fixaient leurs descendants
d'un regard pensif, distant, et parmi lesquels figurait

en bonne place ce portrait que pendant toute son enfance il avait contemplé avec une sorte de malaise, de
frayeur, parce qu'il (ce lointain géniteur) portait au
front un trou rouge dont le sang dégoulinait en une
longue rigole serpentine partie de la tempe, suivant la
courbe de la joue et dégouttant sur le revers de l'habit de
chasse bleu roi comme si — pour illustrer, perpétuer la
trouble légende dont le personnage était entouré — on
l'avait portraituré ensanglanté par le coup de feu qui
avait mis fin à ses jours, se tenant là, impassible, che-
valin et bienséant au sein d'une permanente aura de
mystère et de mort violente (comme d'autres — les
marquis poudrés, les généraux d'Empire congestionnés
et chamarrés, les épouses enrubannées de moire — de
fatuité, d'ambition, de gloriole ou de futilité) qui avait
en quelque sorte averti Georges bien avant d'avoir entendu raconter par Sabine (poussée sans doute par la
même impulsion ambiguë qui lui faisait aussi souligner
la déchéance du négociant, c'est-à-dire animée de sentiments contradictoires, ne sachant sans doute au juste
elle-même si, en rapportant ces histoires scandaleuses
ou ridicules, ou infamantes, ou cornéliennes, elle désirait déprécier cette noblesse, ce titre, dont elle n'avait
pas hérité, ou au contraire leur donner plus d'éclat encore, de façon à mieux s'enorgueillir d'une parenté et
du prestige qui en rejaillissait) comment ce de Reixach
avait pour ainsi dire désavoué de lui-même sa qualité
de noble pendant la fameuse nuit du quatre août,
comment il avait plus tard siégé à la Convention, voté
la mort du roi, puis, sans doute en raison de ses connaissances militaires, été délégué aux armées pour finalement se faire battre par les Espagnols et alors, se
désavouant une seconde fois, était venu se faire sauter
la cervelle d'un coup de pistolet (et non pas un fusil
comme le costume de chasse dans lequel il s'était fait
peindre, l'arme qu'il tenait négligemment au creux du
bras l'avaient fait imaginer à l'enfant, de même que la

trace sanglante qui sur le portrait descendait de son
front n'était en réalité que la préparation brun rouge
de la toile mise à nu par une longue craquelure), debout auprès de la cheminée de la chambre devenue
maintenant celle de Sabine et où, longtemps, Georges
n'avait pu s'empêcher de chercher instinctivement au
mur ou au plafond la trace de l'énorme balle de plomb
qui lui avait emporté une moitié de la tête.

Se dessinant donc ainsi, à travers l'exaspérant bavardage d'une femme, et sans même que Georges ait eu
besoin de les rencontrer, les de Reixach, la famille de
Reixach, puis de Reixach lui-même, tout seul, avec, se
pressant derrière lui, cette cohorte d'ancêtres, de fantômes entourés de légendes, de racontars d'alcôves, de
coups de pistolets, d'actes notariés et de cliquetis
d'épées, qui (les fantômes) se confondaient, se super-
posaient dans la bitumeuse et ombreuse profondeur des
vieux tableaux craquelés, puis le couple, de Reixach et
sa femme, la fille de vingt ans plus jeune que lui et qu'il
avait épousée quatre ans plus tôt dans une rumeur de
scandale et de chuchotement autour des tasses de thé,
suscitant cette explosion de fureur, d'indignation utérine, de jalousie et de lubricité qui constitue l'inévitable accompagnement de ces sortes d'événements : au-
réolés donc (l'homme mûr, sec, droit — et même
raide —, impénétrable, et la jeune femme de dix-huit
ans que l'on pouvait voir, elle, dans ses toilettes claires,
impudiques, avec cette chevelure, ce corps, cette peau
qui semblaient être faits des mêmes matières précieuses, presque irréelles et presque aussi intouchables que
celles — soies, parfums — dont elle était couverte, lui
dans sa redingote rouge de cavalier (elle lui avait fait
donner sa démission de l'armée), au moment de l'an-
nuel concours hippique, ou passant, inaccessibles, dans
cette grosse automobile noire à peu près aussi grosse
et aussi impressionnante qu'un corbillard (que, de même
qu'elle l'avait forcé à quitter l'armée elle l'avait forcé

à acheter à la place de l'anonyme voiture de série dont
il se servait jusqu'alors), ou encore elle toute seule au
volant de la voiture de course qu'il lui avait offerte
(mais cela ne dura pas, l'ennuya sans doute bien vite),
et vraiment aussi inaccessibles, aussi irréels l'un et
l'autre que s'ils appartenaient déjà à leur (du moins la
sienne à lui) collection de légendaires géniteurs immobilisés pour l'éternité dans l'or terni des cadres), auréo-
lés donc...

« Mais tu ne la connais même pas ! dit Blum. Tu
m'as dit qu'ils n'étaient jamais là, toujours à Paris, ou
à Deauville, ou à Cannes, que tu l'avais tout juste vue
une seule fois, ou plutôt entrevue, entre une croupe de
cheval et un de ces types habillés comme un figurant
d'opérette viennoise, avec une jaquette, un chapeau
gris et un monocle vissé dans l'œil, et une moustache
de vieux général... Et c'est tout ce que tu en as vu, tu... »
Blum aussi avait cette tête de noyé mal réveillé, mal
ranimé : il se tut et haussa les épaules. Il avait recommencé à pleuvoir, ou plutôt le pays, le chemin, le verger, s'étaient remis à fondre, silencieusement, lentement, se désagrégeant, se dissolvant en une fine poussière d'eau qui glissait sans bruit, délayant les arbres,
les maisons, comme sur une plaque de verre, et maintenant Georges et Blum se tenaient debout sur le seuil
de la grange, à l'abri de l'enfoncée du mur, en train de
regarder de Reixach aux prises avec un groupe d'hommes gesticulant, s'échauffant, s'affrontant, les voix se
mêlant en une sorte de chœur incohérent, désordonné,
de babelesque criaillerie, comme sous le poids d'une
malédiction, une parodie de ce langage qui, avec l'in-
flexible perfidie des choses créées ou asservies par
l'homme, se retournent contre lui et se vengent avec
d'autant plus de traîtrise et d'efficacité qu'elles semblent apparemment remplir docilement leur fonction :
obstacle majeur, donc, à toute communication, toute
compréhension, les voix montant alors, comme si la

simple modulation des sons se révélant impuissante
elles n'avaient plus d'espoir que dans leur force, s'élevant jusqu'au cri, s'efforçant l'une l'autre de dominer,
de se surpasser... Puis elles s'effacèrent d'un coup, toutes ensemble, laissant place à l'une d'entre elles, véhé-
mente, déclamatoire, puis celle-là aussi cessa et on put
entendre celle de de Reixach, seule, presque un murmure, parlant lentement, calmement, son pâle visage
(la colère, ou plutôt l'agacement, ou plus simplement
l'ennui, se traduisant — de même que dans sa voix, neutre, terne, trop basse — par une baisse de ton pour
ainsi dire, une altération en quelque sorte négative, sa
peau mate pâlissant encore — à moins encore que la
pâleur, la voix imperceptible ne fussent simplement que
lassitude, quoiqu'il se tînt toujours aussi raide, aussi
droit, dans ses bottes déjà étincelantes qu'Iglésia n'avait
pourtant pas pu encore cirer ce matin, qu'il avait donc
dû cirer lui-même, méticuleux, impassible, avec le
même soin qu'il avait apporté à se raser de près, à se
brosser et à faire son nœud de cravate, comme s'il
n'était pas dans un village perdu des Ardennes, comme
si ce n'était pas la guerre, comme s'il n'avait pas passé,
lui aussi, la nuit entière sur son cheval et sous la pluie),
son pâle visage donc, même pas rosé par l'animation
ou le froid, contrastant avec la figure très rouge, vio-
lacée, du petit homme noiraud qui se tenait devant lui
sur le seuil de la maison, coiffé d'une casquette à visière de cuir, chaussé de bottes de caoutchouc réparées
à l'aide de rustines, et brandissant dangereusement un
fusil de chasse, et lorsqu'il fit un pas, s'avança hors de
la porte, Georges et Blum purent voir qu'il boitait,
Georges disant : « Mais je l'ai assez vue pour savoir
qu'elle est comme du lait. Cette lampe suffisait. Bon
sang : c'était exactement comme du lait, de la crème répandue... », et Blum : « Quoi ? », et Georges : « Tu
n'étais tout de même pas crevé au point de ne pas t'en
apercevoir, non ? Même un mort... On avait seulement

envie de se mettre à ramper et à lécher, on... » et à ce
moment le petit homme noireaud criant : « Ne fais pas
un pas de plus ou je te descends ! », et de Reixach :
« Allons, voyons », et l'homme : « Mon capitaine : s'il
avance, je le descends », et de Reixach encore une fois :
« Allons ». Il fit un pas de côté et se trouva de nouveau
entre les deux hommes, celui au fusil et l'autre qui se
tenait maintenant derrière son dos avec les deux sous-
officiers et qui semblait, à une imperceptible nuance
près, la réplique exacte du fermier, chaussé lui aussi de
bottes noires en caoutchouc constellées de rustines, vêtu
non d'un bleu, il est vrai, mais d'un informe costume
gris, avec quelque chose qui ressemblait à une cravate
fermant le col de sa chemise, et coiffé d'un feutre mou
au lieu d'une casquette, comme un homme des villes,
et tenant à la main un parapluie : un paysan aussi, mais
avec quelque chose de différent toutefois, et à un moment il leva les yeux, très vite, et Georges regarda aussi
ce qu'il avait regardé par dessus la tête du capitaine,
mais sans doute pas assez vite car à l'une des fenêtres
du premier étage de la maison il n'eut que le temps de
voir le rideau qui retombait, un de ces rideaux de filet
bon marché comme on en vend dans les foires et dont
le motif représentait un paon à la longue queue retom-
bante encadré dans un losange dont les côtés obliques
dessinaient comme des marches selon les mailles du filet, la queue du paon se balançant une ou deux fois,
puis s'immobilisant, tandis qu'au-dessous (mais Georges
ne regardait plus, épiait seulement avec avidité le filet
d'un blanc grisâtre maintenant immobile et où le déco-
ratif et prétentieux oiseau se tenait coi derrière l'impalpable bruine qui continuait à tomber, silencieuse,
patiente, éternelle) le charivari, la cacophonie, l'imbroglio de voix s'élevait de nouveau, véhément, incohérent,
passionné : « ... aussi vrai que je suis là je le descends
Entrez si vous voulez mon capitaine mais cet homme
il ne passera pas cette porte où je le descends je

— Voyons mon ami Monsieur l'adjoint veut seulement
s'assurer que cette chambre — Et d'abord pourquoi
qu'il les loge pas chez lui il a une grande maison pleine
de chambres toute vide qu'il — Voyons je ne veux pas
entrer dans ces considérations nous — Je peux mener
moi-même vos sous-officiers à la chambre Je ne refuse
pas de les loger seulement il y en a dans le village qui
ont des trois ou quatre chambres sans personne dedans
alors je voudrais savoir pourquoi il Et cesse de rigoler
toi ou je te descends tu entends je te descends raide là
t'entends nom de... », épaulant, visant, l'autre se glissant vivement derrière les deux sous-officiers, mais
même alors le paon ne bougea pas ni rien d'autre, la
façade de la maison comme morte, toute la maison
comme morte, sauf une espèce de gémissement rythmé,
monotone, tragique, qui s'élevait à l'intérieur, et certainement c'était d'une gorge de femme que cela sortait
mais pas Elle : une vieille, et quoiqu'ils ne l'eussent
pas vue ils pouvaient l'imaginer assise dans un fauteuil,
aveugle, noire et raide, gémissant, balançant le buste
d'avant en arrière. Il se débattait mais ils parvinrent à
le maîtriser. « Allons ! » dit de Reixach. Il faisait tout
son possible pour ne pas élever la voix. Ou peut-être
n'avait-il pas d'effort à faire, se tenait-il simplement en
dehors, toujours à cette distance (non pas hauteur : il
n'y avait en lui rien de hautain, de méprisant : simplement distant, ou plutôt absent), disant : « Laissez donc
cette arme, c'est comme ça qu'il arrive des bêtises », et
l'homme : « Des bêtises ? Vous appelez ça des bêtises ?
Un salaud qui profite de ce que son mari est pas là et
qui maintenant veut entrer en plein jour dans une maison qu'il... Allez ! hurla-t-il, Fous le camp ! », et l'autre : « Mon capitaine ! Vous êtes témoin qu'il... »
— « Allons, dit de Reixach. Venez. » — « Vous êtes
tous témoins qu'il... » — « Venez, dit de Reixach. Du
moment qu'il dit qu'il veut bien les loger. »

Mais Georges eut beau attendre encore pendant un

long moment, elle ne reparut pas à la fenêtre, mais
seulement le paon, d'un blanc grisâtre, immobile, et
parvenant toujours de l'intérieur, malgré la porte fermée maintenant, la voix de la vieille femme qui continuait à faire entendre ses lamentations rythmées, monotones, comme une déclamation emphatique, sans fin,
comme ces pleureuses de l'antiquité, comme si tout
cela (ces cris, cette violence, cette incompréhensible et
incontrôlable explosion de fureur, de passion) ne se
passait pas à l'époque des fusils, des bottes de caoutchouc, des rustines et des costumes de confection mais
très loin dans le temps, ou de tous les temps, ou en dehors du temps, la pluie tombant toujours et peut-être
depuis toujours, les noyers les arbres du verger s'égout-
tant sans fin : pour la voir il fallait la regarder devant
un objet foncé, ou une ombre, le rebord d'un toit, les
gouttes rapides rayant d'imperceptibles stries comme
des tirets le fond obscur s'entrecroisant grises parfois
une goutte plus grosse ployait un brin d'herbe qui se
redressait aussitôt d'une brève secousse le pré immobile
agité de place en place de minuscules frémissements ;
les maisons et les granges dessinaient vaguement les
trois côtés d'un rectangle irrégulier autour d'un abreuvoir et d'une sorte d'auge en pierre où dans l'eau glacée Georges essayait de laver un peu de linge les doigts
glacés gourds frottant le savon sur le rebord piqueté
de la margelle où l'étoffe mouillée se collait du même
gris que le ciel avec des poches d'air emprisonnées au-
dessous dessinant des cloques des lignes des reliefs d'un
gris plus clair, en passant le savon il les écrasait et ils
s'accumulaient en plissements parallèles et sinueux un
nuage bleuâtre se répandant dans l'eau quand il les
rinça, des bulles bleuâtres se pressaient s'agglutinaient
dérivaient lentement se frayant un chemin méandreux,
se glissant à travers la boue noire piétinée par les bêtes
où l'eau s'écoulait d'une empreinte de sabot à l'autre
mais à la fin le linge était à peu près aussi gris qu'avant,

et Blum dit : « Pourquoi ne lui as-tu pas demandé de te
le laver ? Tu as eu peur que son mari te flanque un
coup de fusil ? » — « C'est point son mari », dit Wack,
puis il se tut comme s'il regrettait d'avoir parlé, baissant de nouveau son visage de paysan alsacien taciturne, hostile, vers le seau au-dessus duquel il frottait
son mors et ses étriers avec du sable humide, et Georges : « Comment le sais-tu ? », et Wack continuant à
astiquer ses aciers sans répondre, Georges répétant :
« Comment le sais-tu ? Qu'est-ce que tu en sais ? »,
Wack ne relevant toujours pas la tête, le visage penché
— dissimulé — au-dessus du seau, disant à la fin de
mauvaise grâce, furieux : « Je l' sais ! », et Martin rigolant, disant : « Il les a aidés tout à l'heure à rentrer
leurs patates. C'est le valet qui le lui a dit : ce n'est que
le frère », et Blum : « Et où est le mari ? En balade à la
ville ? », et Wack se retournant d'une pièce, disant :
« En balade comme toi, spèce de con : 'vec un casque
sur la tête ! », et Blum : « T'as oublié de m'appeler sale
youpin. Je ne suis pas un con : je suis un youpin. Tu devrais pourtant te le rappeler », et Georges : « Allons ! »,
et Blum : « Laisse. Si tu savais comme je m'en f... », et
Georges : « Alors, comme ça, tu les as aidés à rentrer
leurs patates et le valet t'a raconté l'histoire ? », leurs
voix se détachant sur, ou plutôt à travers la pluie grise,
continue, patiente (comme le multiple et secret grignotement d'invisibles insectes en train de dévorer insensiblement les maisons, les arbres, la terre entière) les
étriers et les mors tintant parfois avec un son clair :
simplement des soldats leurs voix basses monotones
aussi s'élevant l'une après l'autre se chevauchant s'affrontant mais comme parlent les soldats, c'est-à-dire
comme ils dorment ou mangent avec cette sorte de patience de passivité d'ennui comme s'ils étaient forcés
d'inventer d'artificiels motifs de dispute ou simplement
des raisons de parler, la grange sentait toujours le drap
mouillé le foin, chaque fois qu'ils ouvraient la bouche il

• s'en échappait un petit jet de buée grise qui s'effaçait presque aussitôt.

mais pourquoi voulait-il à toute force tirer des coups de fusil.

peut-être parce que c'est la guerre, tout le monde

tu parles tout le monde

mais lui il est boiteux on n'a pas voulu de lui

une sacrée veine je sais pas ce que je donnerais pour l'être moi aussi et ne pas

sans doute que ce n'est pas sa manière de penser il a l'air d'aimer les fusils d'avoir envie de s'en servir peut-être qu'il donnerait n'importe quoi pour

et l'autre

quel autre

le type au parapluie

tu veux dire l'adjoint au maire

ne me raconte pas que dans un patelin de quatre maisons comme ça il y a un maire et un adjoint pourquoi pas aussi un évêque

j'ai pas vu d'église

alors comme ça elle ne peut pas aller se confesser

peut-être que

ni curé ni pharmacien ni eau courante. Ça rend les choses salement définitives. C'est sans doute pour ça qu'il la surveille avec un fusil.

qu'est-ce que vous racontez putain comme conneries

tiens voilà Wack qui se réveille Je croyais que t'étais sourd Je croyais que tu ne voulais pas parler avec un sale youpin comme moi

allons

je m'en fous tu parles si je m'en fous il peut bien m'appeler comme il

bon Dieu arrête Alors qu'est-ce qu'elle a finalement cette carne

Ils regardèrent le cheval toujours étendu sur le flanc au fond de l'écurie : on avait jeté une couverture dessus et seuls dépassaient ses membres raides, son cou ter-

riblement long au bout duquel pendait la tête qu'il
n'avait même plus la force de soulever, osseuse, trop
grosse avec ses méplats, son poil mouillé, ses longues
dents jaunes que découvraient les lèvres retroussées.
Il n'y avait que l'œil qui semblait vivre encore, énorme,
triste, et dedans, sur la surface luisante et bombée, ils
pouvaient se voir, leurs silhouettes déformées comme
des parenthèses se détachant sur le fond clair de la porte
comme une sorte de brouillard légèrement bleuté,
comme un voile, une taie qui déjà semblait se former,
embuer le doux regard de cyclope, accusateur et humide.

le vétérinaire est venu il l'a saignée

je sais bien ce qu'elle a moi

Wack sait toujours tout il

oh arrête

c'est Martin il y fout des coups de casque sur la tête
tout le long des étapes il lui a tapé dessus toute la nuit
je l'ai vu faire je parie qu'il lui a cassé quelque chose

y a pas d'autre moyen de l'empêcher de trottiner

s'il lui foutait quelques bons coups de sonnette elle

c'est pas avec des coups de sonnette que t'empêche-
ras un cheval de trottiner ça fait que le rendre encore
plus dingue

en tout cas c'est pas permis de traiter une bête
comme ça

c'est pas non plus permis de traiter un type comme
ça Soixante kilomètres sans arrêter de sauter comme
une balle il y a de quoi devenir complètement cinglé

on peut quand même faire autre chose que de l'as-
sommer à coups de casque Iglésia a dit

moi j' suis pas jockey j' suis ajusteur

puisque tu es si malin et que tu aimes tellement les
gailles pourquoi que tu changes pas avec lui t'as qu'à la
monter toi il demandera pas mieux que de te la filer
tu sais il

mais qu'est-ce qu'elle y peut cte pauvre bête si elle trottine

rien mais Martin non plus et c'est pas marrant pour lui alors t'as qu'à lui proposer de changer

j'ai pas à changer de cheval je monte le cheval qu'on m'a donné l'autre c'est le sien

alors ferme ta gueule

oh dis-donc

tu feras bien de la fermer

je suis pas un cafard

tant mieux pour toi

tu t'imagines pas que tu me fais peur par hasard non J'ai peut-être pas autant d'instruction que toi mais tu me fais pas peur tu sais j'aurais qu'à te pousser pour que tu tombes

alors essaye

oh là là t'es même pas capable de te tenir sur tes pattes t'es à moitié crevé tu serais pas seulement foutu de

Ils continuèrent à se disputer, leurs voix même pas hargneuses, avec quelque chose de dolent plutôt, empreintes de cette sorte d'apathie propre aux paysans et aux soldats, et en quelque sorte impersonnelles, comme leurs uniformes raides, conservant encore (c'était à peine l'automne, celui qui avait suivi le dernier été de paix, l'été éblouissant et corrompu qu'il leur semblait voir maintenant, déjà lointain, comme un de ces vieux films d'actualités mal tirés et surexposés et où, dans une lumière corrodante, des fantômes sanglés et bottés gesticulaient d'une façon saccadée comme s'ils avaient été mus non par leurs cerveaux de soudards brutaux ou idiots mais par quelque inexorable mécanisme qui les forçait à s'agiter, discourir, menacer et parader, frénétiquement portés par un aveuglant bouillonnement d'étendards et de visages qui semblait à la fois les engendrer et les véhiculer, comme si les foules possédaient une sorte de don, d'infaillible instinct qui leur fait distinguer en leur sein et pousser en avant par une

espèce d'auto-sélection — ou expulsion, ou plutôt dé-
fécation — l'éternel imbécile qui brandira la pancarte
et qu'elles suivront dans cette sorte d'extase et de fascination où les plonge, comme les enfants, la vue de
leurs excréments), leurs uniformes, donc, conservant
l'apprêt du neuf et dans lesquels on les avait pour ainsi
dire fourrés : non les vieilles tenues déjà portées, usées
à l'exercice par des générations de recrues, passées chaque année au désinfectant et juste bonnes, sans doute,
pour le maniement d'armes, semblables à ces déguisements rapés, loués ou achetés à crédit chez un fripier
et que l'on distribue pour les répétitions aux figurants
en même temps que les épées de fer blanc et les pistolets à amorces, mais (les tenues, l'équipement qu'ils
avaient maintenant sur le dos) absolument neufs, vierges :   tout (tissu, cuir, acier) de première qualité,
comme ces draps impollués que, dans les familles, on
garde pieusement en réserve pour en envelopper les
morts, comme si la société (ou l'état de choses, ou le
sort, ou la conjoncture économique — puisqu'il paraît
que ces sortes de faits sont simplement la conséquence
de lois économiques) qui s'apprêtait à les tuer les avait
couverts (de même que ces jeunes gens que les peupla-
des primitives sacrifiaient à leurs dieux) de tout ce
qu'elle avait de mieux en fait d'étoffes et d'armes, dé-
pensant sans compter avec une prodigalité, un faste
barbare, pour ce qui ne serait un jour plus rien que des
bouts de ferraille tordus et rouillés et quelques loques
trop grandes flottant sur des squelettes (morts ou vivants), et Georges maintenant étendu dans l'opaque et
puante obscurité du wagon à bestiaux, pensant : « Mais,
comment est-ce déjà ? Une histoire d'os comptés, dénombrés... », pensant : « Ouais. J'y suis : ils ont numé-
roté mes abattis... En tout cas quelque chose dans ce
genre-là. »
    Il essaya de dégager sa jambe du corps qui pesait
dessus. Il ne la sentait plus que comme une chose inerte,

qui n'était plus tout à fait lui, et qui pourtant s'accro-
chait douloureusement à l'intérieur de sa hanche comme
un bec, un bec d'os. Une suite d'os s'accrochant et
s'emboîtant bizarrement les uns dans les autres, une
suite de vieux ustensiles grinçants et cliquetants, voilà
ce qu'était un squelette, pensa-t-il, réveillé maintenant
(sans doute parce que le train était arrêté — mais depuis
combien de temps ?), les entendant se bousculer et se
disputer dans le coin où se trouvait la lucarne, l'étroit
rectangle horizontal sur lequel leurs crânes se décou-
paient en ombres chinoises : des taches d'encre fluides
et mouvantes se confondant et se disjoignant, et par delà
lesquelles il pouvait voir les fragments du ciel nocturne
et inaltérable de mai, les lointaines et inaltérables étoiles stagnant, immobiles, virginales, apparaissant et disparaissant dans les découpures qui s'ouvraient et se re-
fermaient entre les têtes, comme une surface glacée,
cristalline et inviolable sur laquelle pouvait glisser sans
laisser ni traces ni souillure cette matière noirâtre, visqueuse vociférante et moite d'où émanaient les voix à
présent plaintives et furieuses pour de bon, c'est-à-dire
se disputant maintenant pour des choses réelles, importantes, comme par exemple un peu d'air (ceux qui
étaient à l'intérieur et injuriaient ceux dont les têtes
obstruaient la lucarne) ou d'eau (ceux qui étaient à la
lucarne et esssayaient d'obtenir de la sentinelle au dehors qu'elle aille leur remplir leurs bidons), et à la fin
Georges renonça à extirper, dégager ce qu'il savait être
sa jambe de l'inextricable fouillis de membres qui pe-
saient dessus, restant là, gisant dans le noir, s'appliquant à faire pénétrer dans ses poumons l'air tellement
épais et souillé qu'il semblait non pas véhiculer l'odeur,
le suffocant remugle des corps, mais suer et puer lui-
même, et non pas transparent, impalpable, comme l'est
habituellement l'air, mais opaque, noir lui aussi, si
bien qu'il lui semblait essayer d'aspirer quelque chose
comme de l'encre et qui n'était rien d'autre que la ma-

tière même dont étaient faites aussi les taches mouvantes occupant le cadre de la lucarne et dont il lui fallait s'efforcer de s'emplir (têtes et infimes fragments de ciel) pêle-mêle dans l'espoir de profiter du même coup de l'un des minces et métalliques rayons qui s'y enfonçaient comme d'étincelants, salutaires et brefs coups d'épée jaillis des étoiles, et recommencer.

De sorte que tout ce qu'il pouvait faire c'était se résigner à cette fonction pour ainsi dire de filtre, pensant : « Après tout, j'ai bien lu quelque part que des prisonniers avaient bu leur urine... », restant sans bouger dans l'obscurité à sentir la sueur noire pénétrer dans ses poumons puis, dans le même moment, ruisseler sur lui, tandis qu'il lui semblait toujours voir ce buste raide de mannequin, impassible et osseux, qui s'avançait en se dandinant imperceptiblement (c'est-à-dire les hanches épousant les mouvements du cheval, le haut du corps — les épaules, la tête — aussi droit, aussi immobile que si on l'eût fait glisser horizontalement sur un fil de fer) devant le fond lumineux de la guerre, l'éclatant soleil qui faisait briller les vitres brisées, les milliers d'éclats triangulaires et éblouissants jonchant comme un tapis l'interminable rue déserte tournant lentement entre les façades de briques aux fenêtres cassées et vides dans le silence éblouissant majestueusement ponctué par le lent duel des deux canons solitaires se répondant, les bruits de départ (celui-ci quelque part sur la gauche, dans les vergers) et d'arrivée (l'obus tombant au hasard sur la ville abandonnée et morte où il faisait s'écrouler un pan de mur dans un nuage de poussière sale et lente à retomber) alternant, avec une sorte de brutale, futile et niaise ponctualité, tandis que les quatre cavaliers avançaient toujours (ou plutôt semblaient se tenir immobiles, comme dans ces truquages de cinéma où l'on ne voit que la partie supérieure des personnages, en réalité toujours à la même distance de la caméra, tandis que devant eux la longue rue tour-

nante — un côté au soleil, l'autre à l'ombre — paraît
venir, se déployer à leur rencontre comme un de ces
décors que l'on peut faire repasser indéfiniment, le
même (semble-t-il) pan de mur s'écroulant plusieurs
fois, le nuage de poussière soulevé par l'explosion se
rapprochant, s'enflant, grandissant, atteignant la hauteur du pan de mur resté debout, le dépassant, le soleil
touchant alors son sommet, la masse gris noir se coif-
fant d'une calotte jaune qui se gonfle, montant toujours,
jusqu'à ce que le nuage tout entier disparaisse sur la
gauche du dernier cavalier, une autre façade basculant
au même moment là-bas, dans la partie de la rue que
viennent de révéler en pivotant sur elles-mêmes les
façades de droite, la nouvelle colonne tournoyante de
poussière et de débris (qui semble s'enfler, grossie un
peu à la façon d'une boule de neige, mais en puisant
au contraire sa matière à l'intérieur d'elle-même par un
lent mouvement de volutes se déroulant, se bousculant,
se superposant) grandissant au fur et à mesure qu'elle se
rapproche — ou que les quatre cavaliers s'en rappro-
chent —, et ainsi de suite), pensant : « Mais même s'il
en était tombé deux fois plus il n'aurait toujours pas
daigné mettre ce cheval au trot. Parce que ça ne se fait
sans doute pas. Ou parce qu'il avait déjà peut-être découvert une meilleure solution, résolu définitivement le
problème, et pris sa décision. Comme l'autre homme-
cheval, l'autre orgueilleux imbécile déjà, cent cinquante
ans plus tôt, mais qui, lui, s'est servi de son propre pistolet pour... Mais c'est seulement de l'orgueil. Rien
d'autre. » Et haletant faiblement dans les ténèbres, il
continua à les injurier tous deux à voix basse : le dos
sourd, aveugle et raide qui continuait à s'avancer devant lui parmi les ruines fumantes de la guerre, et l'autre, de face, tout aussi immobile, solennel et raide dans
son cadre terni, tel que pendant toute son enfance il
avait pu le voir, avec cette différence que la tache qui
s'étalait, verticale et déchiquetée, à partir de la tempe,

descendait sur le cou délicat, presque féminin dans l'échancrure de la chemise, venait souiller la veste de chasse, n'était plus maintenant la préparation rougeâtre de la toile mise à nu par la peinture écaillée, mais quelque chose de sombre et de grumeleux s'écoulant lentement, comme si, à travers un trou pratiqué dans le tableau, on avait pressé par derrière une sorte de confiture épaisse et sombre qui glissait, dégoulinait peu à peu sur la surface lisse de la peinture, les joues roses, les dentelles, le velours, tandis qu'avec cette impassibilité paradoxale que l'on prête aux martyrs sur les tableaux anciens, le visage immobile continuait à regarder droit devant lui, de cet air un peu niais, surpris, incrédule et doux qu'ont ceux des gens tués de mort violente, comme si au dernier moment leur avait été révélé quelque chose à quoi durant toute leur vie ils n'avaient jamais eu l'idée de penser, c'est-à-dire sans doute quelque chose d'absolument contraire à ce que peut apprendre la pensée, de tellement étonnant, de tellement...

Mais il n'était pas dans ses intentions de philosopher ni de se fatiguer à essayer de penser à ce que la pensée était incapable d'atteindre ou d'apprendre, car le problème consistait plus simplement à essayer de dégager sa jambe. Puis, avant même que Blum le lui ait demandé il songea Quelle heure peut-il bien être, et avant même d'avoir commencé à lui répondre Qu'est-ce que ça peut faire, il se l'était déjà répondu, pensant que de toute façon le temps ne pouvait plus leur être maintenant d'aucun usage, puisqu'ils ne se sortiraient pas de ce wagon avant qu'il ait parcouru une certaine distance, ce qui n'était pas une question de temps pour ceux qui réglaient sa marche, mais d'organisation ferroviaire ni plus ni moins que s'il eût transporté en fret de retour des caisses vides ou du matériel avarié, choses qui en temps de guerre viennent après toutes les autres priorités : essayant donc d'expliquer à Blum que

l'heure n'était qu'un simple renseignement permettant
de se diriger d'après la position de son ombre et non le
moyen de savoir si le moment était venu (c'est-à-dire
où il était convenu qu'il convenait) de manger ou dormir, car, pour ce qui était de dormir, ils le pouvaient,
n'avaient même rien d'autre à faire, dans la mesure,
toutefois, où plusieurs membres étrangers, enchevêtrés
et superposés n'écrasaient pas l'un des vôtres, ou du
moins quelque chose que l'on savait être l'un de ses
membres quoiqu'il fût devenu à peu près insensible et,
en quelque sorte, séparé de vous, et quant au moment
de manger il pouvait être facilement déterminé — ou
plutôt décidé — non par le fait d'avoir faim comme
cela se passe d'habitude vers midi ou sept heures du
soir, mais lorsqu'était atteint le point critique où l'esprit (pas le corps, qui peut en supporter beaucoup plus)
ne peut plus endurer une minute de plus l'idée — le
supplice — de posséder quelque chose qui peut être
mangé : il tâtonna donc dans le noir avec lenteur jusqu'à ce qu'il eût réussi à dégager de sous sa tête où il la
tenait par précaution (de sorte que la conscience de
l'existence du morceau de pain était en quelque sorte
enfoncée en permanence dans son esprit) la musette
flasque d'où il sortit, à peu près comme s'il s'était agi
d'une charge d'explosif, ce que ses doigts avaient iden-
tifié (à une certaine rugosité friable, une forme approxi-
mativement ovale et plate — trop plate) comme
étant ce qu'ils cherchaient et dont il se mit en devoir
d'évaluer (toujours par le toucher) le plus exactement
possible la forme et les dimensions jusqu'à ce qu'il es-
timât en avoir une connaissance suffisante pour entre-
prendre de le rompre en deux parties égales en s'arrangeant (toujours comme s'il se fût agi de quelque chose
du genre dynamite) pour en recueillir au fur et à mesure les miettes impondérables dont il devinait la chute
dans sa paume par un léger, presque imperceptible cha-
touillis et qu'il répartit à la fin à peu près à égalité dans

chacune de ses mains, incapable au surplus, quand ce fut fait, d'aller au delà, c'est-à-dire de trouver suffisamment de courage, d'abnégation ou de grandeur d'âme pour donner à Blum le morceau qu'il estimait être le plus gros, préférant tendre vers lui dans le noir les deux mains à la recherche desquelles l'autre avança l'une des siennes, et après cela essayant alors d'oublier au plus vite (c'est-à-dire de faire oublier à son estomac dans lequel, à l'instant même où Blum avait choisi, quelque chose s'était tordu, révolté, brâmait maintenant avec une espèce de fureur sauvage et pleurarde) qu'il savait que Blum était tombé sur la meilleure part (c'est-à-dire celle qui devait bien peser dans les cinq ou six grammes de plus que l'autre), s'efforçant donc de ne plus penser, tout d'abord, qu'aux miettes qu'il faisait maintenant glisser de sa paume dans sa bouche, puis qu'à la pâte gluante qu'il mastiquait le plus lentement possible en essayant encore de se figurer que sa bouche et son estomac étaient celle et celui de Blum auquel il s'appliquait maintenant à faire comprendre que c'était la faute du soleil qui s'était caché à ce moment, quoique, pensa-t-il, il n'eût jamais vraiment espéré que même avec le soleil ils eussent réussi : « Parce que je savais parfaitement que c'était impossible qu'il n'y avait pas d'autre issue et qu'à la fin nous serions pris : tout cela ne menait à rien pourtant nous avons essayé j'ai essayé continué jusqu'au bout faisant semblant de croire que cela pouvait réussir m'obstinant non pas désespérément mais pour ainsi dire hypocritement trichant avec moi-même comme si j'espérais réussir à me faire croire que je croyais que c'était possible alors que je savais le contraire, errant tournant en rond dans ces chemins entre ces haies toutes pareilles à celle derrière laquelle s'était embusquée sa mort, où un instant j'avais vu luire l'éclat noir d'une arme avant qu'il tombe s'écroule comme une statue déboulonnée basculant sur la droite, et alors nous fîmes demi-tour par-

tîmes au galop penchés aplatis sur l'encolure pour offrir moins de cible tandis qu'il tirait maintenant sur
nous, entendant les détonations mesquines mortelles et
dérisoires dans la vaste campagne ensoleillée comme
des pétards, une arme de gosse, et Iglésia dit Il m'a eu,
mais nous continuâmes à galoper je dis Tu es sûr où,
et lui A la cuisse le salaud, je dis Peux-tu continuer
encore, l'insignifiant crachotement s'affaiblissant maintenant puis cessant complètement : sans arrêter de galoper avec à côté de lui ce cheval de main qu'il n'avait
pas lâché il passa ses doigts en arrière sur sa cuisse puis
les regarda je regardai aussi il y avait un peu de sang
dessus je dis Tu as mal, mais il ne répondit pas continuant à passer ses doigts sur la cuisse que je ne pouvais
pas voir et les regarder, sans doute les chevaux ont-ils
un sens spécial parce que je ne me rappelle pas avoir
vu ce chemin à moins que ce ne fût lui, toujours est-il
que sans cesser de galoper ils tournèrent à droite tous
les trois en même temps et Iglésia fit Oh Ooooooh...
oooh làààà... et ils se mirent au pas, on n'entendait de
nouveau plus rien que les petits oiseaux, les chevaux
soufflaient fort renâclaient tous les trois je dis Alors ?
Il regarda encore sa main puis se tortilla sur sa selle
mais je ne pouvais pas voir puisque c'était à droite
qu'il avait été touché, quand il fut de nouveau de profil il avait seulement l'air préoccupé et endormi plutôt
abruti et surtout mécontent il fourragea dans sa poche
pour en sortir un mouchoir sale il y avait du sang sur
le mouchoir quand il le ramena toujours de ce même
air abruti et de mauvaise humeur je dis Tu es très touché ? mais il ne répondit pas haussant seulement les
épaules et remettant le mouchoir dans sa poche il avait
l'air déçu comme furieux de n'être pas réellement
blessé que la balle l'ait seulement éraflé, nos ombres
équestres marchaient à notre gauche maintenant épousant la forme de la haie taillée à l'équerre : comme
c'était le printemps elles n'avaient pas encore beaucoup

poussé et la campagne avait l'air d'un jardin bien
émondé, quels sont ces arbustes buis ou plutôt conifè-
res je crois boulingrins que l'on taille géométrique-
ment jardins à la française dessinant de savantes courbes
enchevêtrées bosquets et rendez-vous d'amour pour
marquis et marquises déguisés en bergers et bergères se
cherchant à l'aveuglette cherchant trouvant l'amour la
mort déguisée elle aussi en bergère dans le dédale des
allées et alors nous aurions pu le rencontrer il aurait pu
se tenir là au détour du chemin, adossé à une haie
placide paisible et raide mort dans son habit de chasse de
velours bleu avec ses cheveux poudrés son fusil son trou
au milieu du front et sa tempe d'où coulait maintenant
sans arrêt comme de ces images ou ces statues de
saints dont les yeux ou les stigmates se remettent à pleurer ou à saigner une ou deux fois par siècle à l'occasion des grandes catastrophes des tremblements de
terre ou des pluies de feu, cette espèce de confiture
rouge sombre, comme si la guerre la violence le meurtre l'avaient en quelque sorte ressuscité pour le tuer une
deuxième fois comme si la balle de pistolet tirée un
siècle et demi plus tôt avait mis toutes ces années pour
atteindre sa deuxième cible mettre le point final à un
nouveau désastre... »

Puis (toujours gisant à demi asphyxié dans ces ténèbres suffocantes) il lui sembla qu'il le voyait réellement, aussi déplacé, aussi insolite dans la verdoyante
campagne que ces enterrements que l'on rencontre
parfois, s'avançant au milieu des champs comme quelque mascarade sacrilège, crapuleuse et — comme toute
mascarade — vaguement pédérastique, sans doute parce
que (de même que la dame âgée et seule, en découvrant les godillots qui dépassent de la jupe, et le poil
dur dont maintenant les joues se sont couvertes, comprend soudain avec horreur au moment où celle-ci lui
apporte la soupe que la vieille bonne au visage un peu
rude qu'elle a engagée le matin est en réalité un homme,

se rendant compte alors et de façon irrémédiable qu'elle
sera assassinée dans la nuit), parce qu'on aperçoit au-
dessous des surplis immaculés les gros souliers du prêtre
et les jambes sales de l'enfant de chœur qui marche en
tête braillant les répons sans se retourner et louchant
vers les buissons de mûres, la haute croix de cuivre fichée dans le cornet de cuir du baudrier qui pend à
hauteur de son bas-ventre (si bien qu'il semble tenir
à deux mains dans un geste enfantin, équivoque et canaille quelque symbole priapique démesuré jailli d'entre ses cuisses, noir et surmonté d'une croix) oscillant
au-dessus des blés comme le mât d'un bateau à la dérive, le christ de cuivre, les lourdes broderies argentées
de la chasuble lançant des éclairs métalliques, durs,
dans l'air vaporeux où persiste longtemps après comme
un sillage funèbre un parfum macabre de caveau et de
voûtes : la mort, donc, s'avançant à travers champs en
lourde robe d'apparat et dentelles, chaussée de godillots d'assassin, et lui (l'autre Reixach, l'ancêtre) se tenant là, à la manière de ces apparitions de théâtre, de
ces personnages surgis d'une trappe au coup de baguette
d'un illusionniste, derrière l'écran d'un pétard fumi-
gène, comme si l'explosion d'une bombe, d'un obus
perdu, l'avait déterré, exhumé du mystérieux passé
dans un mortel et puant nuage non de poudre mais
d'encens qui, en se dissipant, l'aurait peu à peu révélé,
anachroniquement vêtu (au lieu de l'omni-régnante
capote couleur de terre des soldats tués) de cette tenue
aristocratique et faussement négligée de chasseur de
cailles dans laquelle il avait posé pour ce portrait où le
temps — la dégradation — avait remédié par la suite
(comme un correcteur facétieux, ou plutôt scrupuleux)
à l'oubli — ou plutôt l'imprévision — du peintre, posant (et de la manière même dont s'y était prise la balle,
c'est-à-dire en faisant sauter un morceau du front, de
sorte que ce n'était pas une rectification par addition,
comme eût procédé un second peintre chargé plus tard

de la correction, mais en ouvrant aussi un trou dans le visage — ou la couche de couleur qui imitait ce visage — de façon à ce qu'apparût ce qu'il y avait au-dessous), posant là cette tache rouge et sanglante comme une salissure qui semblait un démenti tragique à tout le reste : cette douceur — et même langueur —, ces yeux de biche, ce négligé bucolique et familier des vêtements, et ce fusil, lui aussi semblable à un accessoire de cotillon ou de bal masqué.

Car peut-être ce viril attirail de chasseur — l'arme, la large courroie de cuir rouge d'une gibecière postulant les bêtes mortes, quelque chose où se mélangeraient des fourrures et des plumes tachetées comme dans ces natures mortes où sont entassés lièvres, perdreaux et faisans — n'était-il là que pour lui fournir une pose, une contenance comme, de nos jours, les gens se font photographier dans les foires en passant la tête à travers ces trous ovales qui tiennent lieu de visages à des personnages (aviateurs de fantaisie, clowns, danseuses) peints sur une simple toile, Georges regardant avec une sorte de fascination la main un peu grasse, féminine et soignée dont l'index avait, dans le désarroi d'une nuit lointaine, pressé la détente de l'arme dirigée contre lui-même (elle aussi il l'avait vue, touchée : l'un des deux longs pistolets aux canons guillochés et hexagonaux couchés tête-bêche au milieu de l'attirail compliqué des baguettes, moules à balles, poires à poudre et autres accessoires enchâssés chacun dans leur logement ménagé en creux dans le drap vert-billard mangé aux mites à l'intérieur de la boîte d'acajou qui trônait toujours sur la commode du salon, grande ouverte les jours de réception, fermée le reste du temps de crainte de la poussière, et ceci : sa propre main tenant l'arme trop lourde pour son bras d'enfant, relevant le chien (mais pour cela les deux furent nécessaires, la crosse recourbée serrée entre ses deux genoux, les deux pouces réunis forçant pour vaincre la ré-

sistance conjuguée de la rouille et du ressort), posant
le canon contre sa tempe et appuyant, son doigt crispé
blanchissant sous l'effort, jusqu'à ce que se produisît le
bruit sec, insignifiant (on avait remplacé le silex par un
coin de bois entouré de feutre) et mortel du chien se rabattant dans le silence de la pièce, la même — qui était
à présent celle où couchaient ses parents —, et où rien
n'avait été changé excepté peut-être le papier des murs
et trois ou quatre de ces objets — vases, cadres pour
photographies, lampe électrique — posés ou plutôt in-
troduits là, utilitaires et trop neufs, comme de bruyants,
insupportables et reluisants extras embauchés au bureau de placement pour faire le service dans une assemblée de fantômes : les mêmes meubles laqués, les
mêmes rideaux aux rayures passées, les mêmes gravures sur les murs représentant des scènes galantes ou
champêtres, la même cheminée de marbre blanc aux
pâles veines grises contre laquelle Reixach s'était ac-
coudé pour se faire sauter la cervelle (disait-on, c'est-à-
dire disait Sabine — ou peut-être l'avait-elle inventé,
brodait-elle, afin de rendre la scène plus saisissante —
chaque fois qu'elle racontait l'histoire) et auprès de laquelle Georges l'avait souvent imaginé, assis là, les jambes chaussées des bottes boueuses et fumantes allongées
en V vers le feu, un de ses chiens à ses pieds, la petite
main dodue et soignée émergeant du poignet de dentelles d'une de ces chemises aux replis bouffants, tenant
cette fois non un pistolet mais quelque chose (pour lui
qui n'avait été élevé, auquel on n'avait appris que l'ex-
clusif et innocent maniement des chevaux et des armes) de tout aussi dangereux, explosif (c'est-à-dire dont
le coup de pistolet n'avait peut-être été que l'inéluctable
aboutissement) : un livre, peut-être l'un des vingt-trois
tomes que remplissait l'œuvre complète de Rousseau
et sur la page de garde desquels s'étalait le même para-
phe, la carolingienne, orgueilleuse et possessive écriture calligraphiant à la plume d'oie dont il lui semblait

entendre le grincement sur le papier grenu et jauni
l'invariable formule : *Hic liber* — l'H démesuré, emphatique, en forme de deux parenthèses se tournant le
dos et reliées par un trait onduleux, les extrémités des
parenthèses s'enroulant en colimaçon comme les motifs de ces grilles rongées de rouille qui gardent encore
l'entrée de parcs envahis par les ronces —, puis en
dessous : *pertinetadme,* d'un seul tenant, puis, en caractères décroissants, le nom latinisé et sans majuscule :
henricum, puis la date, le millésime : 1783.

L'imaginant donc, le voyant en train de lire consciencieusement l'un après l'autre chacun des vingt-
trois volumes de prose larmoyante, idyllique et fumeuse,
ingurgitant pêle-mêle les filandreuses et genevoises le-
çons d'harmonie, de solfège, d'éducation, de niaiserie,
d'effusions et de génie, cet incendiaire bavardage de
vagabond touche-à-tout, musicien, exhibitionniste et
pleurard qui, à la fin, lui ferait appliquer contre sa
tempe la bouche sinistre et glacée de ce... (et alors la
voix de Blum disant : « Bien ! Donc il a trouvé, ou plutôt il a trouvé le moyen de trouver ce qu'on appelle
une mort glorieuse. Dans la tradition de sa famille, dis-
tu. Répétant, refaisant ce que cent cinquante ans plus
tôt un autre de Reixach (qui s'appelait si je comprends
bien Reixach tout court puisque, par un surcroît de noblesse, de chic, d'élégance, il avait laissé tomber cette
particule que ses descendants ont été par la suite ramasser et ressuspendre devant leur nom après l'avoir fait
astiquer par une armée de domestiques — ou d'ordon-
nances — en livrées — ou uniformes — Restauration),
ce qu'un autre Reixach donc avait déjà fait en se tirant
volontairement une balle dans la tête (à moins que cela
ne lui soit tout bêtement arrivé en nettoyant son pistolet, ce qui se produit couramment, mais dans ce cas il
n'y aurait pas d'histoire, du moins d'histoire suffisamment sensationnelle pour que ta mère t'en ait rebattu
les oreilles et celles de ses invités, alors admettons, ad-

mettons que ce fût ainsi) parce qu'il s'était pour ainsi
dire fait cocu lui-même, c'est-à-dire trompé : cocufié,
donc, non par une perfide créature féminine comme
son lointain descendant mais en quelque sorte par son
propre cerveau, ses idées — ou à défaut celle des autres — qui lui avaient joué ce sale tour comme si,
faute de femme (mais ne m'as-tu pas dit que, par
dessus le marché, il en avait une et qu'elle aussi...),
donc plutôt : comme si non content d'avoir une femme
à supporter il s'était encore embarrassé, encombré
d'idées, de pensées, ce qui évidemment, pour un gen-
tleman-farmer du Tarn, constitue, comme pour n'importe qui, un risque encore plus grand que le mariage... », et Georges : « Bien sûr. Bien sûr. Bien sûr.
Mais comment savoir ?...)

Pensant dans le même moment à ce détail, cette
chose bizarre qu'on ne racontait dans la famille qu'en
baissant la voix (et Sabine disait que, quant à elle, elle
n'y croyait pas, que ce n'était pas vrai, que sa grand-
mère lui avait toujours affirmé que c'était une fable,
une médisance répandue par les domestiques à la solde
d'ennemis politiques — les sans-culottes, disait sa
grand-mère, oubliant que justement il avait été de ce
bord-là, c'est-à-dire que si des médisances avaient été
répandues sur lui à la suite et sur les circonstances de
sa mort par des calomniateurs, ce ne pouvait être que
le fait des royalistes, ce qui, dans un sens, confirmait,
en partie du moins, l'exactitude de ses dires : à savoir
que la source de ces bruits se trouvait très vraisemblablement chez les domestiques, en vertu de cette loi qui
fait que les gens liés à d'autres par des relations servi-
les sont farouchement partisans — comme une sorte de
justification de leur condition — d'une société strictement hiérarchisée, de sorte que si les tenants de l'ancien régime avaient, comme c'était en effet probable,
cherché des alliés contre Reixach, ils avaient sans
doute trouvé les meilleurs d'entre eux parmi ses pro-

pres serviteurs), cette circonstance qui, vraie ou fausse, conférait à l'histoire on ne savait quoi d'équivoque, de scandaleux : quelque chose dans le style d'une de ces gravures intitulées l'Amant Surpris ou la Fille Séduite, et qui ornaient encore les murs de la chambre : le valet accouru au bruit du coup de feu se précipitant, habillé à la diable, son ample chemise pendant à demi hors de sa culotte enfournée au saut du lit, et peut-être, derrière lui, une servante à bonnet de nuit, et presque nue, une main devant la bouche pour étouffer un cri et l'autre retenant maladroitement le vêtement qui glissant de son épaule découvre un sein (et peut-être n'est-ce pas pour étouffer un cri qu'elle élève la main : plutôt, les doigts repliés en coquille, c'est devant la flamme d'une seconde chandelle (ce qui explique qu'elle soit visible quoiqu'elle soit placée en retrait, n'ayant pas encore, elle, franchi le seuil, encore dans l'ombre du corridor) qu'elle s'efforce de protéger du courant d'air provoqué par l'enfoncement de la porte (la lueur de la flamme passant entre ses doigts, de sorte qu'elle semble faire apparaître au centre de chacun l'ombre floue des os enveloppée par le rose transparent de la chair) : tenant donc en même temps d'une main ce vêtement de nuit qui cache mal sa poitrine, et la chandelle qu'elle protège de l'autre, si bien que son visage juvénile et effaré se trouve éclairé d'en bas, comme par les quinquets de la rampe d'un théâtre, les ombres étant inversées, c'est-à-dire placées non au-dessous des volumes mais au-dessus, les parties dans l'ombre étant la lèvre inférieure, l'arête du nez, le haut des joues, la paupière supérieure et le front au-dessus des sourcils), le valet de chambre se présentant, lui, de dos, la jambe droite portée en avant, à demi fléchie, la gauche en arrière (c'est-à-dire que son poids repose tout entier sur la droite : non pas une phase de la marche ou même de la course, mais plutôt la position d'un danseur au retombé d'un saut, l'attitude exprimant éloquemment ce qui

vient de se passer : la ruée du corps se précipitant,
l'épaule droite en avant, contre le panneau de la porte,
la jambe droite repliée et levée, la dernière poussée, le
dernier élan étant donné par la jambe gauche, puis — à
la troisième ou quatrième tentative — le panneau (ou
plutôt la serrure) cédant dans un fracas de gâche arra-
chée et de bois volant en éclats, et à ce moment le corps
du domestique catapulté, en déséquilibre, retombant sur
la jambe droite ployée tandis qu'il semble tirer derrière lui sa jambe gauche, celle-ci entièrement en extension et dont la cuisse, le mollet et le pied sont dans
une même ligne, le talon levé, le pied (nu car il — le valet — a juste pris le temps d'enfiler cette culotte) ne
touchant le sol que par l'extrémité des orteils, le bras
droit élevant bien haut maintenant la chandelle qui se
trouve à peu près au centre de l'espace-profondeur
du tableau, si bien que le valet est placé à contre-jour,
la partie de son corps que l'on peut voir — c'est-à-dire
son dos — étant presque complètement dans l'ombre
qui est figurée au burin au moyen de fines hachures
entrecroisées et plus ou moins déliées épousant le mo-
delé des volumes, de sorte que, vues de près, les formes, et notamment son avant-bras musculeux, ont l'air
d'être enveloppées d'une sorte de filet aux mailles qui
se resserrent là où l'ombre est la plus dense), toute la
lumière étant pour ainsi dire concentrée, absorbée, par
le grand corps étendu au pied de la cheminée, dessinant
un léger arc de cercle, livide et nu.

Car c'était cela (la légende, ou, au dire de Sabine, la
médisance inventée par ses ennemis) : qu'on l'avait
trouvé entièrement dévêtu, qu'il s'était d'abord dépouillé de ses vêtements avant de se tirer cette balle
dans la tête à côté de cette cheminée au coin de laquelle,
enfant, et même plus tard, Georges avait passé combien de soirées à chercher instinctivement au mur ou
au plafond (quoiqu'il sût bien que, depuis, la pièce
avait été plusieurs fois repeinte et retapissée) la trace

de la balle dans le plâtre, imaginant, revivant cela, croyant le voir, dans ce trouble, voluptueux et nocturne désordre de scène galante : peut-être un fauteuil, une table renversés, et les vêtements, comme ceux d'un amant impatient, hâtivement, fiévreusement arrachés, rejetés, éparpillés çà et là, et ce corps d'homme à la complexion délicate, presque féminine, gisant, immense et incongru, les ombres mouvantes de la chandelle jouant sur la peau blanche et transparente, ivoirin ou plutôt bleuâtre avec, au centre, ce buisson, cette touffe, cette tache sombre, floue et bitumeuse, et le fragile sexe de statue couché, barrant l'aine, sur le haut de la cuisse (le corps, en tombant, ayant légèrement basculé vers la gauche), le tableau tout entier empreint de cet on ne savait quoi de trouble, d'équivoque, d'à la fois moite et glacé, de fascinant et de répugnant...

« Et je me demandais s'il avait alors lui aussi cet air étonné vaguement offusqué le visage d'idiot de Wack quand il avait été arraché de son cheval gisant mort la tête en bas me regardant de ses yeux grands ouverts la bouche grande ouverte sur le revers du talus, mais lui avait toujours eu une tête d'idiot et bien sûr la mort n'avait pas précisément arrangé les choses de ce point de vue, mais sans doute au contraire accentué, du fait qu'elle privait le visage de toute mobilité, cette expression ahurie stupéfaite comme par la brusque révélation de la mort c'est-à-dire enfin connue non plus sous la forme abstraite de ce concept avec lequel nous avons pris l'habitude de vivre mais surgie ou plutôt frappant dans sa réalité physique, cette violence cette agression, un coup d'une brutalité inouïe insoupçonnée démesurée injuste imméritée la fureur stupide et stupéfiante des choses qui n'ont pas besoin de raisons pour frapper comme quand on se cogne la tête la première dans un réverbère qu'on n'avait pas vu perdu dans ses pensées comme on dit faisant alors connaissance avec l'imbécile révoltante et sauvage méchanceté de la fonte, le

plomb lui emportant la moitié de la tête, alors peut
être son visage exprimait-il cette espèce de surprise de
réprobation mais son visage seulement parce que je
suppose qu'en ce qui concernait son esprit il devait y
avoir déjà longtemps qu'il avait franchi le seuil au delà
duquel plus rien ne pouvait le surprendre ou le déce-
voir après la perte de ses dernières illusions dans le
sauve-qui-peut d'un désastre, et déjà donc précipité
dans ce néant où le coup de feu n'avait fait qu'envoyer
sa carcasse le rejoindre : depuis un bon moment je ne
voyais plus que son dos alors il m'était impossible de
savoir si toute faculté d'étonnement ou de souffrance
et même de raisonnement ne l'avait pas déjà abandonné
ou plutôt libéré de sorte que ce fut peut-être seulement
son corps pas son esprit qui commanda le geste ab-
surde et dérisoire de dégainer et brandir ce sabre car
sans doute était-il déjà complètement mort à ce moment-là si comme il est probable l'autre de derrière sa
haie avait visé en premier le plus haut gradé et il faut
moins de temps pour vous introduire dix balles de mitraillette dans le corps que pour accomplir la série
d'opérations qui consiste à aller attraper de la main
droite la poignée du sabre devant la cuisse gauche dégainer et lever la lame, mais on dit que les cadavres sont
parfois capables de réflexes de contractions musculai-
res assez fortes et même assez coordonnées pour les
faire se mouvoir comme ces canards dont on coupe la
tête et qui continuent à marcher se sauver parcourant
grotesquement plusieurs mètres avant de s'abattre pour
de bon : rien qu'une histoire de cous coupés en somme
puisque selon la tradition la version la flatteuse légende
familiale c'était pour éviter la guillotine que l'autre
l'avait fait avait été contraint de le faire Alors ils auraient dû changer leur blason depuis ce jour-là remplacer ces trois colombes par un canard sans tête j'imagine
que c'eût été mieux un meilleur symbole plus explicite
en tout cas puisque l'on peut dire que de toute façon ni

l'un ni l'autre n'avait déjà plus sa tête : un simple canard sans tête brandissant ce sabre l'élevant étincelant
dans la lumière avant de s'écrouler sur le côté, cheval
et canard derrière le camion brûlé comme si on les
avait fauchés comme dans ces farces où l'on tire brusquement un tapis sur lequel se trouve un personnage,
les haies ici étaient faites d'aubépine ou de charme je
crois petites feuilles gaufrées ou plutôt tuyautées comme
on dit en termes de repassage (ou peut-être plissé-so-
leil) comme une collerette de chaque côté de la ner-
vure centrale, nos hautes ombres glissant dessus se cassant en escalier à angle droit, horizontales, verticales,
puis de nouveau horizontales, mon casque se déplaçant
sur la partie plate au sommet de la haie, les trois chevaux (soufflant un peu moins maintenant, les naseaux
de celui que montait Iglésia dilatés s'ouvrant et se contractant comme des cornets encore frémissants l'intérieur
parcouru de veinules rouges gonflées se ramifiant en
forme d'éclairs) marchant de front remplissant presque toute la largeur du chemin, je me penchai pour
lui caresser l'encolure mais là où les rênes frottaient
elle était toute mouillée et couverte d'une bave grisâtre
de sueur et j'essuyai ma main sur la cuisse de ma culotte il renifla et dit Quelle espèce de salaud, et moi Ça
te fait mal ? mais il ne répondit pas l'air toujours de
mauvaise humeur comme s'il m'en voulait disant à la
fin Non je crois que c'est rien, disant L'espèce de salaud tu as vu ça, puis je vis nos ombres cette fois devant
nous Quelle connerie dit-il qu'est-ce que c'est que
ceux-là ? Arrêtés au carrefour ils nous regardaient venir sans bouger ils avaient l'air d'aller à ou de sortir de
la messe endimanchés comme pour une cérémonie une
fête, les femmes vêtues de sombre et chapeautées certaines tenant à la main un parapluie noir ou leur sac
noir aussi et certains des valises ou de ces paniers
d'osier rectangulaires avec une poignée sur le dessus
du couvercle qui est fixé par une baguette à cadenas

coulissant dans des passants, et quand nous fûmes près d'eux un des hommes dit Foutez le camp, leurs visages étaient sans expression, Est-ce que vous avez vu passer des cavaliers dis-je, mais la même voix répéta Allez-vous-en Foutez le camp, les trois chevaux s'étaient arrêtés les ombres des casques arrivaient presque à leurs chaussures noires du dimanche je dis On est perdus on est tombés ce matin dans une embuscade le capitaine vient d'être tué nous cherchons, puis une des femmes se mit à crier puis plusieurs voix crièrent ensemble Ils sont partout allez-vous-en s'ils vous trouvent avec nous ils nous tueront, Iglésia répétant encore une fois Espèce de salaud, mais sans hausser la voix de sorte que je me demandais si c'était d'eux qu'il voulait parler ou du type qui nous avait tiré dessus mais je ne pouvais pas savoir s'il le disait au pluriel ou au singulier et à ce moment-là je me rappelle que j'ai entendu le bruit de cascade qu'elle faisait en même temps qu'elle bougeait un peu pour écarter les cuisses je me suis penché pour soulager les reins et je restai ainsi aplati en avant regardant par terre, l'urine jaune éclaboussait partout et l'homme le plus près s'écarta de nous sans doute pour ne pas laisser salir ses habits de fête, l'urine serpentait sur le chemin tout juste empierré comme une sorte de dragon couverte de bulles la tête hésitant tâtonnant cherchant son chemin à droite et à gauche tandis que le corps s'enflait mais très vite la terre l'absorba et il ne resta qu'une tache sombre humide et tentaculaire où de minuscules points brillants comme des têtes d'épingle s'éteignaient les uns après les autres, alors je me redressai disant Allons on ne va pas rester là, je la poussai et ils s'écartèrent pour nous laisser passer solennels roides et hostiles dans leurs habits du dimanche, Ces salauds de paysans dit Iglésia, puis nous entendîmes crier derrière nous et je me retournai ils n'avaient pas bougé c'était une femme qui criait les autres avaient toujours leurs mêmes visages

hostiles et renfrognés la regardant maintenant, elle, avec
une espèce de réprobation, Qu'est-ce qu'elle dit ? dis-je,
Iglésia s'était aussi retourné, la main qui tenait les rênes et le bridon du cheval de main posée sur sa cuisse,
elle répéta plusieurs fois le même geste du bras A gauche dit-elle elle dit qu'on prenne à gauche que par là
on va se fourrer en plein dedans, ils se mirent tous à
parler et gesticuler en même temps j'entendis leurs
voix furieuses et contradictoires Alors par où ? dis-je
puis je trouvai ce que j'étais en train de chercher depuis un moment depuis que je les avais vus insolites et
cérémonieux avec leurs costumes non de fête mais de
deuil pensai-je voilà pourquoi j'avais pensé à ces enterrements qu'on rencontre noirs et compassés dans les
verdoyants chemins de campagne (il continuait à agiter
furieusement son parapluie comme pour nous chasser
comme s'il criait encore Allez-vous-en Foutez le camp
foutez le camp d'ici !) Elle a dit qu'on prenne à gauche,
dit Iglésia, mais nos ombres nous précédaient maintenant je pouvais les voir avançant devant nous comme
montées sur des échasses Mais dis-je par là on revient
vers..., et Iglésia Puisqu'elle a dit que par là on allait se
fourrer dedans elle le sait peut-être mieux que toi non,
le soleil disparut les ombres disparurent une fois encore
je regardai derrière nous et ils disparurent cachés par
la haie, sans le soleil la campagne semblait encore plus
morte abandonnée effrayante par sa paisible et fami-
lière immobilité cachant la mort aussi paisible aussi fa-
milière et aussi peu sensationnelle que les bois les arbres
les prés fleuris... »

Puis il se rendit compte que ce n'était pas à Blum
qu'il était en train d'expliquer tout ça (Blum qui était
mort depuis plus de trois ans maintenant, c'est-à-dire
dont il savait qu'il était mort parce que tout ce qu'il
avait vu c'était simplement ceci : le même visage que
ce matin pluvieux et gris dans la grange, mais encore
plus réduit, ratatiné et misérable, entre les immenses

oreilles décollées qui semblaient avoir grandi au fur et
à mesure que le visage rapetissait, fondait, et le même
regard fiévreux, silencieux, luisant, où se reflétait la
lumière jaune foncé des ampoules éclairant la baraque,
l'éclairant du moins suffisamment pour ce qu'ils avaient
à faire : ouvrir les yeux, s'asseoir sur leur couchette et
rester ainsi à peu près une minute, à demi stupides jusqu'à ce qu'ils aient, comme chaque matin, réussi à se
faire à l'idée de l'endroit où ils se trouvaient et de ce
qu'ils étaient, et ensuite se lever, simplement se mettre
debout sans avoir fait autre chose que lacer leurs
chaussures (puisque maintenant ils ne savaient plus du
tout ce que c'était que se déshabiller, excepté le dimanche pour chercher leur poux) et épousseter la paille
poussiéreuse de la nuit, enfiler leurs capotes pour enfin
s'aligner dehors dans la nuit en attendant l'aube jusqu'à ce qu'on les ait comptés et dénombrés exactement
comme un troupeau : donc suffisamment de lumière
pour cela et pour qu'il pût voir le mouchoir que Blum
tenait devant sa bouche, et que le mouchoir était presque noir, mais pas de saleté, c'est-à-dire que si les ampoules avaient été plus fortes il aurait pu voir qu'il était
rouge, mais dans la demi-pénombre il était simplement
noir, et Blum se taisant toujours, avec seulement dans
ses yeux trop brillants ce quelque chose de déchirant, de
désespéré et de résigné, et Georges : « Mais ce
n'est qu'un petit peu de s... Sacré veinard ! Tu peux dire
que tu es verni : l'infirmerie, des draps, et ils vont te
rapatrier comme mal... Sacré veinard ! », et Blum le regardant toujours sans répondre, les yeux brûlants dans
la pénombre, noirs, agrandis, semblables à des yeux
d'enfant, et Georges disant, répétant : « Sacré veinard
qu'est-ce que je donnerais pas pour crachoter moi aussi
un petit peu : rien qu'un petit crachouillis de rien du
tout bon sang si je pouvais aussi mais ce n'est pas moi
qui aurais un pareil coup de pot... », et Blum le regardant toujours sans répondre, et il ne l'avait plus jamais

revu), se rendant compte donc que ce n'était pas à
Blum qu'il était en train d'essayer d'expliquer tout ça
en chuchotant dans le noir, et pas le wagon non plus,
l'étroite lucarne obstruée par les têtes ou plutôt les taches se bousculant criardes, mais une seule tête maintenant, qu'il pouvait toucher en levant simplement la
main comme un aveugle reconnaît, et même pas besoin
d'approcher la main pour savoir dans le noir, l'air lui-
même sculptant, sentant la tiédeur, l'haleine, respirant le
souffle sorti de l'obscure fleur noire des lèvres, le visage
tout entier comme une espèce de fleur noire penché au-
dessus du sien comme si elle cherchait à y lire, à deviner... Mais il lui attrapa le poignet avant qu'elle l'ait
atteint, attrapant au vol l'autre main, ses seins roulant
sur sa poitrine : un moment ils luttèrent, Georges pensant sans même avoir envie de rire D'habitude ce sont
elles qui ne veulent pas qu'on allume, mais il y avait
encore trop de lumière dans la nuit elle se pencha sur
le côté sa tête glissa de la fenêtre démasquant les étoiles et il put sentir la lueur froide l'atteindre se plaquer
comme du lait sur sa figure pensant Bon très bien regarde, sentant son poids le poids de toute cette chair de
femme sa hanche écrasant sa jambe, la hanche luisant
phosphorescente dans l'obscurité il pouvait la voir luire
aussi dans la glace et les deux pommes de pin de chaque
côté du fronton de l'armoire et c'était à peu près tout
et elle : Continue parle-lui encore, et lui : A qui ? et
elle : En tout cas pas à moi, et lui : Alors à qui ? et
elle : Mais même si je n'avais plus été qu'une vieille putain décatie tu, et lui : Qu'est-ce que tu racontes ? et
elle : Parce que ce n'était pas moi n'est-ce pas c'était,
et lui : Bon Dieu je n'ai fait que penser rêver de toi
pendant cinq ans, et elle : Pas à moi, et lui : Alors ça
alors je me demande à qui, et elle : Pas à qui, tu ferais
mieux de dire quoi, il me semble que ce n'est pas difficile à deviner il me semble qu'il n'est pas très difficile
de se figurer à quoi peuvent penser pendant cinq ans

un tas d'hommes privés de femmes, à peu près quelque chose dans le genre de ce qu'on voit dessiné sur
les murs des cabines téléphoniques ou des toilettes des
cafés je pense que c'est normal je pense que c'est la
chose la plus naturelle mais dans ces sortes de dessins on ne représente jamais les figures ça s'arrête en
général au cou quand ça arrive juqué là quand celui
qui s'est servi du crayon ou du clou pour gratter le plâtre s'est donné la peine de dessiner autre chose, d'aller
plus haut que, et lui : Oh bon Dieu mais alors la première venue et elle : Mais là-bas tu m'avais sous la
main (et faisant entendre dans le noir comme un rire,
quelque chose qui la secoue faiblement, les secoue tous
les deux, les deux poitrines soudées, les seins, de sorte
qu'il lui semble l'entendre résonner dans la sienne à
lui, qu'il rit aussi, c'est-à-dire pas vraiment un rire, en
ce sens que cela n'exprime aucune joie : seulement
cette espèce de spasme, dur, comme une toux, qui ré-
sonne en même temps dans leurs deux corps puis
s'arrête quand elle parle de nouveau :) ou plutôt vous
puisque vous étiez trois, Iglésia toi et comment comment s'appelait..., et Georges : Blum, et elle :... Ce petit juif qui était avec vous que tu avais retrouvé...
    Puis Georges ne l'écoutant plus, ne l'entendant plus,
enfermé de nouveau dans l'étouffante obscurité avec
sur la poitrine cette chose, ce poids qui n'était pas de
la tiède chair de femme mais simplement de l'air comme
si l'air gisait là aussi sans vie avec cette pesanteur décuplée, centuplée, des cadavres, le cadavre pesant et
corrompu de l'air noir étendu de tout son long sur lui
sa bouche collée à la sienne, et lui essayant désespérément de faire pénétrer dans ses poumons cette haleine
au goût de mort, de corruption, puis tout à coup l'air
entra : ils avaient de nouveau fait glisser la porte,
l'éclat des voix, des ordres rentrant avec l'air, Georges
réveillé maintenant, pensant : « Mais ce n'est pas possible, ce n'est pas possible qu'ils en fassent encore mon-

ter, nous... » puis quelque chose de violent, des heurts,
une bousculade, des jurons dans l'ombre, puis la porte
glissa de nouveau, le loquet de fer se rabattant au dehors, et ce fut de nouveau le soir seulement peuplé de
respirations, ceux qui venaient de monter pressés probablement contre le panneau en train sans doute de se
demander combien de temps on pouvait rester là dedans
sans perdre connaissance ou plutôt en train simplement
d'attendre (pensant sans doute : il ne doit y en avoir que
pour quelques minutes, tant mieux) le moment où ils
allaient perdre connaissance, les respirations faisant
dans le noir un bruit continu comme des soufflets, puis
(sans doute fatigué d'attendre que cela se produisît)
l'un de ceux qui venait de monter parlant, disant
(mais sans colère, seulement comme avec une sorte
d'ennui) : « Vous pourriez peut-être au moins nous
laisser la place de nous asseoir, non ? », et Georges :
« Qui est-ce qui a parlé ? », et la voix : « Georges ? », et
Georges : « Oui, par ici, par... Bon Dieu : alors ils t'ont
eu aussi ! Ça alors, tu... », continuant à parler tandis
qu'il essayait d'avancer à quatre pattes vers la porte
malgré les jurons, sans même sentir les coups qu'ils lui
donnaient, puis une main lui attrapa la cheville et il
tomba, reçut un formidable coup de pied sur le côté de
la figure, en même temps que lui parvenait la voix de
Blum plus proche maintenant, disant : « Georges »,
puis la voix du Marseillais disant : « Reste où tu es. Tu
passeras pas ! », et Georges : « Mais enfin quoi c'est un
cop... », et le Marseillais : « Fous le camp ! », et Georges ruant, essayant de se mettre debout, puis alors qu'il
était à demi relevé, sentant quelque chose comme environ une tonne d'acier lui arriver dans la poitrine, pensant dans une sorte d'éclair : « Bon Dieu c'est pas possible, ils ont fait aussi rentrer des chevaux, ils... », puis
entendant le panneau de fer sonner contre sa tête (ou
sa tête sonner contre le panneau de fer — à moins qu'il
n'y eût pas de panneau de fer, que sa tête sonnât toute

seule), la voix de Blum tout à côté maintenant disant
sans élever le ton : « Bande de salauds », Georges pouvant l'entendre lancer devant lui dans le noir, patiemment en quelque sorte quoique à toute vitesse, le plus
grand nombre possible de coups de pied et de coups de
poing, Georges essayant de taper aussi mais pas très
bien parce que le bras ou le pied rencontraient tout de
suite quelque chose de sorte qu'ils n'arrivaient pas très
fort, puis sans doute y avait-il trop peu d'air pour que
l'on pût continuer longtemps à se battre car peu à peu
et comme par une sorte d'accord tacite entre eux et
leurs adversaires (c'est-à-dire entre eux et ce noir dans
lequel ils essayaient de donner et duquel leur arrivaient
des coups) cela s'arrêta, la voix du Marseillais disant
qu'ils se retrouveraient, et Blum disant : « C'est ça »,
et le Marseillais : « T'es photographié », et Blum :
« C'est ça, tu m'as photographié », et le Marseillais :
« Fais toujours ton mariolle, attends qu'il fasse jour, attends qu'on sorte d'ici », et Blum : « C'est ça : photographie », et sans doute n'y avait-il pas assez d'air non
plus pour que l'on pût même continuer à s'injurier car
cela aussi s'arrêta et Blum dit : « Ça va ? » et Georges
tâtant dans la musette, et il y avait toujours le morceau
de pain et la bouteille n'était pas cassée, disant : « Ça
va, oui » mais sa lèvre avait l'air d'être en bois et alors
il sentit que quelque chose coulait dans sa bouche,
cherchant à tâtons sa lèvre des doigts et l'explorant avec
précaution, pensant : « Bien. J'allais finir par me demander si j'avais fait vraiment la guerre. Mais j'ai tout
de même réussi à me faire blesser, à répandre tout de
même moi aussi quelques gouttes de mon précieux sang
de sorte qu'ensuite j'aurai au moins quelque chose à
raconter et que je pourrai dire que tout l'argent qu'ils
ont dépensé pour faire de moi un soldat n'a pas été
tout à fait perdu, quoique je craigne que cela ne se
soit pas passé dans les règles, c'est-à-dire de la façon
correcte, c'est-à-dire atteint par un ennemi me visant

dans la position du tireur à genou, mais seulement par
une chaussure à clous, encore que ce ne soit même pas
certain, encore que je ne sois même pas sûr de pouvoir
me vanter plus tard de quelque chose d'aussi glorieux
que d'avoir été blessé par un de mes semblables parce
que ça devait plutôt être quelque chose comme un mu-
let ou un cheval qu'on a dû fourrer par erreur dans ce
wagon, à moins que ce ne soit nous qui nous y trou-
vions par erreur puisque sa destination première est
bien de transporter des animaux, à moins que ce ne soit
pas du tout une erreur et qu'on l'ait, conformément à
l'usage pour lequel il a été construit, rempli de bestiaux, de sorte que nous serions devenus sans nous en
rendre compte quelque chose comme des bêtes, il me
semble que j'ai lu quelque part une histoire comme ça,
des types métamorphosés d'un coup de baguette en co-
chons ou en arbres ou en cailloux, le tout par le moyen
de vers latins... » pensant encore « Comme quoi il n'a
donc pas entièrement tort. Comme quoi somme toute
les mots servent tout de même à quelque chose, de sorte
que dans son kiosque il peut sans doute se persuader
qu'à force de les combiner de toutes les façons possibles on peut tout de même quelquefois arriver avec un
peu de chance à tomber juste. Il faudra que je le lui
dise. Ça lui fera plaisir. Je lui dirai que j'avais déjà lu
en latin ce qui m'est arrivé, ce qui fait que je n'ai pas
été trop surpris et même dans une certaine mesure
rassuré de savoir que ç'avait déjà été écrit, de sorte que
tout l'argent qu'il a lui aussi dépensé pour me le faire
apprendre n'aura pas été non plus complètement perdu.
Ça lui fera sans doute plaisir, oui. Ça sera certainement pour lui une... » Puis il cessa. Ce n'était pas à son
père qu'il voulait parler. Ce n'était même pas à la
femme couchée invisible à côté de lui, ce n'était peut-
être même pas à Blum qu'il était en train d'expliquer
en chuchotant dans le noir que si le soleil ne s'était pas
caché ils auraient su de quel côté marchaient leurs om-

bres : maintenant ils ne chevauchaient plus dans la
verte campagne, ou plutôt le vert chemin de campagne
avait brusquement cessé et ils (Iglésia et lui) restaient
là, stupides, arrêtés, juchés sur leurs échalas de chevaux
au beau milieu de la route, tandis qu'il pensait avec une
sorte de stupeur, de désespoir, de calme dégoût (comme
le forçat lâchant la corde qui lui a permis de franchir
la dernière muraille, se recevant, se redressant, se préparant à s'élancer, et découvrant alors qu'il vient de
tomber aux pieds mêmes de son gardien en train de
l'attendre) : « Mais j'ai déjà vu ça quelque part. Je
connais ça. Mais quand ? Et où donc ?... »

II

Qui a bien pu donner à Dieu l'idée de créer des êtres mâles et femelles et de les faire s'unir ? L'homme, voilà qu'il lui donne la femme. Elle a deux tétons sur la poitrine et un petit pertuis entre les jambes. Mettez là une petite goutte de semence humaine, et il en naîtra un corps grand comme ça ; cette pauvre petite goutte deviendra chair, sang, os, nerfs, peau. Job l'a bien dit au chapitre dix : « Ne m'avez-vous pas trait comme du lait, et fait cailler comme du fromage ? » Dans toutes ses œuvres, Dieu a quelque chose de rigolo. S'il m'avait demandé mon avis sur la procréation des hommes, je lui aurais conseillé de s'en tenir à la motte de limon. Et je lui aurais dit de poser le soleil, comme une lampe, au beau milieu de la terre. Comme ça il aurait tout le temps fait jour.

MARTIN LUTHER.

Et au bout d'un moment il le reconnut : ce qui était non un anguleux amas de boue séchée mais (les pattes osseuses, jointes et repliées en posture de prière, la carcasse à demi recouverte, absorbée par sa gangue d'argile — comme si déjà la terre avait commencé à la digérer — avec, sous la croûte dure et friable, son aspect, sa morphologie à la fois d'insecte et de crustacé) un cheval, ou plutôt ce qui avait été un cheval (hennissant, s'ébrouant dans les vertes prairies) et retournait maintenant, ou était déjà retourné à la terre originelle sans apparemment avoir eu besoin de passer par le stade intermédiaire de la putréfaction, c'est-à-dire par une sorte de transmutation ou de transsubstanciation accélérée, comme si la marge de temps normalement nécessaire au passage d'un règne à l'autre (de l'animal au minéral) avait été cette fois franchie d'un coup. « Mais, pensa-t-il, peut-être est-ce déjà demain, peut-être même y a-t-il des jours et des jours que nous sommes passés là sans que je m'en aperçoive. Et lui encore moins. Parce que comment peut-on dire depuis combien de temps un homme est mort puisque pour lui hier tout à l'heure et demain

ont définitivement cessé d'exister c'est-à-dire de le préoc-
cuper c'est-à-dire de l'embêter... » Puis il vit les
mouches. Non plus la large plaque de sang grumeleux
et verni qu'il avait vue la première fois, mais une sorte
de grouillement sombre, pensant : « Déjà », pensant :
« Mais d'où sortent-elles toutes ? » jusqu'à ce qu'il se
rendît compte qu'il n'y en avait pas tellement (pas au
point de recouvrir la plaque) mais que le sang avait commencé à sécher, s'était maintenant terni, plutôt brun que
rouge à présent (apparemment c'était la seule modification qui s'était produite depuis la première fois qu'il
l'avait vu, de sorte que, pensa-t-il, il ne s'était probablement écoulé que quelques heures, ou peut-être une seule,
ou peut-être même pas, et à ce moment il remarqua que
l'ombre projetée par l'angle du mur de briques qui bor-
dait la route recouvrait les membres postérieurs du cheval tout à l'heure en plein soleil, la portion d'ombre projetée par la partie du mur parallèle à la route ne cessant de s'élargir, pensant : « Mais nos ombres étaient
alors sur notre droite, donc le soleil a maintenant franchi l'axe de la route, donc... », puis cessant de penser, ou
plutôt d'essayer de calculer, pensant seulement : « Mais
qu'est-ce que ça peut faire ? Qu'est-ce que ça peut bien
lui faire maintenant dans l'endroit où il est... »), les grosses mouches bleu-noir se pressant sur le pourtour, les
lèvres de ce qui était plutôt un trou, un cratère, qu'une
blessure, et où le cuir entaillé commençait à se retrousser comme du carton, faisant penser à ces jouets d'enfants amputés ou crevés laissant voir l'intérieur béant,
caverneux, de ce qui n'avait été qu'une simple forme
entourant du vide, comme si les mouches et les vers
ayant déjà achevé leur travail, c'est-à-dire ayant mangé
tout ce qu'il y avait à manger, y compris les os et le cuir,
il ne subsistait plus (comme les carapaces de ces bêtes
vidées de leur chair ou ces objets rongés de l'intérieur
par les termites) qu'une fragile et mince enveloppe de
boue séchée, pas plus épaisse qu'une couche de peinture

ni plus ni moins vide, ni plus ni moins inconsistante que
ces bulles venant crever à la surface de la vase avec un
bruit malpropre, laissant s'échapper, comme montée
d'insondables et viscérales profondeurs, une faible exhalaison de pourriture.

Puis il vit ce type. C'est à-dire, du haut de son cheval, l'ombre gesticulante faisant irruption hors d'une
maison, courant vers eux sur la route à la façon d'un
crabe ; Georges se rappelant d'avoir d'abord été frappé
par l'ombre parce que, dit-il, elle était allongée, à plat,
tandis qu'Iglésia et lui voyaient l'homme de haut en bas
en raccourci, de sorte qu'il regardait encore l'ombre
(semblable à une tache d'encre qui se serait déplacée rapidement sur la route sans laisser de traces, comme sur
une toile cirée ou une matière vitrifiée) en train d'agiter incompréhensiblement ses deux pinces tandis que la
voix lui parvenait d'un autre point, les mouvements et la
voix semblant en quelque sorte séparés, dissociés, jusqu'à ce qu'il relevât la tête, découvrît le visage levé vers
eux, empreint d'une sorte d'égarement, d'une furieuse
et suppliante exaltation, Georges parvenant seulement
alors à comprendre ce que criait la voix (c'est-à-dire ce
qu'elle avait crié, car elle criait déjà autre chose, de sorte
que quand il répondit ce fut avec comme un décalage,
comme si ce que criait l'autre mettait un moment à lui
parvenir, à traverser les épaisseurs de fatigue), entendant
sa propre voix sortir (ou plutôt poussée hors de lui
avec effort) enrouée, rugueuse, marron foncé, et criant
elle aussi, comme s'il leur avait été nécessaire à tous de
hurler pour parvenir à s'entendre quoiqu'ils fussent seulement à quelques mètres (et à un moment, même pas)
l'un de l'autre et qu'il n'y eût alors aucun autre bruit
qu'une lointaine canonnade (parce que sans doute le
type s'était mis à crier dès qu'il les avait aperçus, criant
tandis qu'il dévalait en courant les marches du perron
de la maison, continuant à crier sans se rendre compte
que c'était de moins en moins nécessaire à mesure qu'il

se rapprochait d'eux, la nécessité où il se croyait de crier
s'expliquant probablement aussi par le fait qu'il n'arrê-
tât pas de courir, même quand il se tint un instant immobile au-dessous de Georges, lui montrant du doigt
l'endroit où se cachait le tireur, toujours courant sans
doute en esprit, ne s'apercevant même pas qu'il était arrêté, si bien qu'il lui était peut-être impossible de s'exprimer autrement qu'en criant comme le fait un homme
en mouvement) et Georges hurlant alors aussi : « Infirmiers ? Non. Pourquoi infirmiers ? Est-ce qu'on a
l'air d'infirmiers ? Est-ce qu'on a des brass... », le dialogue furieux, échangé à tue-tête sur la route ensoleillée
et vide (sauf, des deux côtés, cette double traînée de détritus, d'épaves, comme si quelque inondation, quelque
torrent déchaîné, foudroyant et aussitôt tari était passé
par là, rejetant, laissant sur ses bords ces tas — choses,
bêtes, gens morts — indistincts, sales et immobiles, tremblotant faiblement dans la couche d'air chaud qui vibrait
à ras de terre sous le soleil de mai), de haut en bas et de
bas en haut entre le cavalier sur son cheval arrêté et
l'homme courant, criant de nouveau : « Des pansements... Il faut... Il y a deux gars qui viennent de se faire
descendre. Vous n'avez pas, vous n'êtes pas... », et Georges : « Des pansements ? Bon Dieu. D'où est-ce que... »,
et le type commençant à infléchir sa course pour repartir
vers la maison, ralentissant à peine, hurlant de nouveau,
comme en proie à une sorte de colère désespérée :
« Alors qu'est-ce que vous foutez là plantés comme deux
andouilles sur vos bourins au milieu de cette route Vous
savez pas qu'ils tirent sur tout ce qui passe ? », et agitant
de nouveau les bras, se retournant sans cesser de courir,
montrant un point quelque part, criant : « Il y en a un
planqué là-bas, juste derrière le coin de la bicoque ! »,
et Georges : « Où ? », et le type maintenant parvenu à
l'extrémité de la boucle décrite par sa course avant de
repartir vers la maison, tout près d'eux, s'arrêtant —
mais certainement sans en être conscient, sa poitrine

s'abaissant et se relevant rapidement, haletant, se dépê-
chant de crier entre deux aspirations : « Juste derrière
le coin de cette bicoque en brique là-bas ! » et regardant
lui-même dans la direction de son doigt pointé, et hurlant avec toujours ce même accent de colère, de désespoir et de satisfaction : « Tiens ! Il vient juste de sortir
et de se planquer de nouveau, t'as-vu ? », et Georges :
« Où ? », et le type déjà en mouvement, repartant,
se retournant, criant furieusement : « Bon Dieu
de... : la maison en briques là-bas ! », et Georges :
« Mais elles sont toutes en briques », et le type : « Pauvre con ! », et Georges : « Mais il n'a pas tiré », et le
type (s'éloignant maintenant, courant, le visage tourné
vers eux pour répondre, de sorte que tout son corps se
tord comme un tire-bouchon, la tête regardant en sens
inverse de sa course, le buste — c'est-à-dire le plan de
sa poitrine — dans l'axe du trajet suivi, et les hanches
(le plan des hanches) de biais par rapport à celui-ci, ce
qui fait qu'il court de travers, de nouveau un peu
comme un crabe, semble traîner maladroitement après
lui ses pieds, ses jambes menaçant à tout instant de s'em-
brouiller, tandis que les bras écartés continuent à gesticuler) hurlant : « Pauvre con ! Il ne va pas te tirer de là-
bas. Il attend que tu sois près et alors il te tire ! », et
Georges : « Mais où... », et le type par dessus son
épaule : « Pauvre con ! », et Georges hurlant : « Mais
bon Dieu où est le front, où... », et le type s'arrêtant
cette fois, un moment ahuri, indigné, planté là, tourné
vers eux, les bras en croix, criant avec rage maintenant :
« Le front ? Pauvre con ! Le front ?... Y a plus de front,
pauvre con, y a plus rien ! », les bras écartés se joi-
gnant devant lui, puis s'écartant de nouveau, balayant
tout : « Plus rien. T'entends ? Plus rien ! », et Georges
(s'époumonnant maintenant parce que l'autre a tourné le
dos, repris sa course, est presque arrivé au perron de la
maison d'où il est sorti tout à l'heure et va disparaître) :
« Mais enfin qu'est-ce qu'il faut faire ? Qu'est-ce qu'on

peut faire ? Où est-ce que... », et le type : « Faites
comme moi ! », ses deux bras levés s'abaissant, les deux
poignets retournés vers l'intérieur de sorte que ses doigts
dirigés vers lui semblent inviter les deux cavaliers à examiner son costume que le geste de ses mains désigne du
haut en bas, hurlant : « Foutez le camp de là ! Foutez-
vous en civil ! Cherchez des fringues dans une maison
et planquez-vous ! Planquez-vous ! », élevant une nouvelle fois les bras et les abaissant violemment vers eux
dans le geste de les repousser, de les chasser, de les maudire, et disparaissant à l'intérieur de la maison, et maintenant de nouveau rien que Georges et Iglésia juchés sur
leurs chevaux, au milieu de la route ensoleillée, inégale-
ment bordée de maisons et absolument déserte sauf les
bêtes crevées, les morts, les tas énigmatiques et immobiles de loin en loin, en train de commencer à pourrir
lentement sous le soleil, et Georges regardant le coin de
la maison de briques, puis celle où vient de disparaître
le type, puis de nouveau l'angle mystérieux de la maison, puis entendant derrière lui les sabots des chevaux,
se retournant, Iglésia déjà au trot, le cheval de main
trottant à côté de lui, les deux chevaux s'engageant dans
un chemin de traverse, à gauche cette fois, et Georges
mettant à son tour son cheval au trot, rattrapant Iglésia,
disant : « Où vas-tu ? », et Iglésia sans le regarder, reniflant, l'air toujours maussade, hargneux : « Faire ce qu'il
a dit. Chercher des frusques et me planquer », et Georges : « Se planquer où ? Et ensuite ? », et Iglésia ne répondant pas, et un moment plus tard les chevaux atta-
chés dans une écurie vide et Iglésia cognant furieusement à coups de crosse dans la porte de la maison jusqu'à ce que Georges tourne simplement la poignée, la
porte s'ouvrant toute seule, et alors autour d'eux des
murs, la pénombre, c'est-à-dire un espace clos, fini (non
qu'ils n'en eussent pas appris en une semaine suffisamment pour savoir la valeur, la solidité des murs et la con-
fiance qu'on pouvait leur accorder, c'est-à-dire à peu

près autant qu'à une bulle de savon — avec cette différence qu'une fois éclatée il ne restait de la bulle de savon
qu'imperceptibles gouttelettes au lieu d'un amas inextricable, grisâtre, poussiéreux et meurtrier de briques
et de poutres : mais peu importait, ce n'était pas cela,
c'était de n'être plus dehors, d'avoir quatre murs autour de soi, et un plafond au-dessus de la tête) ; et ceci :
quatre baguettes en bois d'un jaune couleur d'urine usi-
nées imitation bambou, leurs extrémités taillées en bi-
seau dépassant les angles de la glace dont les quatre côtés encadraient un visage qu'il n'avait jamais vu, maigre,
les traits tirés, les yeux bordés de rouge et les joues couvertes d'une barbe de huit jours, puis il pensa : « Mais
c'est moi », restant à regarder ce visage d'inconnu, figé
sur place, non par la surprise ou par l'intérêt mais simplement par la fatigue, appuyé pour ainsi dire contre sa
propre image, se tenant là, raide dans ses vêtements
raides (pensant à cette expression argotique et méprisante qu'il avait entendue un jour : « Tu tiens debout
parce que t'as des caleçons empesés »), tenant son mousqueton par le canon, la crosse par terre, le bras pendant
un peu en arrière de lui, à peu près comme il aurait
tenu quelque chose qu'on traîne après soi, par exemple
une laisse du bout de laquelle de mauvais plaisants auraient détaché le chien, ou comme un ivrogne tient une
bouteille vide tandis qu'il s'appuie du front à une vitre
dans l'espoir d'un peu de fraîcheur, entendant derrière
lui Iglésia ouvrir et fouiller l'armoire, jetant pêle-mêle
sur le plancher vêtements de femme et d'homme, puis
son visage disparut et la glace avec lui, le rectangle
qu'il avait maintenant devant les yeux étant celui de la
porte dans laquelle s'encadrait un type efflanqué, à tête
de cadavre, jaune, pourvu d'une loupe à peu près de la
grosseur d'un petit pois sur la joue droite, près de la
commissure des lèvres.

Plus tard, il devait se rappeler cela de façon précise :
cette peau jaune et la loupe qu'il ne cessait de fixer, et

ensuite les chicots, jaunes aussi, plantés irrégulièrement
et de travers dans la bouche, et qu'il vit quand elle s'ouvrit, l'espèce de cadavre disant : « Hé là !... », puis avançant la main, écartant tranquillement le canon du mousqueton pointé sur son ventre, Georges suivant maintenant des yeux la main décharnée, regardant le guidon
de son mousqueton décrire sous la poussée un demi-
cercle, c'est-à-dire abaissant les yeux en même temps
qu'il percevait dans ses bras la pression transmise à son
corps par l'arme, découvrant alors celle-ci, avec ce
même étonnement, cette même surprise blasée qu'il
avait éprouvée en découvrant un instant plus tôt son visage inconnu dans la glace, essayant sans y parvenir de
se rappeler comment il avait fait demi-tour, manœuvré
la culasse et braqué l'arme, tandis que maintenant ses
muscles se contractaient, essayaient de résister à la poussée et de diriger de nouveau le canon vers l'homme, puis
cessant brusquement de lutter, ramenant le mousqueton
à lui, se tournant à demi, cherchant des yeux la chaise
qu'il savait qu'il avait vue un moment plus tôt et s'asseyant, le mousqueton maintenant de nouveau posé la
crosse par terre, collé à son houseau, la main droite le
tenant de nouveau par le canon, pas tout à fait au bout,
à la façon dont un vieillard assis tient un bâton ou une
canne c'est-à-dire le mousqueton faisant office de sou-
tien, d'étai, pour le bras, l'avant-bras et la main gauche
posés à plat sur la cuisse gauche, exactement comme un
vieillard, et même pas l'envie de rire tandis qu'il pensait : « Dire que ç'aurait été mon premier mort. Dire
que le premier coup de fusil que j'aurais tiré dans cette
guerre ça a failli être pour descendre ce... », puis trop
fatigué même pour finir, aller jusqu'au bout, entendant
comme dans un rêve le cadavre et le jockey en train
maintenant de se disputer, l'homme criant devant l'armoire ouverte, les vêtements jetés pêle-mêle par terre,
disant : « Et puis d'abord qui est-ce qui vous a permis
d'entrer, qui vous a... », et la voix placide, chantante,

douce, sans irritation, sans agressivité, sans même une
nuance d'impatience, mais seulement remplie de cette
inépuisable et patiente faculté d'étonnement qu'Iglésia
semblait posséder : « C'est la guerre papa Tu lis pas les
journaux ? », l'homme (le cadavre) ne paraissant pas
entendre, ramassant maintenant les vêtements et les examinant un à un comme eût fait un fripier afin d'en
donner un prix global, une estimation, avant de les jeter
l'un après l'autre sur le lit, continuant à les injurier et à
les traiter de pillards jusqu'à ce qu'il (Georges, et sans
doute aussi le cadavre, car il s'arrêta brusquement de
tempêter, s'immobilisa, à demi courbé, une robe de
femme — ou tout au moins quelque chose de mou, d'informe et flasque qui, à l'encontre des vêtements
d'homme, ne pouvait prendre un sens, ressembler à
quelque chose que sur un corps de femme, même flasque lui-même ou difforme — à la main) entendit le
bruit, le double et bref claquement aller et retour d'une
culasse manœuvrée, Iglésia tenant maintenant son propre mousqueton dirigé sur la poitrine de l'homme, disant
toujours de sa même voix plaintive (et presque geignarde, et ennuyée plutôt qu'agacée, et résignée plutôt
que menaçante) : « Et si je te descendais ? T'appelleras
les gendarmes ? Je pourrais te descendre sans que ça
fasse plus d'histoires qu'une mouche J'ai qu'à appuyer
sur cette gachette pour que ça fasse seulement un mac-
chab de plus. Et avec tous ceux qu'il y a déjà en train
de pourrir sur cette route là-bas un en plus ou en moins
ça changera pas grand'chose au compte », l'homme se
gardant bien maintenant de faire un mouvement, tenant
toujours entre ses mains le flasque morceau d'étoffe, disant : « Allons mon gars Voyons Allons On va pas se »,
Georges toujours assis sur sa chaise dans sa posture de
vieillard en train de prendre le soleil sur le banc d'un
asile, pensant « Il est bien capable de le faire » mais ne
bougeant toujours pas, ne trouvant même pas la force
d'ouvrir la bouche, seulement celle de penser avec acca-

blement « Ça va encore faire un bruit épouvantable »,
se préparant, se raidissant dans l'attente du coup de feu,
du fracas, puis entendant la voix plaintive d'Iglésia disant : « Alors arrête de pleurer On t'a rien cassé Tout
ce qu'on cherche c'est des fringues pour se planquer. »

Puis ils (tous les trois : l'homme décharné, Iglésia et
Georges — eux maintenant vêtus comme des valets de
ferme, c'est-à-dire vaguement gênés, vaguement mal à
l'aise, comme si — au sortir de leur lourde carapace de
drap, de cuir, de courroies — ils se sentaient à peu près
nus, sans poids dans l'air léger) furent de nouveau dehors, flottant dans cette espèce de vastitude, de vacuité,
de vide cotonneux, entourés de tous côtés par le bruit
ou plutôt la rumeur pour ainsi dire tranquille de la bataille, et à un moment trois avions surgirent, gris, assez
bas, pas très rapides, semblables à des poissons, volant
parallèlement et horizontalement avec de légères variations d'altitude qui les faisaient osciller, monter et descendre imperceptiblement les uns par rapport aux autres, exactement comme des poissons ondoyant dans le
courant, mitraillant la route là-bas (Iglésia, Georges et
l'espèce de cadavre arrêtés, immobiles, mais sans chercher à se cacher, debout dans le chemin creux, la haie
leur arrivant à peu près à mi-poitrine, regardant, Georges pensant : « Mais il n'y a plus que des morts C'est
idiot Ils tirent sur On ne peut tout de même pas espérer
les tuer deux fois »), les mitrailleuses faisant un faible
bruit de machines à coudre, ridicule, sans conviction,
assez lent, même pas aussi fort que le bruit d'un moteur
de pompe à deux temps, comme ceci : tap... tap... tap...
tap... perdu, absorbé, noyé dans la vaste campagne immobile (de là où ils étaient on ne voyait rien bouger sur
la route), sous le vaste ciel immobile, puis tout redevint
tranquille : les maisons, les vergers, les haies, les prés
ensoleillés, les bois qui, au sud, fermaient l'horizon, le
bruit paisible du canon, un peu plus sur la gauche, arrivant porté par l'air chaud et calme, pas très fort, pas

très acharné non plus, simplement là, patient, comme
des ouvriers quelque part en train de démolir sans se
presser une maison, et rien d'autre.

Et un peu plus tard, de nouveau des murs autour
d'eux, quelque chose de clos en tout cas, et Georges
s'asseyant docilement, sa bouche, sa langue, ses lèvres
s'efforçant de dire : « Je préfèrerais manger quelque
chose Si vous aviez quelque chose à manger je... », mais
n'y parvenant pas, regardant avec un impuissant désespoir l'homme au visage de cadavre parler à la femme
debout à côté de leur table, puis celle-ci s'en aller, revenir, poser devant lui et remplir le verre (un minuscule
cône renversé très évasé au-dessus du pied mince) de
quelque chose de transparent et incolore comme de l'eau
mais qu'il eut envie de cracher quand il l'eut dans sa
bouche, âcre, brûlant. Cependant il ne le rejeta pas,
l'avala, comme il avala docilement le contenu — pareil-
lement incolore, transparent, âcre et brûlant — du second verre qu'elle remplit, s'efforçant toujours (ou plutôt s'efforçant de s'efforcer) de dire qu'il préférerait
manger un morceau mais se bornant à constater avec ce
même muet désespoir que c'était là (demander à manger)
quelque chose de tout à fait au-dessus de ses forces, se
contentant donc d'écouter (de tâcher d'écouter) ce qu'ils
disaient et de vider les petits cônes remplis de liquide incolore et brûlant, se demandant si les mouches avaient
déjà commencé à bourdonner sur lui comme sur le cheval mort, pensant aux avions, pensant de nouveau :
« Mais ils n'ont pas pu le tuer deux fois Alors? » jusqu'à
ce qu'il comprît qu'il était saoul, disant : « Je n'y étais
plus très bien. Je veux dire : je ne savais plus très bien
où j'étais ni quand c'était ni ce qui se passait si c'était
à lui que je pensais (en train de commencer à pourrir
au soleil me demandant quand est-ce qu'il se mettrait
à puer pour de bon continuant toujours à brandir son
sabre dans le bourdonnement noir des mouches) ou à
Wack la tête en bas sur le revers du talus me regardant

avec cet air idiot la bouche grande ouverte et sur lequel
à l'heure qu'il était les mouches devaient aussi se donner
du bon temps en être maintenant sans doute au plat de
résistance pour ainsi dire puisqu'il était mort lui depuis
le matin quand cet autre idiot de sabreur nous avait jetés la tête la première dans cette embuscade, pensant
idiots idiots idiots pensant qu'en définitive l'idiotie ou
l'intelligence n'avaient pas grand'chose à voir dans tout
cela je veux dire avec nous je veux dire avec ce que
nous croyons être nous et qui nous fait parler agir haïr
aimer puisque, cela parti, notre corps notre visage continue à exprimer ce que nous nous figurions être propre à
notre esprit, alors peut-être ces choses je veux dire l'intelligence l'idiotie ou être amoureux ou brave ou lâche ou
meurtrier les qualités les passions existent-elles en dehors
de nous venant se loger sans nous demander notre avis
dans cette grossière carcasse qu'elles possèdent parce
que même l'idiotie était apparemment quelque chose de
trop fin de trop subtil et pour ainsi dire de trop intelligent pour appartenir à Wack, peut-être alors n'avait-il
existé que pour être Wack-l'idiot en tout cas il n'avait
plus à s'en soucier maintenant, pauvre Wack pauvre
crétin pauvre type : je me rappelai ce jour cette plu-
vieuse après-midi où nous nous amusions à le faire en-
rager nous disputant pour passer le temps autour de ce
cheval malade, ce n'était pas comme maintenant le soleil la chaleur presque et j'imagine que s'ils étaient morts
alors ils auraient été dissous dilués et non pas pourrissant comme des charognes, il pleuvait sans discontinuer
et maintenant je pensai que nous étions quelque chose
comme des vierges, de jeunes chiens malgré les jurons
les grossièretés que nous proférions, vierges parce que
la guerre la mort je veux dire tout ça... » (le bras de
Georges décrivant un demi-cercle, la main s'écartant
de sa poitrine, montrant au-dessous d'eux l'intérieur
grouillant de la baraque, et de l'autre côté des vitres sales la paroi de bois goudronné d'une autre baraque sem-

blable, et derrière — ils ne pouvaient pas les voir mais ils savaient qu'elles étaient là — la répétition monotone de la même baraque posée tous les dix mètres environ sur la plaine nue, alignées, toutes pareilles, parallèles, de chaque côté de ce qui était censé être une rue, des rues se coupant à angle droit, dessinant un quadrillage régulier, les baraques toutes dans le même sens, basses, sombres, allongées, et l'écœurant relent de pommes de terre pourries et de latrines flottant en permanence dans l'air, formant sans doute — imaginait Georges — au-dessus du vaste carré d'où il s'exhalait, excrémentiel, têtu, infamant, comme un couvercle hermétique, de sorte qu'ils étaient — disait-il — doublement prisonniers : une première fois de cette clôture de barbelés tendue sur les poteaux de pin brut, non écorcé, rougeâtre, et une seconde fois de leur propre infection (ou abjection : celle des armées vaincues, des guerriers déchus), et tous les deux — (Georges et Blum) assis les jambes pendantes sur le rebord de leur couchette, en train d'essayer de se figurer qu'ils n'avaient pas faim (ce qui était encore assez facile, parce qu'un homme peut arriver à se faire croire à peu près n'importe quoi pourvu que ça l'arrange : mais beaucoup plus difficile, et même impossible, d'en persuader aussi le rat qui, sans repos, leur dévorait le ventre (si bien, dit Blum, qu'il semblait qu'à la guerre on avait le choix entre deux solutions : se faire bouffer, mort, par les vers, ou vivant, par un rat affamé), raclant le fond de leurs poches dans l'espoir d'y découvrir quelques brins de tabac oubliés, ramenant l'innommable mélange de miettes de pain, de débris et de bourre d'étoffe qui stagne dans les coutures, de sorte qu'on pouvait se demander si cela devait se fumer ou se manger, c'est-à-dire débattant (Georges et Blum) si le rat consentirait à avaler ça, et à la fin concluant par la négative, et alors décidant d'essayer de le fumer ; et autour d'eux l'incessante rumeur, le confus et boueux brouhaha — palabres, marchandages, disputes, paris, obscénités, vantardises, récriminations — comme, pour ainsi dire, la respiration (ça n'arrêtait jamais, même la nuit, s'assourdissant seulement, comme si au-dessous du sommeil lui-même on pouvait continuer à percevoir cette espèce de constant malaise, de stérile et vaine agitation de bêtes en cage) qui emplissait la baraque, et il y avait de la musique aussi, un orchestre, un crin-crin, des bouffées sautillantes, des cordes raclées en mesure sur des instruments composés de bidons vides, de morceaux de planches et de bouts de fil de fer (et même de vrais banjos, de vraies guitares, amenées là et conservées Dieu sait comment) s'élevant, sporadiques, au-dessus du tapage (puis de nouveau submergées, étouffées, se fondant, disparaissant parmi les autres bruits — ou peut-être l'oubliait-on, cessait-on simplement d'en avoir conscience ?), le même air, les mêmes mesures reprises, rabâchées, le même refrain s'élevant, se répétant, monotone, plaintif, avec ses paroles absurdes, sa cadence sautillante, joyeuse et nostalgique :

Granpèr ! Granpèr !
Vouzou blié vo ! tre ! che ! val !

et aussitôt après, deux tons plus haut :

Granpèr ! Granpèr !

comme une suppliante et bouffonne invocation, un ironique et bouffon reproche, ou rappel, ou mise en garde, ou on ne savait quoi, rien sans doute, sinon les paroles privées de sens, les notes sautillantes, légères, insouciantes, dans une inlassable répétition, le temps pour ainsi dire immobile lui aussi, comme une espèce de boue, de vase, stagnante, comme enfermée sous le poids du suffocant couvercle de puanteur s'exhalant de milliers et de milliers d'hommes croupissant dans leur propre humiliation, exclus du monde des vivants, et pourtant pas encore dans celui des morts : entre les deux pour ainsi dire, traînant comme d'ironiques stigmates leurs dérisoires débris d'uniformes qui les faisaient ressembler à un peuple de fantômes, d'âmes laissées pour compte, c'est-à-

dire oubliés, ou repoussés, ou refusés, ou vomis, à la fois
par la mort et par la vie, comme si ni l'une ni l'autre
n'avait voulu d'eux, de sorte qu'ils paraissaient maintenant se mouvoir non dans le temps mais dans une sorte
de formol grisâtre, sans dimensions, de néant, d'incer-
taine durée sporadiquement trouée par la répétition nostalgique, pimpante et obstinée de la même rengaine, des
mêmes mots vides de sens, sautillants, mélancoliques :

Granpèr ! Granpèr !

Vouzou blié vo ! tre ! che ! val !

Granpèr ! Granpèr !

et Georges, et Blum, finissant par se fourrer entre les
lèvres un mince, et plat, et informe entortillage de papier entourant plus de bourre d'étoffe et de débris de
toutes sortes que de tabac, et plus plat, et plus mince
qu'un cure-dent, et aspirant la fumée âcre, répugnante,
et Georges :) « ... toute cette cochonnerie n'avait pas
encore rompu brisé en nous ce qui est comme l'hymen
des jeunes gens ouvrant cette blessure déchirant quelque
chose que plus jamais nous ne retrouverons cette virgi-
nité ces désirs virginaux frais guettant la fille entrevue
te souviens-tu nous guettions levions sans cesse la tête
vers cette fenêtre ce rideau de filet que nous avions cru
voir bouger je dis Tiens tu l'as vue elle vient juste de
regarder se montrer et se cacher de nouveau, et toi Où ?
et moi Bon Dieu à cette fenêtre, et toi Où ? et moi Mais
enfin la maison en brique là-bas, et toi Je ne vois rien,
et moi Le paon remue encore, il y avait un paon tissé
dans le rideau de filet avec sa longue queue couverte
d'yeux, et nous nous usant les yeux à force de guetter
tout en continuant à asticoter Wack essayant d'imaginer
de deviner ce bouillonnement caché des passions :
nous n'étions pas dans la boue de l'automne nous
n'étions nulle part mille ans ou deux mille ans plus tôt
ou plus tard en plein dans la folie le meurtre les Atrides,
chevauchant à travers le temps la nuit ruisselante de
pluie sur nos bêtes fourbues pour parvenir jusqu'à elle

la découvrir la trouver tiède demi nue et laiteuse dans
cette écurie à la lueur de cette lanterne : je me rappelle
que tout d'abord elle la tint levée à bout de bras puis
tandis que nous commencions à desseller elle l'abaissa
peu à peu sans doute fatiguée de sorte qu'au fur et à mesure les ombres tournaient sur son visage, et à la fin elle
s'évanouit, disparaissant comme si elle ne nous avait attendu là que pour nous être aussitôt enlevée nous dans nos
raides déguisements de soldats trempés comme des soupes
écoutant dans le matin gris spongieux les cris les voix
l'incompréhensible colère, ces tragédiens habillés de sa-
lopettes bleues abrités sous des parapluies pataugeant
dans leurs uniformes bottes de caoutchouc noir constellées de pastilles rouges, le boiteux, le disgraciado tenant
ce fusil de chasse avec lequel j'avais toujours cru qu'il
s'était tué, un accident le coup partant tout seul l'en-
sanglantant, ruisselant de sa tempe (époque où les fusils partent d'eux-mêmes vous pètent comme ça sans
qu'on sache pourquoi à la figure) mais peut-être voulait-il seulement tirer son coup lui aussi comme tout le
monde et Wack dit Vous vous croyez malins Je ne suis
qu'un paysan je ne suis pas un youpin moi mais, et moi
Oh pauvre con pauvre con pauvre con, et lui : Mais
c'est pas parce que je suis de la campagne qu'un youpin
de la ville, et moi : Oh pauvre con bon Dieu pauvre con,
et Wack : Tu me fais pas peur tu sais, et moi : Oh bon
Dieu, et plus tard nous étions montés jusqu'à ce café sur
la place du village c'est-à-dire le rectangle de boue noire
autour de l'abreuvoir piétinée par les chevaux et par les
bestiaux qui tenait lieu de place, nous nous assîmes et
elle remplit encore une fois les verres devant nous et je
dis Non non pas pour moi merci, parce que la tête me
tournait je me rappelle que c'était une vaste salle carre-
lée au plafond bas les murs peints en bleu mangés de
salpêtre il y avait une dizaine de tables un piano mécanique un buffet et aux murs l'inévitable Loi sur la Ré-
pression de l'Ivresse Publique jaunie couverte de chiu-

res de mouche des réclames d'apéritifs et de bière avec
des jeunes femmes aux lèvres rouges aux gestes affec-
tés et mièvres ou encore d'immenses brasseries dessinées en perspective cavalière comme vues d'avion leurs
cheminées fumantes leurs toits bien rouges eux aussi et
encore deux chromos dont l'un représentait des marquises en robes pastel dans un parc évanescent l'autre
une assemblée de personnages aux costumes Empire
dans un salon vert et or les hommes penchés sur les
épaules des femmes accoudés au dossier de leurs sièges
sans doute en train de leur débiter à l'oreille des choses
galantes, et encore un de ces classeurs pour journaux
en fil de fer rouillé et sur le buffet un vase à collerette
festonnée et ébréchée, mais ce n'était pas pour boire que
nous étions venus c'était cette fille ce trouble c'étaient
ces cris ce tumulte autour de cette chair entrevue l'espace d'un instant l'incompréhensible histoire devinée
soupçonnée ce furieux et obscur déchaînement de violence au sein de la violence, ce boiteux et l'autre tous
les deux dans ces semblables bottes réparées avec des
rustines s'affrontant avec quelque chose de sauvage de
démesuré et sans doute aussi étranger incompréhensible
pour eux que pour nous, dépassés par ce qui leur arrivait les forçait à se défier l'un l'autre au péril de leurs
vies c'est-à-dire l'un prêt à (ou plutôt brûlant dévoré par
l'envie ou plutôt le besoin ou plutôt par la nécessité de)
commettre un crime et l'autre prêt aussi à en être la
victime et cela en dépit de sa couardise la peur visible
qui le faisait se cacher derrière le dos d'un autre, et de
Reixach arbitre ou plutôt s'efforçant de les apaiser,
avec son air ennuyé patient absent impénétrable au milieu d'eux, lui pour qui la passion ou plutôt la souffrance avait la forme non d'un de ses semblables de ses
égaux mais d'un jockey à tête de polichinelle contre lequel nous ne l'avions jamais entendu seulement élever
la voix et dont il se faisait suivre comme son ombre tel
ces anciens je ne sais quoi Assyriens non ? sur le bûcher

funéraire desquels on égorgeait la houri le cheval et
l'esclave favori de façon qu'ils continuent à ne man-
quer de rien et être servis dans l'autre monde où sans
doute Iglésia et lui auraient continué à échanger de taciturnes et avares propos sur le seul sujet la seule chose
peut-être qui en définitive les passionnait tous deux
c'est-à-dire l'à-propos d'une ration d'avoine ou l'échauf-
fement d'un tendon, et alors il avait bien réussi une
partie du programme je veux dire faire tuer ce cheval
en même temps que lui sous lui mais macache pour la
seconde partie, celui sur lequel il comptait pour discu-
ter jusqu'à la fin des temps sur les enflures de paturons
ou les meilleures ferrures tournant bride au dernier moment le laissant l'abandonnant aux mouches sous l'aveuglant soleil de mai où un instant avait étincelé l'acier du
sabre brandi, et elle me remplit encore une fois à ras
bord ce petit cône qui tenait lieu de verre de comment
appellent-ils ça du genièvre je crois là-bas ils disent
g'nièvr', me servant avec cette façon de faire ostensiblement bonne mesure c'est-à-dire qu'il en déborde rituelle-
ment un peu, la surface du liquide dans le verre se bom-
bant formant par capillarité ou comment appelle-t-on
ce phénomène une légère saillie comme une lentille au-
dessus du rebord du verre tremblant tandis que je l'éle-
vais précautionneusement jusqu'à mes lèvres ma main
tremblant la lumière argentée scintillant tremblant avec
le liquide incolore coulant le long de mes doigts me
brûlant lorsqu'il descendait dans ma gorge... »

Et Blum : « Mais qu'est-ce que tu racontes ? Première
fois que je vois un type mettre deux semaines à sortir
d'une cuite... »

Et Georges s'arrêtant pile de parler, le regardant
avec une sorte d'incrédule perplexité, et tous les deux
restant là, parmi l'incessant brouhaha qu'ils n'entendent
même plus (pas plus que des gens habitant sur une grève
n'entendent à la fin le bruit de la mer), et Blum disant :
« Ce n'était pas du genièvre, pas cette fois-là », leurs

ignobles papillottes maintenant consumées, c'est-à-dire
réduites à un centimètre d'un tube de papier vide et
aplati, encore blanc ou plutôt gris à l'endroit où leurs
lèvres l'ont pressé, puis passant progressivement au jaune,
puis au brun, puis crénelé, déchiqueté et noir, et quoiqu'il sache qu'il n'y a plus rien à en tirer Georges essayant
machinalement, aspirant deux ou trois fois sans que rien
d'autre ne se produise qu'un écœurant bruit de clapet,
et à la fin se résignant à retirer de ses lèvres l'informe et
infime mégot, mais pas encore à le jeter, restant là à le
regarder avec perplexité, en train de supputer les chan-
ces d'en tirer encore une ou deux bouffées au prix d'une
précieuse allumette, disant : « Hein ? Quoi ? », et Blum :
« Ce n'était pas du genièvre. Des grogs : j'étais mal fichu et tu avais trouvé ça comme prétexte pour monter
au bistrot du village... C'est-à-dire : tu te foutais pas mal
que je sois mal fichu ou non, ou plutôt je suppose que
tu trouvais que c'était une fameuse aubaine pour essayer
de tirer les vers du nez au patron du café sous prétexte
de chercher une chambre pour ton pauvre copain mal
fichu qu'on ne pouvait pas laisser coucher dans une
grange à courant d'air, alors que tout ce qui t'intéressait
c'était de récolter des ragots sur cette fille, ce boiteux,
et quant à ton pauvre copain... », et Georges : « Oh ça va
ça va ça va ça va... » (ressortant du café, la nuit tombante,
les petits nuages de buée s'exhalant de leur bouche à
chaque parole presque invisibles à présent sauf à contre-jour, quand ils passent dans la lumière d'une fenêtre
éclairée, et jaunâtres alors), et Blum disant : « Si j'ai
bien compris ce boiteux champion de tir au fusil a des
peines de cœur ? », Georges se taisant maintenant, les
mains dans ses poches, occupé à ne pas glisser dans la
boue invisible, et Blum : « Cet adjoint avec son parapluie et ses bottes à rustines ! Le Roméo du village ! Qui
aurait cru ça ? Lui et ce bol de lait... », et Georges : « Tu
mélanges tout : pas avec elle : avec sa sœur », et Blum :
« Sa s... », puis étouffant un juron, se rattrapant à

l'épaule de Georges, et tous les deux titubant un instant
comme deux ivrognes, puis se remettant en marche dans
le noir glacé, ruisselant, de plus en plus noir à mesure
qu'ils s'éloignent de la place, des quelques portes ou fenêtres éclairées, jusqu'à ce qu'ils ne puissent même plus
se voir, jusqu'à ce que seules leurs deux voix les représentent, se répondant, alternant dans les ténèbres avec
cette fausse insouciance, cette fausse gaieté, ce faux
cynisme des jeunes gens :

je n'y comprends rien

alors tu es encore plus bête que Wack Je parie qu'il
y a longtemps qu'il a compris.

plus bête que Wack très bien Mais répète encore ça
Il (je veux dire l'adjoint ce type qui ce matin armé d'un
parapluie de sa seule frousse et du rempart d'un officier
est allé narguer défier l'autre armé lui d'un fusil) cou-
chait avec sa propre sœur qui était la femme de ce boiteux c'est bien ça ?

oui.

ces gens de la campagne tout de même hein ?

oui

leurs sœurs et les chèvres hein ? Paraît qu'à défaut
de sœur ils font ça avec la chèvre C'est ce qu'on prétend
en tout cas Peut-être qu'ils n'y voient pas de différence

ce type du bistrot n'avait pas trop l'air non plus de
faire de différence entre sa femme et son chien

peut-être que c'est un chien changé en femme

peut-être

savent jeter les sorts Secrets qui se perdent dommage
Commode pourtant

alors il a transformé sa chèvre en fille ou sa sœur en
chèvre et Vulcain je veux dire ce boiteux épousa la
chèvre-pied et ce bouc de frère venait la saillir dans sa
maison c'est bien ça ?

c'est ce qu'il a dit

alors c'était du lait de chèvre ?

qui ?

celle qui était dans l'écurie ce matin celle qui se cache derrière ce paon mythologique celle dont la vue t'a plongé dans ce délire emmerdant poétique et coûteux puisqu'il a fallu que tu paies deux chopines à cet ivrogne de bistrot pour...

bon Dieu tu es décidément plus bête que Wack on t'a dit dix fois que c'était la femme de son frère.

(il ne peuvent pas voir la pluie, l'entendre seulement, la deviner murmurant, silencieuse, patiente, insidieuse dans la nuit obscure de la guerre, ruisselant de toutes parts au-dessus d'eux, sur eux, autour d'eux, sous eux, comme si les arbres invisibles, la vallée invisible, les collines invisibles, l'invisible monde tout entier se dissolvait peu à peu, s'en allait en morceaux, en eau, en rien, en noir glacé et liquide, les deux voix faussement assurées, faussement sarcastiques, se haussant, se forçant, comme s'ils cherchaient à s'accrocher à elles espéraient grâce à elles conjurer cette espèce de sortilège, de liquéfaction, de débâcle, de désastre aveugle, patient, sans fin, les voix criant maintenant, comme celles de deux gamins fanfarons essayant de se donner du courage :)

merde Quel frère ? merde à la fin Qu'est-ce que c'est que cette histoire Alors ils sont tous frères et sœurs Je veux dire frères et chèvres Je veux dire boucs et chèvres Alors un bouc et sa chèvre et ce boiteux de diable qui a épousé la chèvre qui s'accouplait avec son bouc de frère qui

mais il en a eu assez il l'a chassée Ou plutôt répudiée ré... Comment dis-tu

répudiée

sans blague Comme au théâtre alors Comme

oui

très bien Donc il (ce Vulcain) les a sans doute surpris et capturés tous les deux dans un filet et

non le type a dit qu'elle était pleine

pl...

il a dit pleine Comme une vache quoi faut te faire un dessin

j'avais bien dit qu'il s'agissait d'une chèvre N'avait donc pas besoin de petits boucs pour vendre à la foire ?

sans doute qu'il préférait vendre des petits boiteux sans doute Et alors l'autre a remis ça ?

qui ?

le bouc

oui mais cette fois avec la femme de celui qui est soldat

sans doute que les chèvres de la famille lui plaisent sans doute C'est pour ça que l'autre la garde avec un fusil

c'est pour ça que ce fusil pourrait avoir envie de partir tout seul bon sang ce qu'il fait noir

on arrive voilà la lumière

(trouvant les autres toujours assis en groupe autour du cheval agonisant, éclairés par la lanterne posée à même le sol, ils se retournent quand Georges et Blum entrent et leurs voix cessent, regardant un instant les arrivants, Georges se rendant compte alors qu'ils ont presque oublié le cheval, qu'ils le veillent comme à la campagne les vieilles femmes veillent les morts, assis là, en demi-cercle sur des brouettes ou des seaux, se racontant de leurs voix monocordes, plaintives et maladroites leurs habituelles histoires de récoltes que le mauvais temps a empêché de rentrer, de prix du blé ou de la betterave, de recettes pour faire vêler les vaches ou d'exploits herculéens évalués en nombre de balles de paille, de sacs de grains coltinés et de champs labourés, tandis que dans la lueur rasante de la lanterne la tête du cheval couché sur le côté semble s'allonger, prend un air apocalyptique, effrayant, les flancs annelés se soulevant et s'abaissant rapidement, emplissant le silence de ce souffle, l'œil velouté, immense, reflétant toujours le cercle des soldats mais comme s'il les ignorait maintenant, comme s'il regardait à travers eux quelque chose qu'ils ne peuvent pas voir, eux dont les silhouettes réduites se dessinent en surimpression sur le globe humide comme à la surface de ces boules mordorées qui semblent accaparer, aspirer dans une perspective déformante, vertigineuse, engloutir en elles la totalité du monde visible, comme si le cheval avait déjà cessé d'être là, comme s'il avait abandonné, renoncé au spectacle de ce monde pour retourner son regard, le concentrer sur une vision intérieure plus reposante que l'incessante agitation de la vie, une réalité plus réelle que le réel, et Blum dit alors qu'à part la certitude de crever qu'est-ce qu'il y a de plus réel ? (il a traversé le groupe sans parler, a gagné directement l'échelle du grenier et tâtonne en maugréant dans le foin pour arranger ses couvertures) et Georges dit : « La certitude qu'il faut bouffer. Tu n'attends pas la soupe ? », et Blum marmonnant toujours entre ses dents, disant : « Figure-toi que je suis plutôt mal foutu. Ça t'a pourtant été assez utile pour tirer les vers du nez de ce patron de café. Tout ça pour une fille de ferme entrevue cinq minutes à la lueur d'une lanterne. Alors il me semble que tu pourrais au moins t'en souvenir, non ? » et Georges : « Si tu dois mourir retiens-toi au moins un peu. Que ça en vaille la peine. Qu'ils puissent au moins te donner une décoration », et Blum : « Qu'est-ce qui vaut mieux : mourir de froid ou mourir décoré ? », et Georges : « Attends que je réfléchisse. Mourir d'amour ? », et Blum « Ça n'existe pas. Seulement dans les livres. Tu as trop lu de livres », et de nouveau dans l'obscurité, le noir, leurs deux voix se répondant :)

Est-ce que tu crois que le cheval a aussi trop lu de livres

Pourquoi

Parce qu'il sait qu'il va mourir

Il ne sait rien rien

Si C'est instinctif

Combien de choses sais-tu par instinct

Au moins une : que tu m'assommes

Bon A ton avis qu'est-ce qui vaut le plus cher la peau
d'un cheval ou la peau d'un soldat

Tu sais ce que c'est que la Bourse C'est une question
de circonstances

Il y a quand même des indices

J'ai l'impression qu'en ce moment le kilog de cheval
vaut plus cher que le kilog de soldat

C'est ce que je pensais aussi

Rien de tel pour vous apprendre à penser que ces
paysans : ils pensent au poids

Juste Un kilog de plomb pèse plus lourd qu'un kilog
de plumes c'est bien connu

Je croyais que tu étais malade

C'est vrai Laisse-moi dormir Fous-mois la paix

puis descendant (Georges) l'échelle, pénétrant de
nouveau peu à peu, par les pieds, dans la lumière jaunâtre de la lanterne qui lui monte par degrés le long des
jambes, de la poitrine, dans laquelle il se tient à la fin
debout, clignant légèrement des yeux, sentant leurs regards sur lui (ils ne sont plus maintenant que deux :
Iglésia et Wack), et au bout d'un moment Iglésia disant :
« Qu'est-ce qu'il a Il est malade ? » leurs deux têtes
levées vers lui, leurs yeux interrogateurs et mornes, les
deux visages dans l'éclairage théâtral de la lanterne posée par terre faisant penser à des épouvantails, celui
d'Iglésia à peu près pareil à une pince de homard (nez,
menton, peau cartonneuse) si toutefois une pince de
homard avait des yeux, et cet air d'incurable et permanente désolation d'autant plus incurable qu'il n'a probablement jamais su ce que c'est que d'être désolé ou
gai, Wack avec sa face allongée, stupide, sa carcasse figée dans sa pose de singe accroupi, ses deux mains dé-
mesurées, craquelées, incrustées de terre, semblables à
du bois fendillé, à de l'écorce, semblables à des outils
usés, pendant inertes entre ses genoux, et Georges haussant les épaules, et à la fin Wack disant de sa voix

d'idiot : « Cette saleté de guerre !... » sans qu'il soit possible de savoir s'il pense à Blum malade, ou aux récoltes, aux moissons perdues, ou au boiteux bafoué brandissant son fusil, ou au cheval, ou à la fille sans mari, ou peut-être simplement à eux trois là, dans la nuit, autour de cette lanterne, de la bête agonisante au regard terriblement fixe, empli d'une terrifiante patience, et dont le cou semble s'être encore allongé, tirant sur les muscles, les tendons, comme si le poids de l'énorme tête l'entraînait hors de la litière dans le noir domaine où galopent infatigablement les chevaux morts, l'immense et noir troupeau des vieilles carnes lancées dans une charge aveugle, luttant de vitesse pour se dépasser, projetant en avant leurs crânes aux orbites vides, dans un tonnerre d'ossements et de sabots heurtés : quelque fantomatique cavalcade de rosses exsangues et défuntes chevauchées par leurs cavaliers eux-mêmes exsangues et défunts aux tibias décharnés brinqueballant dans leurs bottes trop grandes, aux éperons rouillés et inutiles, et laissant derrière eux un sillage de squelettes blanchissants qu'Iglésia semble maintenant contempler, retombé dans son éternel silence, son gros œil de poisson empreint de cette expression consternée, patiente et outragée, la seule apparemment à sa disposition, ou tout au moins la seule que la vie lui ait apprise, sans doute au temps où il allait d'une réunion de province à l'autre, montrant pour l'un ou pour l'autre des chevaux vicieux ou des toquards dans des « réclamer », sur des champs de course qui étaient le plus souvent des champs tout court avec des symboles de tribunes en bois à demi pourri, et quelquefois pas de tribune du tout, une simple butte de terre, ou encore le flanc de la colline sur laquelle les gens grimpaient, et seulement trois ou quatre baraques en planches à peu près semblables à des cabines de bains avec un guichet découpé à la scie pour recevoir les paris, et un piquet de gendarmes chargés d'empêcher les marchands de bestiaux, les bouchers aux

poches pleines de liasses de billets et les fermiers qui
composaient le public de lyncher les jockeys battus, et
courant le plus souvent sous la pluie, descendant de
cheval trempé, crotté jusqu'aux yeux et s'estimant tout
à fait satisfait s'il s'en tirait simplement avec sa culotte
souillée mais intacte qu'il lavait lui-même le soir dans le
lavabo d'une chambre d'hôtel, à moins que ce ne soit
dans l'abreuvoir d'une écurie où on voulait bien lui
laisser une stalle vide avec une botte de paille pour dormir (ce qui économisait l'hôtel) — ou quelquefois simplement le coffre à avoine —, et s'il n'avait qu'un poignet ou qu'une cheville foulés, et seulement les injures
des parieurs et non les coups, se rhabillant dans une des
cabines de bois pourries ou quand il n'y avait pas de cabines dans un simple van, enroulant autour de son poignet une vieille bande velpeau à peu près aussi noire
qu'un mur d'usine et à peu près aussi élastique, un filet
de sang dégoulinant sans qu'il y prît autrement garde du
coin de sa bouche, pas plus qu'il n'avait pris garde au
(ni peut-être même senti le) poing qui avait réussi à
passer par dessus ou entre les épaules des gendarmes
sans même que lui (Iglésia) ou eux (les gendarmes) et
probablement encore moins le type auquel appartenait
le poing se fussent souciés des raisons, ou plutôt de la
validité des raisons que pouvait avoir l'agresseur, la seule
réelle et toujours valable étant qu'Iglésia avait monté un
cheval perdant, et rien d'autre :

« Parce que, dit-il, ils se foutaient pas mal de tout le
reste... » (il se tenait lui aussi assis sur le bord de la couchette, les jambes pendantes, la tête baissée, tout entier
absorbé par une de ces mystérieuses et minutieuses besognes qui apparemment semblaient aussi nécessaires à
ses mains que de la nourriture à un estomac, les suscitant au besoin lorsqu'il n'avait pas, comme à ce moment,
quelque bride à graisser ou quelque étrier à fourbir
(Georges cherchant en vain à se rappeler une seule
occasion où il l'aurait vu inoccupé, c'est-à-dire sans tri-

turer un de ces accessoires de harnachement, ou une
botte, ou quoi que ce soit du même genre), et maintenant c'était du fil, et une aiguille, et un bouton qu'il
était en train de recoudre consciencieusement à sa vareuse, au milieu de ce troupeau débraillé et dépenaillé
où le dernier des soucis de chacun et de tous était bien
un bouton manquant ou une couture décousue, et disant, toujours penché sur son travail :) « ... Parce qu'on
n'a jamais vu un type qui joue aux courses penser qu'il a
simplement paumé son fric par manque de pot ou parce
qu'il a choisi un toquard, au lieu de croire qu'on le lui a
volé dans une combine... » (Georges se rendant compte
alors qu'il est toujours en train de contempler le même
centimètre et demi de mégot, ou plutôt de papier jauni
et tortillé, et secouant alors la tête, comme quelqu'un
qui vient de dormir, en même temps que d'un seul coup
ses oreilles s'emplissent de nouveau (comme s'il avait
brusquement décollé ses mains posées dessus) du boueux
et cacophonique brouhaha de la baraque, et se résignant
à jeter enfin ce qui, décidément, ne peut même plus
donner l'illusion d'un mégot, et disant : « Une chance
pour toi qu'elle ait aussi eu envie de faire courir des
chevaux. Sans quoi un de ces garçons bouchers aurait
bien fini un jour ou l'autre par réussir à taper aussi
fort qu'il en avait envie, non ? » Iglésia tournant alors
son visage vers lui, mais sans relever la tête, le dévisageant, le cou tordu, le regard en coin, avec toujours
cette même expression de perplexité ahurie, outragée
(pas soupçonneuse, ni hostile : simplement perplexe,
morose), puis cessant de le regarder, reniflant, examinant
le bouton recousu, tirant dessus, puis tapotant sa vareuse à petits coups du plat de la main tout en la re-
pliant, disant : « Ouais. Probable. Une plus grande
chance encore si elle s'était contentée de les regarder
courir... », puis, achevant de plier sa vareuse en quatre,
la roulant avec soin, la posant en guise d'oreiller, enlevant l'une après l'autre ses chaussures, les rangeant con-

tre le bord de sa couchette, pivotant sur ses fesses et
s'étendant, disant en ramenant sur lui sa capote : « Si
ces corniauds arrêtaient seulement un peu leur bastrin-
gue on pourrait peut-être arriver à roupiller ! », se
tournant alors sur le côté, remontant les genoux, et
fermant les yeux, son visage tavelé et jaune, privé de
regard, parfaitement inexpressif alors, comme s'il était
fait de carton, d'une matière insensible, morte, sans
doute en vertu de cette faculté qu'il possédait de ne pas
penser (de même que de ne pas parler) plus qu'il n'était
strictement indispensable, et quand il avait décidé de
dormir (estimant sans doute que le mieux à faire quand
on a le ventre vide et une fois accomplies les menues
besognes d'entretien — boutons, reprises, nettoyage —
est de dormir) ne pensant plus du tout ; son visage de
spadassin, donc, maintenant parfaitement neutre, absent, semblable à un de ces masques mortuaires aztèques
ou incas, posé, immobile, impénétrable et vide sur la
surface du temps, c'est-à-dire de cette espèce de formol,
de grisaille sans dimensions dans laquelle ils dormaient,
se réveillaient, se traînaient, s'endormaient et se réveillaient de nouveau sans que, d'un jour à l'autre, quelque
modification que ce soit se produisît leur donnant à
penser qu'ils étaient le lendemain, et non pas la veille,
ou encore le même jour, de sorte que ce n'était pas
après jour mais pour ainsi dire de place en place
(comme la surface d'un tableau obscurci par les vernis
et la crasse et qu'un restaurateur révèlerait par plaques — essayant, expérimentant çà et là sur de petits
morceaux différentes formules de nettoyants) que
Georges et Blum reconstituaient peu à peu, bribe par
bribe ou pour mieux dire onomatopée par onomatopée
arrachées une à une par ruse et traîtrise (la tactique con-
sistant à lui forcer en quelque sorte la langue, c'est-à-
dire à avancer toutes sortes de sous-entendus ou de
suppositions jusqu'à ce qu'il se décidât à émettre un
grognement maussade, négatif ou résigné) l'histoire en-

tière, depuis ce jour où dans un de ces vestiaires de fortune à l'abri duquel, un œil poché ou une lèvre fendue,
il était en train de se rhabiller quand cet entraîneur engagé par de Reixach lui avait proposé quelques montes
(car apparemment ce n'était pas un mauvais jockey :
sans doute avait-il seulement jusque là manqué de
chance, et l'entraîneur le savait-il) jusqu'à celui où il
se trouva avoir remplacé celui qui l'avait embauché, et
tout cela parce qu'une femme ou plutôt une enfant
avait un beau matin décidé de posséder elle aussi une
écurie de course, l'idée lui en étant sans doute venue à
la lecture d'une de ces revues, un de ces magazines où
les femmes en papier glacé ont l'air d'espèces d'oiseaux,
de longilignes échassiers, non pas parées mais simplement détruites en tant que femmes, conversion ou ré-
duction par l'homme à un simple métrage de soie : une
anguleuse silhouette découpée, hérissée d'ongles, de talons, de gestes aigus, pourvue au reste de cet estomac
précisément d'échassier, d'autruche, qui lui permet non
seulement de digérer mais de faire siennes les misogyni-
ques et haineuses inventions d'un modéliste, mais encore de les reconvertir, en quelque sorte, en sens inverse : non plus sophistiquée, plate et glacée, mais cette
assimilation de la soie, du cuir, des bijoux, à la tendre et
duveteuse chair, de sorte que le cuir, la froide soie, les
durs bijoux semblent devenir eux-mêmes quelque chose
de tiède, de tendre, de vivant... — ayant lu donc quelque
part que les gens vraiment chics se devaient de posséder
une écurie de course, car, de toute évidence, elle n'avait
auparavant jamais vu un cheval de sa vie, Iglésia racontant qu'à un moment elle s'était en plus mis en tête
d'apprendre à monter elle aussi : de Reixach lui avait
acheté un demi-sang tout exprès, et Iglésia les vit venir
cinq ou six matins de suite, elle dans une (ou plutôt plusieurs — chaque fois une différente) de ces tenues qui,
dit-il, devait sans doute valoir à elle seule autant que la
bête sur laquelle elle essayait de se tenir, et lui qui au-

rait pu être son père s'efforçant avec ce même air impénétrable, patient et neutre de lui expliquer qu'un cheval
n'était pas exactement une décapotable sport ou un domestique et ne se conduisait (ni n'obéissait) pas tout à
fait de la même façon ; mais cela ne dura pas (sans
doute, dit Iglésia, parce que ça n'a jamais plu à un animal de monter sur le dos d'un autre animal, ni non plus
à un animal de sentir un autre animal sur son dos, sauf
dans les cirques, car après qu'il l'eût vidée une ou deux
fois, elle n'insista pas), pas plus d'ailleurs que n'avait
duré l'engouement pour la voiture italienne, et le demi-
sang resta dès lors à l'écurie, ce qui fit seulement un
cheval de plus à soigner et à promener, et si elle réappa-
rut par la suite dans ces culottes de cheval et ces bottes
qui valaient aussi cher que le cheval sur lequel elles
étaient censées lui permettre de monter, ce fut sans
doute pour le seul plaisir de s'exhiber dedans, le demi-
sang tout sellé attendant une ou deux heures (c'était en
général le délai moyen après le coup de téléphone aver-
tissant de le tenir prêt) avant qu'elle arrivât, traînaillant
un moment dans les écuries et repartant (le plus souvent
non pas dans la voiture sport qui ne l'amusait déjà plus
beaucoup, mais dans cette espèce de corbillard grand
comme un salon, conduit par le chauffeur, et sur la
banquette arrière de quoi elle avait à peu près l'air et la
taille d'une hostie (c'est-à-dire quelque chose d'irréel, de
fondant, qui ne peut être goûté, connu et possédé que
par la langue, la bouche, la déglutition) au centre d'un
de ces énormes et riches ostensoirs) après avoir distribué
deux ou trois morceaux de sucre et exigé de voir galoper, avec en main ce chronomètre en or massif dont
elle ne savait heureusement pas trop bien se servir, le
cheval qui devait courir le dimanche suivant.

Et Iglésia raconta que la première fois qu'il l'avait
vue il l'avait prise de loin pour une enfant, pour une fille
que de Reixach aurait sortie le dimanche du collège et
habillée par faiblesse paternelle comme une femme (ce

qui aurait expliqué cette indéfinissable sensation de malaise qu'on éprouvait d'abord, expliqua-t-il à sa façon,
comme à la vue de quelque chose de vaguement, d'indé-
finissablement monstrueux, gênant, comme ces gosses
travestis, affublés de vêtements copiés sur ceux des
grandes personnes, semblables à de sacrilèges et trou-
blantes parodies d'adultes, attentatoires en même temps
à l'enfance et à la condition d'humain), et il dit que
c'était ce qui l'avait d'abord le plus frappé : cet aspect
enfantin, innocent, frais, prévirginal en quelque sorte, à
tel point qu'il avait mis un moment à s'apercevoir, se
rendre compte — envahi alors pour une autre sorte de
stupeur, sentant monter une bouffée de quelque chose
d'à la fois furieux, scandalisé, sauvage — qu'elle était
non seulement une femme mais la femme la plus femme
qu'il eût encore jamais vue, même en imagination :
« Même au cinoche, dit-il. Mince ! » (parlant d'elle non
comme un homme parle d'une femme qu'il a possédée,
pénétrée, serrée dans ses bras gémissante et affolée,
mais comme d'une espèce de créature étrangère, et
étrangère non pas tant à lui-même, Iglésia (c'est-à-dire
— quoiqu'il l'eût renversée, culbutée, tenue sous lui —
au-dessus de lui par la condition, l'argent, la position sociale) qu'à l'espèce humaine tout entière (y compris les
autres femmes), employant donc pour parler d'elle à
peu près les mêmes mots, les mêmes intonations que
s'il s'était agi d'un de ces objets parmi lesquels il rangeait sans doute les vedettes de cinéma (privées de toute
réalité, sauf féérique), les chevaux, ou encore ces choses
(montagnes, bateaux, avions) auxquelles l'homme qui
perçoit par leur intermédiaire les manifestations des
forces naturelles contre lesquelles il lutte, attribue des
réactions (colère, méchanceté, traîtrise) humaines : êtres
(les chevaux, les déesses sur celluloïd, les autos) d'une
nature hybride, ambiguë, pas tout à fait humains, pas
tout à fait objets, inspirant à la fois le respect et l'irres-
pect par la rencontre, la réunion en eux d'éléments com-

posants (réels ou supposés) disparates — humains et in-
humains —, ce pourquoi sans doute il parlait d'elle à la
façon des maquignons de leurs bêtes ou des alpinistes de
la montagne, en même temps grossier et déférent, cru et
délicat, sa voix lorsqu'il l'évoquait exprimant une sorte
de stupéfaction légèrement scandalisée, mais légèrement admirative et réprobative en même temps, exactement comme la fois où à cette arrivée d'étape il était
venu examiner le cheval de Blum sans parvenir à découvrir sur son dos les gonfles qu'aurait dû normalement provoquer la façon abominable dont Blum sellait
et montait, ses gros yeux ronds, incrédules, pensifs, un
peu ahuris, fixant le vide tandis qu'il parlait, regardant,
revoyant sans doute avec le même incrédule émerveille-
ment, la même réprobation désarmée avec laquelle il regardait le dos du cheval sans y découvrir les plaies qui
auraient dû s'y trouver, celle qu'il évoquait, ou plutôt
dont il se laissait arracher le souvenir, l'image, ce que
sa pudeur naturelle aux gens du peuple, jointe au respect (non pas servile, puisqu'il n'avait même pas été ef-
fleuré par l'idée de retourner voir à l'endroit où était
tombé de Reixach, mais tout simplement craintif) de
ses patrons, lui eût interdit s'il n'avait de toute évidence
été persuadé de ce caractère inhumain, ou hors de l'humain de Corinne, disant :) « Il a fallu que j'aie le nez
dessus. Mince ! Seulement alors, j'ai compris pourquoi
il se fichait pas mal de ce que les gens pouvaient ou ne
pouvaient pas penser ou dire, et d'avoir l'air d'être son
père, et de la laisser s'amuser à faire crever des chevaux
rien que pour le plaisir d'appuyer sur le bouton de ce
chronomètre et promener ses fesses dans ces culottes
ou ces jodhpurs qu'il ne pouvait jamais payer qu'avec
de l'argent alors qu'il aurait sans doute aimé les lui
faire fabriquer en or si on avait connu le moyen de faire
des culottes en... » Et Blum : « Ouais, et je suppose, s'il
avait pu trouver un couturier capable de lui enfermer
ça comme dans un coffre-fort, et avec un cadenas, une

de ces serrures de sûreté, de ces trucs chiffrés dont il aurait été le seul à connaître la combinaison, les numéros, alors que le premier venu, le premier numéro venu, la première clef venue faisait aussi bien l'af... », et Georges : « Oh ta gueule, ça va ! », et à Iglésia : « Et alors ç'a été après cette histoire avec la pouliche, je parie, c'est ce qui l'a décidée, c'est après ça qu'elle... », et Iglésia : « Non, avant. Elle... C'est-à-dire nous... C'est-à-dire je crois que c'est pour ça qu'il a tellement tenu à la monter en course. Parce que je crois qu'il s'était douté de quelque chose. Nous ne l'avions fait qu'une fois et personne n'avait pu nous voir, mais je crois qu'il avait flairé du louche. Ou peut-être même qu'elle s'était arrangée pour qu'il le devine à moitié, quitte à ce qu'il me flanque à la porte, parce qu'à ce moment-là je ne pense pas que ça lui aurait fait grand-chose. Ou peut-être qu'elle n'avait pas pu s'empêcher de laisser échapper un mot, une remarque. Et alors il a voulu la montèr... » Et sans transition il se mit à leur parler de la pouliche, l'alezane, avec les mêmes mots dont il s'était servi pour parler de la femme, disant : « C'con-là (et quoiqu'il désignât ainsi de Reixach il n'y avait rien là d'injurieux, au contraire : comme une promotion en quelque sorte, l'élevant, lui faisant l'honneur de l'élever au rang de jockey, c'est-à-dire lui reconnaissant les qualités d'un jockey et par conséquent pouvant alors oublier qu'il était son patron, employant à son égard un mot non péjoratif mais familier, à peine teinté d'une légère mais affectueuse nuance de blâme, qu'il eût employée pour l'un de ces semblables, c'est-à-dire pour l'un de ses égaux, disant donc — de cette voix de tête plaintive, et presque geignarde, et presque enfantine, qui contrastait avec son dur et caricatural visage de spadassin, ce nez en lame de couteau, sa peau ou plutôt son cuir jauni, grêlé de petite vérole :) C'con-là, je lui avais pourtant bien répété qu'il fallait pas essayer de la forcer, de lui en faire accroire, qu'il y avait qu'à la laisser faire en lui laissant ou-

blier autant que possible qu'on était sur son dos, et
qu'alors elle y allait toute seule. Je lui ai dit : C'est pas
à moi de vous apprendre à monter, mais vous la tenez
trop serrée. Un steeple c'est pas un concours hippique :
dans le paquet ça passe tout seul des obstacles que quelquefois ils voudraient jamais sauter autrement. Alors
c'est pas la peine de la tenir aussi dur. Pour les autres
ça n'a pas tellement d'importance, mais elle, elle peut
pas le supporter. Seulement elle lui avait dérobé à l'entraînement, alors... »

Et cette fois Georges put les voir, exactement comme
si lui-même avait été là : tous les trois (à cette époque
il y avait déjà longtemps que l'entraîneur — l'ancien
adjudant — était parti, sans qu'on pût au juste savoir
d'après les quelques mots qu'il avait pu soutirer à Iglésia
si c'était lui, l'entraîneur, qui à force de voir Corinne
lui esquinter ses chevaux avait refusé de continuer à
s'en occuper, ou si c'était elle, Corinne, qui avait fait
en sorte de le faire renvoyer, car après son départ,
d'après ce que dit Iglésia, et quand ce fut lui qui eut pris
en main l'entraînement, elle cessa de venir les faire galoper à tort et à travers pour le simple plaisir d'appuyer sur le déclencheur de ce chronomètre), les
voyant donc tous les trois dans ou plutôt devant cette
stalle où le petit lad à tête d'hydrocéphale, aux membres de poupée, au visage précocement flétri (bouffi,
avec des poches sous les yeux, le regard lui-même
comme quelque chose de sale, de purulent, c'est-à-dire
enfermant, empli, à quatorze ans, de l'expérience d'un
homme de soixante, ou à peu près, ou peut-être même
pire), s'efforçait de faire tenir en place cette pouliche
pendant qu'Iglésia accroupi lui ajustait les guêtres, elle
et de Reixach debout, le regardant faire, et elle disant
sans presque desserrer les lèvres, sans cesser de regarder
Iglésia, parlant d'une voix imperceptible, furieuse : « Tu
es toujours décidé à cette idiotie, tu vas réellement la
monter ? » et de Reixach : « Oui », la sueur (non pas

la peur, l'appréhension : simplement l'atmosphère suffocante, lourde, de l'étouffant après-midi de juin, orageux,
qui faisait aussi danser sur place l'alezane) perlant en
fines gouttelettes brillantes sur son front, répondant
aussi sans détourner la tête, sans hausser le ton, non pas
désinvolte ou provocant, ni même simplement buté,
disant seulement oui, surveillant les gestes d'Iglésia au-
dessous de lui, disant sans transition, mais à haute voix
maintenant : « Ne les serre pas trop », et elle frappant
rageusement du pied par terre, répétant : « A quoi ça
rime ? A quoi ça t'avance ? » et lui : « Mais à rien, j'ai
simplement envie de... », et elle : « Ecoute : laisse-le la
monter, il... », et lui : « Pourquoi ? », et elle : « A quoi
ça rime ? » et lui : « Pourquoi ? » et elle : « Pour rien.
Parce que c'est son métier d'être jockey, je suppose, non ?
Est-ce que ce n'est pas pour ça que tu le payes ? », et
lui : « Mais ce n'est pas une question d'argent », et elle :
« Mais c'est son métier, non ? » et lui tout haut : « Si tu
la rafraîchissais un peu ? Elle... », et Iglésia se relevant :
« Ça ira tout seul, Monsieur. Faites comme je vous ai
dit, et ça ira tout seul. Elle est un peu énervée par ce
temps, mais ça ira très bien », et elle parlant maintenant à Iglésia, mais, pour ainsi dire, plus avec ses yeux
qu'avec sa bouche, le regard dur, furieux, fixé dans celui d'Iglésia, ou plutôt planté dedans comme un clou,
tandis qu'au-dessous ses lèvres remuaient, sans que ni
l'un ni l'autre n'eût besoin d'entendre, n'écoutât ce
qu'elles disaient : « Vous ne croyez pas qu'avec cet orage
qui se prépare elle va être, enfin qu'il vaudrait mieux
que vous... » et de Reixach : « Là : presse-lui l'éponge
sur... Là, oui, comme ça, oui, ça va, là... », et elle :
« Ooonh !... », et Iglésia : « Vous en faites pas : ça ira
tout seul. Y a qu'à la laisser faire et elle ira toute seule,
elle demande qu'à... », et elle ouvrant tout à coup son
sac (un geste brusque, imprévisible, avec cette foudroyante rapidité des mouvements d'animaux, l'exécution non pas suivant mais, semble-t-il, précédant

l'intention ou, si l'on peut dire, la pensée, fouillant rageusement dedans, la main ressortant aussitôt, les deux hommes ayant juste le temps de percevoir l'éclat — l'éclair — diamantin d'un bracelet, le bruit sec du fermoir revenant en place), la main aux ongles polis, aux fragiles doigts de porcelaine, tenant maintenant une liasse froissée de billets en vrac, les tendant, ou plutôt les fourrant sous le nez d'Iglésia, la voix coléreuse disant : « Tenez. Allez jouer pour moi. Pour nous. Moitié-moitié. Allez-y vous-même. A votre idée. Je ne vous demande pas de me montrer les tickets. Vous n'avez même pas besoin de les prendre si vous estimez que ce n'est pas la peine, qu'il ne saura pas la... », et de Reixach : « Allons ! Qu'est-ce que... », et elle : « Je ne demande pas à voir les tickets, Iglésia, je... », et de Reixach (un peu pâle à présent, les muscles de sa mâchoire saillant, allant et venant sous la peau, la sueur maintenant ruisselant franchement sur ses tempes, disant, toujours sans hausser la voix — toujours impersonnelle, calme, mais à ce moment peut-être un peu plus sèche, brève) : « Allons. Voyons. Cessez », la vouvoyant tout à coup, ou s'adressant peut-être aussi à Iglésia ou peut-être au lad, à l'apprenti à tête de crapaud en train de presser l'éponge sur la tête de la jument, car il s'avança, lui prit l'éponge des mains, l'essora, se mit à la passer, à peine humide, plusieurs fois sur l'encolure sans se retourner, parlant doucement au lad — au crapaud —, celui-ci disant : « Oui M'sieu — Non M'sieu — Oui M'sieu... » tandis que derrière eux Iglésia et Corinne continuaient à se faire face, Corinne parlant très vite, de cette voix qu'elle s'efforçait maintenant de dominer, d'étouffer, mais néanmoins toujours trop haute d'un demi-ton, sans que l'on pût savoir au juste si c'était la colère, l'inquiétude ou quoi, comme si c'était simplement la transparence de la capeline cerise qui rosissait son visage, sa gorge, le haut de ses bras dénudés jusqu'aux aisselles (laissant voir, à la jonction de l'épaule

et des seins ces deux plis en éventail, délicats, de la
chair impétueuse, dure, gonflée) par une de ces espèces
de robes violentes, non pas agressives mais en quelque
sorte agressée, c'est-à-dire dont la fragilité, l'inconsis-
tance, les dimensions exiguës donnaient l'impression
qu'on en avait déjà arraché la moitié et que le peu qui
restait encore ne tenait guère que par quelque chose
comme un fil, et plus indécente qu'une chemise de nuit
(ou plutôt qui sur toute autre femme eût été indécente
mais qui, sur elle, était quelque chose d'au delà de l'indécence, c'est-à-dire supprimant, privant de sens toute
idée de décence ou d'indécence), Corinne disant : « Moitié-moitié, Iglésia. Sur elle. Gagnante. Vous avez le
choix : la jouer, le persuader de vous laisser la monter,
et toucher à peu près six mois de votre salaire. Ou si
vous pensez qu'il peut la faire gagner, c'est pareil. Ou
si vous pensez qu'il ne peut pas la faire gagner, garder
l'argent. Je ne demanderai pas à voir les tickets. Maintenant est-ce que vous allez continuer à lui dire que ça ira
tout seul ? », et Iglésia : « J'ai pas le temps d'aller jouer,
il faut que je m'occ... », et elle : « Il ne faut pas plus de
deux minutes pour aller jusqu'à ces guichets et en revenir. Vous avez parfaitement le temps », et à ce moment-là Iglésia raconta que ç'avait été comme l'inverse
de ce qu'il avait éprouvé ce jour où il l'avait vue pour
la première fois, s'avançant au côté de de Reixach,
c'est-à-dire qu'il lui sembla qu'il avait devant lui non
pas une enfant, ou une jeune femme, ou une vieille
femme, mais une femme sans âge, comme une addition
de toutes les femmes, vieilles ou jeunes, quelque chose
qui avait aussi bien quinze, trente ou soixante ans que
des milliers d'années, animé par ou exhalant une fureur,
un ressentiment, une hostilité, une rouerie, qui n'étaient
pas les résultantes d'une certaine expérience ou d'une
certaine accumulation de temps, mais de quelque chose
d'autre, pensant (racontant plus tard qu'il avait pensé) :
« Espèce de vieille salope ! Vieille garce ! », et en rele-

vant les yeux ne découvrant que le visage d'ange, la
transparente auréole des cheveux blonds, la jeune chair
impétueuse, impolluée, impolluable, et alors les rabais-
sant précipitamment, regardant la liasse de billets dans
sa main, en train de calculer qu'il y en avait à peu près
l'équivalant de ce qu'il mettait deux mois à gagner, et
combien de mois de salaire cela ferait s'il jouait comme
il aurait dû jouer, puis regardant Corinne de nouveau,
pensant : « Mais qu'est-ce qu'elle veut Est-ce qu'elle le
sait seulement Ça n'a pas de sens Ça ne tient même pas
debout », et à la fin baissant définitivement les yeux,
disant : « Oui Madame », et Corinne : « Oui quoi ? », et
de Reixach leur tournant toujours le dos, accroupi
maintenant, vérifiant les boucles des guêtres, appelant :
« Iglésia ! », et elle : « Oui quoi ? », et de Reixach toujours sans se retourner : « Ecoute : nous avons autre
chose à faire que... », et elle frappant du pied : « Alors
vous allez le laisser monter ? Est-ce que... Vous... », et
Iglésia : « Vous en faites pas, Madame. Ça ira tout seul,
je vous dis. Vous verrez », et elle : « Ce qui veut dire que
vous allez la jouer quand même ou que vous garderez
l'argent ? », et avant qu'il ait ouvert la bouche pour répondre : « Mais je ne veux pas le savoir. Faites ce que
vous voudrez. Allez donc l'aider à faire l'idiot. Il vous
paie aussi pour ça après tout... » Puis elle et Iglésia debout l'un à côté de l'autre dans la tribune, Iglésia (il
avait monté un cheval dans la première course) un veston effrangé passé par dessus sa casaque étincelante, le
visage ruisselant maintenant, et un peu essoufflé d'avoir
couru pour la rejoindre, — ayant trottiné pendant tout
le défilé à côté de la pouliche, portant ce seau plein
d'eau (qu'il aurait pu faire porter par le lad, mais qu'il
lui avait pris, ou plutôt arraché des mains), courant
donc, comme écrasé par le poids du seau, sur ses courtes et torses jambes de jockey, la tête levée vers de
Reixach, lui tendant de temps à autre l'éponge qu'il
plongeait dans le seau, essorait, laissait se regonfler, sans

pour cela cesser un instant de trottiner ni s'arrêter de
parler, interrompre le flot volubile — recommandations,
conseils, objurgations? — de mots qui sortaient de sa
bouche, passionné, haletant, de Reixach se contentant
d'opiner de temps à autre de la tête, s'efforçant de faire
marcher droit la pouliche qui chassait de l'arrière-train,
avançait de côté, en diagonale, dansant sans arrêt, prenant (de Reixach) d'une main l'éponge tendue, la pressant sur la tête de la pouliche, entre les deux oreilles, et
la jetant à Iglésia qui l'attrapait au vol. Puis ils furent à
la barrière, il jeta une dernière fois l'éponge derrière lui,
sans regarder, et l'alezane se détendit comme un ressort,
partit au galop, tirant à toute force sur la bride, l'encolure légèrement tournée sur le côté, une épaule en
avant, sa longue queue fouettant violemment l'air, re-
bondissant comme si elle avait été une balle de caoutchouc, de Reixach ne faisant qu'un avec elle, presque
debout sur ses étriers, le buste à peine incliné en avant,
la tache rose de la casaque diminuant rapidement, de
bond en bond, silencieusement, Iglésia planté là, contre
la barrière blanche, à les regarder s'éloigner, décroître,
franchir dans sa foulée, s'enlevant à peine, la petite haie
précédant le tournant, après quoi il ne vit plus que la
toque noire et la casaque cessant de décroître, se déplaçant maintenant — montant et retombant souplement
— au-dessus de la haie et vers la droite, et disparaissant
derrière le petit bois : alors, laissant là seau et éponge
il se retourna et aussi vite que le lui permettaient ses
jambes (c'est-à-dire comme un jockey peut courir c'est-à-
dire à peu près comme un cheval dont on aurait rogné
les membres à mi-longueur) s'élança vers la tribune, se
cognant aux gens, la tête levée, cherchant Corinne des
yeux, dépassant l'endroit, la découvrant enfin, revenant
sur ses pas, escaladant quatre à quatre les escaliers et,
aussitôt près d'elle, s'immobilisant tout à coup, tourné
vers le petit bois, la paire d'énormes jumelles (celles
dont se servait habituellement de Reixach) déjà bra-

quées, comme si, à la façon d'un prestidigitateur, il les
avait tenues toutes prêtes au creux de sa main — quoiqu'elles mesurassent environ trente centimètres de
long — ou dans sa manche : surgies, extraites, aurait-on
dit, du néant et non de l'étui, parce qu'il était impossible
qu'il ait eu le temps de l'ouvrir, puis de les en dégager en
si peu de temps, c'est-à-dire entre le moment où il avait
surgi, à bout de souffle, auprès de Corinne, et celui où
il les eut, les tenant à deux mains, collées à ses yeux au-
dessus de ce nez d'aigle (ou de Polichinelle) comme,
semblait-il, une partie naturelle de sa personne, une
sorte d'organe fonctionnel (à la façon de ces petits tubes
noirs vissés dans l'œil des horlogers), protubérant, anor-
malement développé, subitement apparu, mis en batterie — semblables, énormes, brillantes, et recouvertes
d'un cuir noir et granuleux, à ces yeux saillants, charbonneux et à facettes que l'on peut voir en avant de la
tête des mouches ou de certains insectes sur les micro-
photographies.

Et alors plus immobile qu'une statue. Et alors Corinne elle aussi plus immobile qu'une statue, essayant
elle aussi avec avidité de voir ce qui se passait derrière le
petit bois, disant sans desserrer les dents ni détourner la
tête, ni hausser la voix, exactement comme lorsqu'un
peu plus tôt elle s'était disputée avec de Reixach : « Espèce de sale larbin ». Et lui pour ainsi dire enfoncé tout
entier dans ces énormes jumelles, et ne l'entendant sans
doute même pas, ou se rendant peut-être compte qu'elle
lui parlait mais ne prenant même pas la peine d'écouter,
de chercher à comprendre, disant : « Oui, elle a fait un
bon canter, oui, comme ça, c'est ça, il faut la... Oui :
elle est, elle va... », et autour d'eux le brouhaha tranquille des gens, les derniers parieurs refluant vers la
barrière ou prenant d'assaut les tribunes comme une
marée noire et lente, quoique la plupart courussent,
mais déjà sans regarder devant eux, toutes les têtes tour-
nées vers le petit bois, celles de ceux qui couraient

comme celles de ceux déjà casés dans les tribunes ou debout sur les chaises traînées çà et là sur le terre-plein : les têtes en porcelaine peinte des mannequins entourés de photographes, les têtes ridées et parcheminées des vieux colonels sous leurs melons gris, celles des millionnaires aux allures de maquignons, marchands de quelque chose ou distillateurs, ou trafiquants d'argent de père en fils, usuriers, propriétaires de chevaux, de femmes, de mines, de quartiers entiers d'habitations, de taudis, de villas à piscines, de châteaux, de yachts, de nègres ou d'Indiens squelettiques, de machines à sous grandes ou petites (depuis celle de six étages en pierre de taille, béton et blindages d'acier jusqu'aux camelotes en tôles peintes et clignotants couleur de berlingots) : espèce, ou classe, ou race dont les pères, ou les grand-pères, ou les arrière-grands-pères, ou les arrière-arrière-grands-pères avaient un jour trouvé moyen par violence, ruse ou contrainte exercées de façon plus ou moins légale (et sans doute plus que moins, si l'on tient compte que le droit, la loi, ne sont jamais que la consécration, la sacralisation d'un état de force) d'amasser les fortunes qu'ils dépensaient maintenant mais qui, par une sorte de conséquence, de malédiction attachée à la violence et à la ruse, les condamnaient à ne voir évoluer autour d'eux que cette faune qui cherche elle aussi à acquérir (ou à profiter de) ces mêmes fortunes (ou tout simplement la fortune) par violence ou ruse, et que les premiers réussissaient le tour de force de coudoyer (respirant le même air, piétinant le même gravier poussiéreux, comme s'ils avaient été réunis dans un même salon) sans seulement paraître s'apercevoir de leur présence, ni même — peut-être — les voir : les têtes des parieurs aux métiers douteux, aux cols douteux, aux visages douteux, aux yeux de faucon, aux visages durcis, impitoyables, frustrés, rongés, corrodés par la passion : les manœuvres nord-africains qui ont payé presque l'équivalent d'une demi-journée de leur travail pour le seul privilège

amoureux de voir de près le cheval sur lequel ils avaient
misé leur paye de la semaine, les souteneurs, les trafiquants, les marchands de tuyaux de la pelouse, les ap-
prentis, les chauffeurs de cars, les commissaires, les
vieilles baronnes, et ceux venus là seulement parce qu'il
fait beau, et ceux qui y seraient quand même, piétinant
dans la boue et grelottant dans les courants d'air, s'il
était tombé des lances, tous entassés maintenant dans les
tribunes aux pâtisseries sculptées flottant dans le ciel
avec les nuages en crème fouettée, immobiles, semblables à des meringues, c'est-à-dire gonflés, boursouflés en
haut et aplatis au-dessous comme s'ils avaient été posés
sur une invisible plaque de verre, alignés au cordeau par
rangées successives que la perspective rapprochait dans
le lointain (comme les troncs d'arbres le long d'une
route) pour former, tout là-bas, vers l'horizon vaporeux, au-dessus de la cime des arbres et des grêles cheminées d'usine, un plafond suspendu, immobile, jusqu'à
ce qu'en regardant mieux on s'aperçût qu'il glissait tout
entier, insensiblement, archipel à la dérive, voguant au-
dessus des maisons, des pelouses au vert incroyable, du
petit bois à la droite duquel les chevaux apparurent enfin se dirigeant maintenant au pas vers le départ : non
plus un, trois ou dix mais, avec les taches bariolées et
mélangées des casaques, les queues ondoyantes, la démarche hautaine des bêtes sur leurs pattes pas plus
grosses que de minces brindilles, apparition, groupe
médiéval, chatoyant au loin (et non pas seulement là-
bas, au bout du tournant, mais comme s'avançant pour
ainsi dire du fond des âges, sur les prairies des batailles
éclatantes où, dans l'espace d'un étincelant après-midi,
d'une charge, d'une galopade, se perdaient ou se gagnaient des royaumes et la main des princesses) ; puis
Iglésia le vit, raconta-t-il plus tard, extrait, dissocié par la
lorgnette de l'anonyme bariolage des couleurs, sur cette
pouliche semblable à une coulée de bronze clair, et ac-
coutré de la toque noire et de cette casaque rose vif,

tirant sur le mauve, qu'elle leur avait en quelque sorte imposée à tous deux (Iglésia et de Reixach) comme une sorte de voluptueux et lascif symbole (comme les couleurs d'un ordre ou plutôt les insignes de fonctions pour ainsi dire séminales et turgescentes), pouvant distinguer entre les deux (entre la casaque et la toque) ce visage parfaitement inexpressif, vide, semblait-il, d'émotions et de pensées, même pas concentré, ou attentif : simplement impassible (Iglésia pensant, disant plus tard : « Mais alors bon sang il avait qu'à me la laisser monter. Si c'était pour faire cette démonstration, mince ! Qu'est-ce qu'il espérait ? Qu'après ça elle ne coucherait plus qu'avec lui, qu'elle allait se priver de se faire enfiler par le premier venu simplement parce qu'elle l'aurait vu sur son dos ? Mais si ç'avait pas été moi, ça aurait été pareil. Parce qu'elle était en chaleur. Et avec ce temps lourd qui n'arrangeait rien. Alors avant même de prendre le départ elle était déjà toute trempée !... »), pouvant voir comme s'il n'en avait été qu'à quelques mètres l'encolure de la pouliche couverte d'une écume grise à l'endroit où frottait la rêne, le groupe, le cortège hiératique et médiéval se dirigeant toujours vers le mur de pierre, ayant maintenant traversé l'embranchement du huit, les chevaux de nouveau cachés jusqu'au ventre par les haies de bordure disparaissant à demi de sorte qu'ils avaient l'air coupés à mi-corps le haut seulement dépassant semblant glisser sur le champ de blé vert comme des canards sur l'immobile surface d'une mare je pouvais les voir au fur et à mesure qu'ils tournaient à droite s'engageaient dans le chemin creux lui en tête de la colonne comme si ç'avait été le quatorze juillet un puis deux puis trois puis le premier peloton tout entier puis le deuxième les chevaux se suivant tranquillement au pas on aurait dit ces chevaux-jupons avec lesquels jouaient autrefois les enfants des sortes d'animaux aquatiques flottant sur le ventre propulsés par d'invisibles pieds palmés glissant lentement l'un après l'autre avec leurs

identiques encolures arrondies de pièces d'échecs leurs
identiques cavaliers exténués aux identiques bustes voû-
tés dodelinant la moitié en train de dormir sans doute
quoiqu'il fît jour depuis un bon moment le ciel tout rose
de l'aurore la campagne comme molle encore à moitié
endormie aussi, il y avait comme une sorte de vaporeuse
moiteur il devait y avoir de la rosée des gouttes de cristal
accrochées aux brins d'herbe que le soleil allait faire
s'évaporer je pouvais facilement le reconnaître tout là-
bas en tête à la façon qu'il avait de se tenir très droit sur
sa selle contrastant avec les autres silhouettes avachies
comme si pour lui la fatigue n'existait pas, la moitié à
peu près de l'escadron se trouvant engagée lorsqu'ils
refluèrent vers le carrefour c'est-à-dire comme un accordéon comme sous la pression d'un invisible piston les
repoussant, les derniers continuant toujours à avancer
alors que la tête de la colonne semblait pour ainsi dire
se rétracter le bruit ne parvenant qu'ensuite de sorte
qu'il se passa un moment (peut-être une fraction de seconde mais apparemment plus) pendant lequel dans le
silence total il y eut seulement ceci : les petits chevaux-
jupons et leurs cavaliers rejetés en désordre les uns sur
les autres exactement comme des pièces d'échecs s'abattant en chaîne le bruit lorsqu'il arriva avec ce léger décalage dans le temps sur l'image lui-même exactement
semblable au son creux des pièces d'ivoire tambourinant
tombant les unes après les autres sur le plateau de l'échi-
quier comme ceci : tac-tac-tac-tac-tac les rafales pressées se superposant s'entassant aurait-on dit puis au-
dessus de nous les invisibles cordes de guitare pincées
tissant l'invisible chaîne d'air froissé soyeux mortel aussi
n'entendis-je pas crier l'ordre voyant seulement les bustes
devant moi basculer de proche en proche en avant tandis
que les jambes droites passaient l'une après l'autre par
dessus les croupes comme les pages d'un livre feuilleté à
l'envers et une fois par terre je cherchai Wack des yeux
pour lui tendre la bride en même temps que ma main

droite se battait derrière mon dos avec ce fichu crochet
de mousqueton puis cela arriva sur nous par derrière le
tonnerre des sabots la galopade des chevaux fous démontés la pupille agrandie les oreilles couchées en arrière les étriers vides et les rênes fouettant l'air se tordant comme des serpents et tintant, et deux ou trois
couverts de sang et un avec encore son cavalier criant
Il y en a aussi derrière ils nous ont laissé passer et puis
ils, le reste de ses paroles emporté avec lui penché sur
l'encolure la bouche grande ouverte comme un trou et
maintenant ce n'était plus contre le crochet de mousqueton que j'étais en train de me battre mais contre cette
carne en train de renauder à présent la tête haute le cou
raide comme un mât la pupille complètement retournée
comme si elle essayait de regarder derrière ses oreilles
reculant irrésistiblement non par à-coups mais pour
ainsi dire méthodiquement une patte après l'autre et
moi lui flanquant de ces coups de sonnette à lui arracher
la mâchoire répétant Allons Allons comme si seulement
elle pouvait m'entendre dans cette pagaille raccourcissant peu à peu les rênes jusqu'à ce que je puisse atteindre d'une main l'encolure la tapotant répétant Allons
Allons làààà... jusqu'à ce qu'elle s'arrête reste immobile
mais crispée tendue tremblant de tous ses membres ses
quatre pattes écartées raides comme des étais et sans
doute avait-on crié l'autre ordre pendant que j'étais occupé avec elle car je me rendis compte (non pas voyant
car j'étais trop occupé à la surveiller, mais sentant, de-
vinant) dans ce désordre cette pagaille qu'ils étaient
tous en train de remonter à cheval m'approchant d'elle
alors (toujours aussi figée aussi tendue que si elle avait
été en bois) le plus doucement possible me méfiant du
coup qu'elle pique une crise se cabre ou parte ventre à
terre au galop juste au moment où j'aurais le pied dans
l'étrier mais elle ne bougeait toujours pas se contentait
de trembler sur place d'une façon continue comme un
moteur tournant au ralenti et elle me laissa mettre le

pied dans l'étrier sans rien faire, seulement quand j'attrapai le pommeau et le troussequin pour m'enlever la
selle tourna sens dessus dessous, ce coup-là je l'attendais
aussi il y avait trois jours que j'essayais d'en trouver un
avec qui échanger cette sangle trop longue pour elle
après que j'avais dû abandonner Edgar mais va te faire
foutre avec ces paysans on aurait dit que leur proposer
un échange de sangle c'était essayer de les rouler et celle
de Blum était aussi trop longue alors c'était vraiment le
moment pour qu'un truc pareil m'arrive quand ça tirait
et arrivait de tous les côtés à la fois mais je n'avais même
pas le temps de jurer même pas assez de souffle même
pas assez de temps pour formuler un juron tout juste
assez pour y penser tandis que j'essayais de lui remettre
cette foutue selle sur le dos au milieu de tous les types
qui me passaient maintenant autour lancés au grand
galop et alors je m'aperçus que mes mains tremblaient
mais je ne pouvais pas les en empêcher pas plus qu'elle
ne pouvait s'empêcher elle non plus de trembler toujours
de tout son corps et à la fin j'y renonçai me mis à courir
à côté d'elle en la tenant par la bride elle se mettant au
petit galop avec la selle maintenant à peu près sous le
ventre parmi les chevaux montés ou démontés qui nous
dépassaient le mortel réseau des cordes de guitare tendu
comme un plafond au-dessus de nous mais ce ne fut que
quand j'en vis tomber deux ou trois que je compris que
j'étais dans l'angle mort du talus tandis qu'à cheval ils
dépassaient largement de sorte qu'ils les descendaient
comme des quilles puis je vis Wack (les choses se déroulant paradoxalement dans une sorte de silence de vide
c'est-à-dire que le bruit des balles et des explosions — ils
devaient aussi tirer au mortier maintenant ou avec ces
petits canons des chars — une fois accepté admis et
pour ainsi dire oublié se neutralisant en quelque sorte
on n'entendait absolument rien pas de cris aucune voix
sans doute parce que personne n'avait le temps de crier
de sorte que ça me rappelait quand je courais le 1500 :

seulement le bruit sifflant des respirations les jurons
eux-mêmes étouffés avant de sortir quand il se produi-
sait une bousculade comme si les poumons accaparaient
tout l'air disponible pour le répartir dans le corps et
l'employer aux seules choses utiles : regarder décider
courir, les choses par conséquent se passant un peu
comme dans un film privé de sa bande de son), je vis
Wack qui venait de me dépasser penché sur l'encolure
le visage tourné vers moi la bouche ouverte lui aussi
essayant sans doute de me crier quelque chose qu'il
n'avait pas assez d'air pour faire entendre et tout à coup
soulevé de sa selle comme si un crochet une main invisible l'avait attrapé par le col de son manteau et s'élevant
lentement c'est-à-dire à peu près immobile par rapport
à (c'est-à-dire animé à peu près de la même vitesse que)
son cheval qui continuait à galoper et moi courant
toujours quoiqu'un peu moins vite de sorte que Wack
son cheval et moi-même formions un groupe d'objets
entre lesquels les distances ne se modifiaient que lentement lui se trouvant à présent exactement au-dessus du
cheval dont il venait d'être enlevé arraché s'élevant lentement dans les airs les jambes toujours écartées en arc
de cercle comme s'il continuait à chevaucher quelque
Pégase invisible qui d'une ruade l'eût fait basculer en
avant exécutant donc au ralenti et pour ainsi dire sur
place une sorte de double saut périlleux me le montrant
bientôt la tête en bas la bouche toujours ouverte sur le
même cri (ou conseil qu'il avait essayé de me faire entendre) silencieux puis couché dans les airs sur le dos
comme un type étendu dans un hamac et qui laisse pendre ses jambes à droite et à gauche puis de nouveau la
tête en haut le corps vertical les jambes commençant à
abandonner la position de celles d'un cavalier pour se
rassembler pendre parallèlement puis sur le ventre les
bras tendus en avant les mains ouvertes dans le geste de
saisir d'attraper quelque chose plus loin comme un de
ces acrobates de cirque dans l'instant où il se tient rat-

taché à rien et délivré de toute pesanteur entre les deux
trapèzes puis à la fin la tête de nouveau en bas les jambes désunies et les bras en croix comme pour me barrer
le chemin mais immobile maintenant plaqué contre le
revers du talus et ne bougeant plus me regardant le
visage empreint d'une expression surprise et imbécile je
pensais Pauvre Wack il a toujours eu l'air d'un idiot
mais maintenant plus que jamais il, puis je ne pensai
plus quelque chose comme une montagne ou un cheval
s'abattant sur moi me jetant à terre me piétinant tandis
que je sentais les rênes s'échapper de mes mains puis
tout fut noir tandis que des milliers de chevaux galo-
pants continuaient à me passer sur le corps puis je ne
sentis même plus les chevaux seulement comme une
odeur d'éther et le noir les oreilles bourdonnantes et
quand j'ouvris de nouveau les yeux j'étais étendu sur le
chemin et plus un cheval et seulement Wack toujours
sur le talus la tête en bas en train de me regarder les
yeux grands ouverts avec cet air d'abruti mais je me
gardai bien de bouger attendant le moment où j'allais
commencer à souffrir ayant entendu dire que les grosses
blessures provoquaient d'abord comme une sorte d'anes-
thésie mais ne sentant toujours rien et au bout d'un
moment j'essayai de remuer mais rien ne se produisit
réussissant à me mettre à quatre pattes la tête dans le
prolongement du corps le visage dirigé vers la terre je
pouvais voir le sol du chemin empierré les pierres apparaissant triangles ou polygones irréguliers d'un blanc
légèrement bleuté dans leur gangue de terre d'un ocre
pâle il y avait comme un tapis d'herbe au centre du
chemin puis à droite et à gauche là où passaient habituellement les roues des charrettes et des voitures deux
couloirs nus puis de nouveau l'herbe reprenait sur les
bas-côtés et en relevant la tête je vis mon ombre encore
très pâle et fantastiquement étirée pensant Alors le soleil
est donc levé, et à ce moment je pris conscience du silence et vis qu'un peu plus loin que Wack il y avait un

type assis sur le revers du talus : il se tenait le bras un
peu au-dessus du coude sa main pendant toute rouge
entre ses jambes écartées mais ce n'était pas un type de
l'escadron, quand il vit que je le regardais il dit On est
foutus, je ne répondis pas il cessa de s'occuper de moi et
se remit à contempler sa main, très loin il y eut encore
quelques rafales je regardai le chemin derrière nous du
côté du carrefour je vis des tas bruns jaunâtres par terre
qui ne bougeaient pas et des chevaux et près de nous un
cheval étendu sur le flanc dans une mare de sang envoyant de faibles et spasmodiques ruades des quatre
membres alors je m'assis sur le revers du talus à côté du
type pensant Mais c'était à peine l'aurore, je dis Quelle
heure est-il, mais il ne répondit pas puis une rafale passa
tirée de très près cette fois je me jetai dans le fossé j'entendis le type dire encore On est foutus, mais je ne me
retournai pas rampai dans le fossé jusqu'à l'endroit où le
talus cessait et après je me mis à courir courbé en deux
jusqu'à un bouquet d'arbres mais personne ne tira, on
ne tira pas non plus quand je courus du bouquet d'arbres à une haie je franchis la haie sur le ventre me recevant de l'autre côté sur mes mains restant étendu jusqu'à
ce que j'aie réussi à retrouver mon souffle on ne tirait
plus du tout maintenant j'entendis un oiseau chanter les
ombres des arbres s'allongeaient devant moi sur le pré je
longeai la haie à quatre pattes perpendiculairement aux
ombres des arbres jusqu'au coin du pré puis je me mis
à remonter la colline de l'autre côté du pré toujours à
quatre pattes contre la haie mon ombre devant moi
maintenant de nouveau et quand je fus dans la forêt
marchant parmi les lamelles de soleil je fis attention de
la garder devant moi calculant au fur et à mesure que le
temps passait qu'il me fallait l'avoir d'abord devant moi
et légèrement à droite puis plus tard à droite mais toujours en avant de moi, il y avait des coucous dans la forêt d'autres oiseaux aussi dont je ne savais pas le nom
mais surtout des coucous ou peut-être c'était parce que

je savais le nom que je les remarquai peut-être aussi à
cause de leur cri plus caractéristique, le soleil déchiqueté passait entre les feuilles dessinait mon ombre déchiquetée que je poussais devant moi puis un peu à
droite, marchant longtemps sans rien entendre d'autre
que les coucous et ces oiseaux dont je ne savais pas le
nom, à la fin je me fatiguai de marcher complètement à
travers bois et suivis un layon mais mon ombre était
alors sur ma gauche, au bout d'un moment je trouvai un
autre layon qui le croisait perpendiculairement je le
pris et mon ombre fut de nouveau en avant et à droite
mais je calculai que je devrais le suivre plus longtemps
que le premier de façon à corriger l'écart qu'il m'avait
forcé à faire et à un moment j'eus faim et je me rappelai ce bout de saucisson que je trimballais dans la poche
de mon manteau je le mangeai sans cesser de marcher je
mangeai la peau jusqu'au moignon noué par la ficelle
que je jetai puis la forêt cessa buta pour ainsi dire sur le
vide du ciel s'ouvrit sur un étang et quand je m'allongeai
pour boire les petites grenouilles plongèrent cela ne faisait pas plus de bruit que de grosses gouttes de pluie :
près du bord à l'endroit où elles avaient sauté il restait
dans l'eau un petit nuage de poussière de vase soulevée
grise qui se dissolvait entre les joncs elles étaient vertes
et guère plus grosses que le petit doigt la surface de l'eau
était toute couverte de petites feuilles rondes et vert pâle
de la dimension d'un confetti c'est pourquoi je ne
m'aperçus qu'au bout d'un moment qu'elles reparais-
saient j'en vis une puis deux puis trois crevant les confettis vert clair laissant juste dépasser le bout de leur tête
avec leurs petits yeux gros comme des têtes d'épingle
qui me regardaient il y avait un léger courant et j'en vis
une dériver lentement se laissant entraîner entre les archipels de confettis agglutinés de la même couleur
qu'elles on aurait dit un noyé écartelé la tête à demi hors
de l'eau ses délicates petites pattes palmées ouvertes puis
elle bougea et je ne la vis plus c'est-à-dire que je ne la

vis même pas bouger, simplement elle ne fut plus là
sauf le petit nuage de vase qu'elle avait soulevé, l'eau
était visqueuse avait un goût visqueux d'anguille je bus
en écartant les petits confettis faisant attention de ne
pas aspirer la vase qui se soulevait pour un rien le visage
parmi les joncs et les larges feuilles en forme de fers de
lance puis je restai là assis à la lisière du bois derrière
les fourrés écoutant les coucous se répondre parmi les
troncs silencieux dans l'air printanier et vert regardant
la route qui contournait l'étang et longeait ensuite les
arbres de temps en temps un poisson sautait avec un
plouf je ne réussis pas à en voir un, seulement les cercles
concentriques allant s'élargissant autour de l'endroit où
il avait mouché à un moment des avions passèrent mais
très haut dans le ciel j'en vis un ou plutôt quelque
chose un point argenté suspendu immobile étincelant
une fraction de seconde dans un trou de bleu entre les
branches puis disparaissant leur bruit semblait comme
suspendu lui aussi vibrant dans l'air léger puis il décrut
peu à peu et de nouveau je perçus le froissement délicat
des feuilles et de nouveau le chant d'un coucou et peu
après au tournant de la route débouchèrent deux officiers promenant leurs chevaux mais peut-être ici ne
savait-on pas que c'était la guerre ils marchaient tranquillement au pas en devisant quand je vis qu'ils étaient
bien en kaki et pas en vert je me levai pensant à la tête
qu'ils allaient faire en me voyant et quand je leur dirais
que les panzers se baladaient sur la route à six ou sept
kilomètres de là sans doute avait-on oublié de les préve-
nir je me tins debout bien en vue au milieu de la route
dans la sylvestre paix où je pouvais toujours entendre
les coucous et de temps en temps le rapide invisible et
paresseux saut d'un poisson hors de l'inaltérable miroir
de l'eau puis je pensai Bon Dieu bon Dieu bon Dieu
bon Dieu, le reconnaissant reconnaissant la voix qui me
parvenait maintenant ou plutôt me tombait dessus hautaine distante paisible avec quelque chose d'enjoué pres-

que de gai disant Alors vous avez aussi réussi à vous en
tirer ? disant en se tournant vers le petit sous-lieutenant
Vous voyez qu'ils ne sont pas tous morts il y en a tout de
même quelques-uns qui s'en sont sortis, disant de nouveau dans ma direction Iglésia suit derrière avec deux
chevaux de main Vous n'aurez qu'à en prendre un, je
pouvais entendre le murmure de l'eau là où l'étang se
déversait par une petite cascade le bruissement des feuilles remuées par l'imperceptible brise, à la hauteur de
mes yeux je vis les genoux se serrer imperceptiblement
le cheval se remettant en marche passant devant moi les
bottes étincelantes les flancs aux poils acajou collés de
sueur séchée la croupe la queue puis de nouveau le paisible étang sur lequel la brise agitait avec un froissement
de papier les larges feuilles en forme de fer de lance, sa
voix tandis qu'il s'éloignait me parvenant encore une
fois (mais ce n'était plus à moi qu'il parlait il avait repris avec le petit sous-lieutenant sa bienséante conversation et je pus l'entendre légèrement ennuyée distinguée
nonchalante) disant :... vilaine affaire. Apparemment ils
se servent de ces chars comme..., puis il fut trop loin
j'avais oublié que ce genre de choses s'appelait simplement une « affaire » comme on dit « avoir une affaire »
pour « se battre en duel » délicat euphémisme formule
plus discrète plus élégante allons tant mieux rien n'était
encore perdu puisqu'on était toujours entre gens de
bonne compagnie dites ne dites pas, exemple ne dites
pas « l'escadron s'est fait massacrer dans une embuscade », mais « nous avons eu une chaude affaire à l'entrée du village de » puis la voix d'Iglésia et son visage de
Polichinelle en train de me regarder de son œil rond
avec son air offusqué impatient et vaguement réprobateur disant Alors tu montes oui ou non ? Depuis le
temps que je traîne ces deux carnes c'est pas une rigo-
lade je te jure mince ! je me mis en selle et les suivis je
dus trotter pour rattraper Iglésia puis je remis le cheval
au pas je pouvais maintenant le voir de dos avec ce petit

sous-lieutenant à côté de lui marchant tranquillement
les chevaux avançant avec cette formidable lenteur, cette
totale absence de hâte que l'on rencontre seulement chez
les êtres ou les choses (boxeurs, serpents, avions) capables de frapper, d'agir ou de se déplacer à une foudroyante vitesse, le ciel, les paisibles nuages cotonneux
continuant à glisser, dériver à une vitesse elle aussi à
peine perceptible en sens inverse (de sorte qu'entre les
graciles, médiévales et élégantes silhouettes qui n'en fi-
nissaient plus de s'acheminer vers l'endroit où, cham-
brière en main, le starter les attendait, et les nuages,
semblait se dérouler une de ces irritantes courses de
lenteur, démonstration où chacun aurait fait assaut de
majesté, insoucieux de cette fébrile et futile impatience
qui faisait bouillonner la foule : les pur-sang guindés,
délicats et fats, capables non pas d'atteindre mais de se
muer dans l'espace d'un clin d'œil en quelque chose
non pas lancé à une formidable vitesse mais qui serait
la vitesse elle-même, les lents nuages semblables à ces
orgueilleuses armadas apparemment posées immobiles
sur la mer et qui paraissent se déplacer comme par
bonds à une vitesse fantastique, l'œil lassé de leur apparente immobilité les abandonnant, les retrouvant un
moment plus tard, toujours apparemment immobiles, à
l'autre extrémité de l'horizon, parcourant ainsi de fabu-
leuses distances tandis que défilent sous eux, minuscules
et dérisoires, villes, collines, bois, et sous lesquelles, sans
qu'ils parussent jamais avoir bougé, toujours majestueux, boursouflés et impondérables, défileraient encore
d'autres villes, d'autres bois, d'autres dérisoires collines,
bien après que les chevaux, le public, auraient abandonné le champ de course, les tribunes, les vertes pelouses parsemées, souillées par les myriades de tickets
des paris perdus comme autant de minuscules cadavres
morts-nés de rêves et d'espoirs (soir de noces non pas
de la terre et du ciel mais de la terre et des hommes, la
laissant souillée par la persistance de ce résidu, de cette

espèce de pollution géante et fœtale de petits bouts de
papiers rageusement déchirés), bien après que le dernier
cheval aurait fait voler derrière lui la dernière motte ar-
rachée au gazon, serait reparti, plus entouré de domestiques, de soins, de précautions et d'égards pour ses nerfs
qu'une vedette de cinéma, et que l'écho des dernières et
furieuses clameurs serait retombé sur les gradins silencieux, livrés aux équipes de nettoyage, ne retentissant
plus que du crissement léger et prosaïque des coups de
balais), Corinne cessant de guigner ce qui se passait au
bout du tournant, frappant de nouveau rageusement du
pied, disant : « Vous ne pourriez pas arrêter une seconde
de regarder dans ce truc, non ? Vous m'entendez ? Il n'y
a rien à voir pour le moment. Ils vont au départ. Ils...
Es-ce que vous m'entendez, oui ? », et lui éloignant à
regret les lorgnettes de son visage, tournant vers elle ses
gros yeux de poisson, les paupières clignotant, les pu-
pilles troubles, un peu floues, dans l'effort qu'il faisait
pour accommoder à cette distance rapprochée, disant de
sa voix grêle, craintive, geignarde : « Vous... Vous n'au-
riez pas dû. Il... », sa voix ne finissant pas, mourant, en-
gloutie, submergée (au-dessus du tintement brutal et
lancinant de la cloche) par l'espèce de long soupir
s'exhalant de la foule délivrée, pâmée et vorace (non pas
à proprement parler un orgasme, mais en quelque sorte,
un pré-orgasme, quelque chose comme au moment où
l'homme pénètre la femme), tandis que, tout là-bas, on
pouvait voir maintenant une sorte de tache allongée et
bariolée se déplaçant très vite dans la verdure, à ras du
sol, les chevaux passés sans transition de leur nonchalante semi-immobilité au mouvement, le peloton filant
rapidement sur une ligne horizontale, sans à-coups,
comme s'il était monté sur fil de fer ou sur roulettes,
comme ces jeux d'enfants, tous les chevaux soudés ensemble en un seul bloc découpé dans un morceau de
carton ou de tôle coloriée que l'on aurait fait glisser
rapidement le long de la fente ménagée à cet effet dans

un paysage peint en trompe-l'œil et verni, les bustes des jockeys identiquement penchés en avant, les chevaux cachés jusqu'au ventre par les haies de bordure : puis ils débouchèrent au raccord des pistes et, un moment, on put voir les pattes des bêtes allant et venant rapidement, comme des compas s'ouvrant et se refermant, mais toujours sur ce même rythme mécanique, régulier et abstrait de jouet à ressort ; puis de nouveau, on ne vit plus, derrière le petit bois, que le passage haché par les troncs et les branches des casaques soyeuses pareilles à une poignée de confettis et qui semblaient — peut-être à cause de leur matière, de leurs éclatantes couleurs — rassembler, concentrer sur elles toute l'étincelante lumière de l'éclatant après-midi, la minuscule tache rose (et sous laquelle il y avait pourtant un buste d'homme, la chair, les muscles bandés, le tumultueux afflux du sang, les organes mamenés et forcés) en quatrième position :

« Parce qu'il savait tout de même monter. Faut dire ce qui est : il en connaissait un bout. Parce qu'il avait drôlement bien pris son départ », raconta plus tard Iglésia ; à présent ils se tenaient tous trois (Georges, Blum et lui : les deux jeunes gens et cet Italien (ou Espagnol) à la peau tannée et qui avait à lui seul presque autant d'années derrière lui que les deux premiers réunis, et sans doute aussi quelque chose comme dix fois leur expérience, ce qui devait faire à peu près trente fois celle de Georges parce que, en dépit du fait que lui et Blum fussent, eux, sensiblement du même âge, Blum possédait héréditairement une connaissance (l'intelligence avait dit Georges, mais ce n'était pas seulement cela : plus encore : l'expérience intime, atavique, passée au stade du réflexe, de la stupidité et de la méchanceté humaines) des choses qui valait bien trois fois celle qu'un jeune homme de bonne famille avait pu retirer de l'étude des auteurs classiques français, latins et grecs, plus dix jours de combat, ou plutôt de retraite, ou plutôt de chasse à courre où il — le jeune

homme de bonne famille — avait au pied levé et
d'une façon tout à fait improvisée tenu le rôle de gibier),
tous les trois donc, aussi différents par l'âge que par
l'origine amenés là pour ainsi dire des quatre points
cardinaux (« Il ne nous manque que le nègre, dit Georges. Comment est-ce déjà ? Sem, Cham, Japhet, mais il
aurait fallu un quatrième ; on aurait dû l'inviter : après
tout c'était plus difficile de dégoter cette farine et de
l'amener jusqu'ici que de se défaire d'une montre-brace-
let ! ») accroupis dans ce coin du camp pas encore construit, derrière des piles de briques et Iglésia en train de
faire cuire sur un feu quelque chose qu'ils avaient volé
ou troqué (cette fois une partie du contenu d'un sac de
farine que Georges avait obtenu en échange de sa montre — celle que lui avaient offerte ses deux vieilles tantes
Marie et Eugénie quand il avait été reçu à son premier
bachot — précisément à un noir, un Sénégalais de la
Coloniale — qui lui-même l'avait raflé Dieu sait où
(comme avait été raflé Dieu sait où et apporté jusque
dans le camp Dieu sait pourquoi — dans quel but ? probablement à tout hasard, pour le superstitieux plaisir de
rafler, posséder et conserver — tout ce qu'on pouvait y
trouver à vendre, à acheter ou à échanger, c'est-à-dire
à peu près n'importe quoi, l'assortiment entier — et
même plus — d'un grand magasin, rayons frivolités, an-
tiquités et alimentation compris : non seulement des
choses — comme le sac de farine — utiles ou à manger,
mais encore sans utilité et même encombrantes, et même
incongrues, comme des bas ou des culottes de femmes,
des livres de philosophie, des faux bijoux, des guides
touristiques, des photos obscènes, des ombrelles, des ra-
quettes de tennis, des traités d'agriculture, des magné-
tos, des oignons de fleurs, des accordéons, des cages à
oiseaux — quelquefois avec l'oiseau dedans —, des
tours Eiffel en bronze, des pendules, des préservatifs,
sans parler bien entendu des milliers de montres, chro-
nomètres, portefeuilles en veau, crocodile ou vulgaire

cuir de vache qui constituaient la monnaie courante de
cet univers, objets, reliques, butins péniblement coltinés
pendant des kilomètres par des hordes d'hommes épui-
sés et affamés, et cachés, soustraits aux fouilles, conservés malgré interdits et menaces, ressurgissant, réapparaissant incoerciblement pour des marchés furtifs, clan-
destins, fiévreux et âpres dont la raison n'était le plus
souvent pas tant d'acquérir que d'avoir quelque chose
à vendre ou à acheter), ce qui, étant donné la valeur de
la montre, mettait la galette (car c'était cela qu'Iglésia
confectionnait, versant sur un bout de tôle rouillée la
pâte faite d'eau, de farine et d'un peu de cette margarine de charbon que les prisonniers se voyaient distri-
buer en minces lamelles), ce qui mettait donc la portion
de galette à un prix qu'aucun tenancier de restaurant de
luxe n'aurait osé demander pour une portion de caviar)
donc tous les trois là (l'un accroupi, les deux autres faisant le guet), semblables à trois vagabonds faméliques
dans un de ces terrains vagues que l'on trouve aux ap-
proches des villes, et plus rien de soldats (ou plutôt revêtus de ces dérisoires défroques qui sont le lot des guerriers défaits, et pas même les leurs mais, comme si le
vainqueur facétieux avait encore voulu s'amuser à leurs
dépens, les enfoncer plus avant dans leur condition de
vaincus, d'épaves, de rebuts (mais sans doute n'était-ce
pas même cela : seulement le logique aboutissement
d'ordres, de dispositions peut-être rationnelles à l'origine, et démentielles au stade de l'exécution, comme
chaque fois qu'un mécanisme d'exécution suffisamment
rigide, comme l'armée, ou rapide, comme les révolutions, renvoie à l'homme sans ces retouches, cet assou-
plissement qu'apporte soit une application infidèle,
soit le temps, le reflet exact de sa pensée nue), revêtus
tous trois donc, à la place de leurs manteaux de cavaliers qu'on leur avait retirés, de capotes de soldats tchèques ou polonais reçues en échange (soldats peut-être
morts, ou peut-être — les capotes — butin de guerre,

saisies en stocks, intouchées, dans les magasins d'inten-
dance de Varsovie ou de Prague), et naturellement hors
mesures, celle de Georges avec des manches qui lui arrivaient tout juste au-dessous du coude et Iglésia, plus
épouvantail à moineaux, plus Polichinelle que jamais,
nageant (son léger squelette de jockey disparaissant)
dans une immense capote dont le nez de carnaval et
l'extrémité des doigts émergeaient seuls :) trois fantômes, trois ombres grotesques et irréelles, avec leurs visages décharnés, leurs yeux brûlant de faim, leurs crânes ras, leurs vêtements dérisoires, penchés au-dessus
d'un maigre feu clandestin dans ce fantomatique décor
que dessinaient les baraques alignées sur la plaine sa-
blonneuse, avec çà et là, à l'horizon, des bouquets de
pins et un soleil rougeâtre immobile, et d'autres exsangues silhouettes errant, s'approchant, tournant haineu-
sement (honteusement) autour d'eux avec des regards
envieux, affamés et fiévreux de loups (et eux aussi uniformément revêtus de ces défroques, couleur de bile, de
boue, comme une sorte de moisissure, comme si une
espèce de pourriture les recouvrait, les rongeait, les at-
taquait encore debout, d'abord par leurs vêtements, gagnant insidieusement : comme la couleur même de la
guerre, de la terre, s'emparant d'eux peu à peu, eux,
leurs visages terreux, leurs loques terreuses, leurs yeux
terreux aussi, de cette teinte sale, indistincte qui semblait les assimiler déjà à cette argile, cette boue, cette
poussière dont ils étaient sortis et à laquelle, errants,
honteux, hébétés et tristes, ils retournaient chaque jour
un peu plus), et même pas des loups, c'est-à-dire affamés, et efflanqués, et hargneux, menaçants, mais affli-
gés de cette faiblesse que ne connaissent pas les loups,
mais seulement les hommes, c'est-à-dire la raison,
c'est-à-dire, au contraire de ce qui se fût passé s'ils eussent été de véritables loups, empêchés d'attaquer par la
conscience de ce qui eût encouragé des loups à attaquer
(leur nombre), découragés à l'avance par le calcul de ce

qu'eussent représenté les quelques maigres galettes
qu'ils convoitaient une fois partagées entre mille, restant donc là, se contentant de rôder, avec ces lueurs de
meurtre dans leurs yeux, — et à un moment une brique vola, heurta l'épaule d'Iglésia et renversa la tôle,
et la pâte à demi-cuite se répandit sur le feu, et Georges
lança la brique qu'il tenait lui aussi toute prête dans la
direction du type qui s'enfuyait (et sans doute n'était-ce
même pas velléité de meurtre ou d'agression, mais désespoir, et cet insupportable rat de la faim rongeant, ins-
tallé dans le ventre, et le geste alors — la brique lan-
cée — incontrôlé, incontrôlable, et aussitôt la misérable
fuite, et non pas devant la riposte, la peur, mais devant
sa propre honte, sa propre déchéance), Iglésia recueil-
lant tant bien que mal la pâte, replaçant la plaque de
tôle, et remettant la galette à cuire, et dedans il y avait
maintenant des fragments noirs et charbonneux qu'ils
essayèrent ensuite de retirer, mais il en resta encore, et
quand ils la mangèrent cela craquait sous leurs dents avec
un goût indéfinissable et les faisait cracher, mais ils
mangèrent tout quand même, jusqu'à la dernière
miette, assis comme des singes sur leurs talons, se brûlant les doigts pour détacher les galettes de la poêle
— ou plutôt du morceau de tôle rouillée et déchiquetée
qui en tenait lieu —, Iglésia (maintenant il était lancé,
parlait sans s'arrêter, lentement, mais d'une façon continue, patiente, et, semblait-t-il, comme pour lui-même,
non pour eux, ses gros yeux fixés sur le vide, droit devant lui, emplis de cette même expression, à la fois
étonnée, grave et admirative) disant entre deux bou-
chées : « Et avec les deux ou trois macaques qui mon-
taient dans cette course et qui l'avaient repéré ça n'avait
pas dû être facile, je te le dis, parce qu'un type qui
monte en gentleman dans une course avec des jockeys
il peut s'attendre à ce qu'ils lui fassent pas de cadeau.
Seulement il s'était drôlement bien démerdé : il était
maintenant en quatrième position, et tout ce qu'il avait

à faire pour le moment c'était de la tenir là, et il devait
en avoir plein les bras, je te le dis, parce que cette bête-
là, qu'est-ce qu'elle pouvait tirer, la garce... »

Ils apparurent enfin après le dernier arbre, toujours
dans le même ordre, la tache, la pastille rose toujours
en même position tandis qu'ils entamaient la dernière
partie du tournant, le peloton se muant peu à peu en
une masse confuse (les derniers semblant rattraper les
premiers) qui, tout au fond de la ligne droite, ne fut plus
qu'une houle, un moutonnement de têtes montant et
descendant sur place, les chevaux agglomérés en paquet
paraissant un moment ne plus avancer (simplement les
toques des jockeys montant et descendant) jusqu'à ce
que soudain le premier cheval non pas franchît mais
crevât la haie, c'est-à-dire que brusquement il fut là, les
deux pattes de devant projetées devant lui, raides, jointes ou plutôt l'une d'elles légèrement en avant de l'autre, les deux sabots pas tout à fait à la même hauteur, le
cheval engagé jusqu'à mi-corps entre les fagots bruns
qui surmontaient la barrière, reposant apparemment sur
le ventre comme en équilibre, une fraction de seconde
immobile, aurait-on dit, jusqu'à ce qu'il basculât en
avant tandis qu'un second, puis un troisième, puis plusieurs ensemble, tous figés successivement en équilibre,
dans cette position de cheval à bascule, apparaissent,
s'immobilisent, s'inclinent en avant, retrouvant le mouvement en même temps que le contact avec la terre, le
peloton galopant maintenant, de nouveau soudé, vers les
tribunes, grossissant, franchissant l'obstacle suivant,
puis ce fut là : l'espèce de tonnerre silencieux, la sourde
trépidation du sol sous les sabots, les mottes de gazon
volant loin derrière, les soyeuses casaques froissées cla-
quant dans le vent de la course et les bustes des jockeys
penchés sur l'encolure, non pas immobiles comme ils
paraissaient dans la ligne opposée, mais oscillant légèrement d'avant en arrière au rythme des foulées, avec
leurs identiques bouches ouvertes cherchant l'air, leur

identique aspect de poissons hors de l'eau, à demi asphyxiés, passant devant les tribunes entourés ou plutôt
enveloppés par cette attentive chape de vertigineux silence qui semblait les isoler (les quelques cris fusant de
la foule paraissant — et non pas aux oreilles des jockeys
mais à celles des spectateurs eux-mêmes — parvenir de
très loin, futiles, vains, incongrus et aussi faibles que des
bégaiements inarticulés de petits enfants), les accompa-
gner, laissant derrière eux, bien après leur passage, comme
un persistant sillage de silence à l'intérieur duquel le martèlement des sabots allait diminuant, s'amenuisant, seulement crevé, sporadiquement, par le claquement sec
(comme le bruit d'une branche cassée) d'un coup de cravache, de minuscules détonations s'éloignant elles aussi,
décroissant, le dernier cheval franchissant la haie vive
couronnant la légère montée, exactement comme un lapin, l'image de son arrière-train en position de ruade
restant un moment sur la rétine, immobilisée, et disparaissant enfin, jockeys et bêtes maintenant invisibles,
redescendant la pente de l'autre côté de la haie, comme
si tout cela n'avait pas existé, comme si la fulgurante apparition de la douzaine de bêtes et de leurs cavaliers
s'était brusquement escamotée, laissant seulement derrière elle, à la façon de ces nuages de fumée dans lesquels s'évanouissent lutins et enchanteurs, une sorte de
banc de brume roussâtre, de poussière en suspension
stagnant immédiatement devant la haie, à l'endroit où
les chevaux avaient pris leur battue, s'éclaircissant, se
diluant, s'affalant lentement dans la lumière de l'après-
midi déclinant, et Iglésia tournant vers Corinne ce masque de carnaval, à la fois terrible et pitoyable, mais,
pour le moment empreint d'une sorte de puérile excita-
tion, d'enfantin ravissement, disant : « Vous avez vu ?
Il... J'avais bien dit qu'elle... que ça irait tout seul, qu'il
n'y avait qu'à... », Corinne le regardant sans répondre
avec toujours cette espèce de fureur, de rage silencieuse,
glacée, Iglésia bégayant, s'embrouillant, disant : « Il va,

elle va... Vous... », puis finissant par se taire, Corinne
continuant un moment encore à le dévisager, toujours
sans rien dire, avec ce même implacable mépris, et à la
fin haussant brusquement les épaules, ses deux seins
bougeant, frémissants, sous le léger tissu de la robe,
toute sa jeune, dure et insolente chair exhalant quelque
chose d'impitoyable, de violent et aussi d'enfantin,
c'est-à-dire cette totale absence de sens moral ou de charité dont sont seulement capables les enfants, cette candide cruauté inhérente à la nature même de l'enfance
(l'orgueilleux, l'impétueux et irrépressible bouillonnement de la vie), disant froidement : « S'il est aussi capable de la faire gagner que vous, je me demande pourquoi on vous paie ? », tous les deux se dévisageant (elle
dans ce symbole de robe qui la laissait aux trois quarts
nue, lui dans cette vieille veste maculée qui s'accordait
à peu près aussi bien à l'étincelante casaque de soie
qu'elle laissait voir que le visage souffreteux et tavelé
de petite vérole qui la surmontait, l'air (interdit, ahuri)
à peu près comme si elle lui avait envoyé son poing, ou
son sac, ou les jumelles dans l'estomac) pendant un
temps peut-être de l'ordre de la fraction de seconde, et
non pas interminable comme il le crut, le raconta plus
tard, racontant que ce qui les réveilla, les arracha tous
deux à leur mutuelle fascination, ce furieux et muet af-
frontement ce ne fut pas un cri — ou mille cris —, ou
une exclamation — ou mille —, mais comme une rumeur, un soupir, un bruissement, quelque chose d'insolite courant, s'élevant pour ainsi dire de la surface de la
foule, et quand ils regardèrent, ils virent la tache rose
non plus en troisième mais en septième position à peu
près, le peloton qui venait de franchir la butte non plus
soudé mais s'étirant maintenant sur une vingtaine de
mètres s'engageant sur la diagonale de la piste, Corinne disait : « Je l'avais dit. J'en étais sûre. L'idiot.
L'espèce de crétin d'idiot. Et vous... », mais Iglésia
n'écoutant plus, en train de regarder dans ses jumelles

l'impassible visage ruisselant de de Reixach seulement
agité de brefs soubresauts chaque fois que le bras qui tenait la cravache se détendait, la pouliche allongeant sa
foulée, remontant un à un, à longs coups de reins, les
chevaux qui l'avaient dépassée, si bien qu'elle se trouva
de nouveau à peu près en troisième position lorsqu'ils
abordèrent la rivière, l'alezane, la longue et claire coulée de bronze, semblant alors s'allonger encore, s'étirer,
aérienne, s'arrachant, aurait-on dit, non du sol mais à la
pesanteur elle-même car elle ne parut pas retomber mais
simplement continuer, légèrement au-dessus de terre, en
deuxième position maintenant, tandis qu'ils traversaient
le croisement, sa tache claire ondoyant horizontalement,
de Reixach cessant de cravacher, Corinne répétant :
« L'idiot, l'idiot, l'idiot... », jusqu'à ce que sans quitter
ses jumelles Iglésia dise brutalement : « Mais taisez-
vous donc, bon sang ! Est-ce que vous allez vous taire,
oui ? », Corinne restant la bouche ouverte, stupide, tandis que sur leur gauche le peloton s'éloignait maintenant
dans le poudroiement doré du contre-jour sous l'immua-
ble archipel des nuages suspendus, ou peut-être tout
simplement peints, dans le ciel, les chevaux à présent
nettement scindés en deux groupes : d'abord quatre,
puis un espace d'une quinzaine de mètres, puis le second groupe composé d'une masse assez compacte tirant
derrière elle comme une traîne, les attardés s'égrenant,
de plus en plus espacés jusqu'au dernier, très loin, que
son jockey cravachait à chaque foulée, le groupe de tête
obliquant à droite, disparaissant de nouveau derrière le
petit bois, les casaques multicolores apparaissant et
disparaissant entre les arbres comme un moment plus
tôt, mais en sens inverse, c'est-à-dire de gauche à droite,
en même temps que sur la pelouse la foule se détachait
(d'abord un point noir, puis deux, puis trois, puis dix,
puis par grappes entières) de la barrière le long de laquelle le peloton venait de passer, courant (les taches
semblables à des mouches, à une poignée de billes)

dans le même sens que les chevaux, pour aller s'agglu-
tiner le long de la piste transversale, la casaque rose
réapparaissant cette fois la première, mais à peu près
collée à celle du jockey suivant, de Reixach faisant
l'extérieur, débordant, déporté sur sa gauche au moment
où les deux chevaux, presque de front, se rabattaient,
abordaient la ligne droite, de sorte qu'il se trouva à peu
près au milieu de la piste et seul, devançant légèrement
le second cheval, les deux autres à environ cinq mètres
derrière, tous les quatre se dirigeant vers le bull-finch
d'un galop maintenant moins coulé, plus saccadé, si
bien que tout d'abord il sembla que l'alezane cédait
seulement à la fatigue, raccourcissant seulement un peu
sa foulée, Iglésia ne s'y trompant pas, serrant désespérément les énormes jumelles collées sur ses yeux, tandis qu'elle continuait à galoper non plus droit sur l'obstacle, mais en diagonale, de Reixach accroché de toutes ses forces à la rêne opposée et cravachant, réussissant à la ramener sur la gauche, la pouliche ralentissant
encore, semblant, pour ainsi dire, se recroqueviller sous
lui et sautant l'énorme obstacle (car il y parvint, réussit à lui imposer sa volonté), non pas comme elle avait
franchi la rivière, mais pratiquement arrêtée, s'enlevant des quatre membres à la fois, en chandelle, et retombant si durement que de Reixach s'affaissa presque
sur l'encolure en même temps qu'il la cinglait d'un terrible coup de cravache et qu'elle bondissait de nouveau,
à deux mètres maintenant derrière les deux chevaux
qui la suivaient avant d'aborder le bull-finch, Corinne
et Iglésia pouvant voir le bras armé de la cravache
s'abattre inlassablement, leurs oreilles bourdonnantes,
emplies par la clameur déçue, sauvage, de la foule, et
encore une fois les quatre chevaux sautèrent, franchi-
rent la dernière haie, de Reixach talonnant maintenant
le troisième cheval, puis il n'y eut plus rien devant eux
que l'immense et luxuriant tapis vert sur lequel ils
semblaient (jockeys et chevaux) minuscules et dérisoi-

res, comme disloqués, s'agitant frénétiquement, désunis,
oscillant au ralenti d'avant en arrière d'une façon saccadée, pathétiques, risibles, les quatre chevaux exténués,
creusant les reins, les quatre cavaliers aux visages de
poissons noyés, la bouche ouverte cherchant l'air, aux
trois quarts asphyxiés maintenant, les cris de la foule
les entourant comme d'une matière solide, épaisse, à
travers laquelle ils auraient en vain essayé de progresser (l'impression de sur-place qu'ils donnaient encore
accentuée par l'effet des jumelles écrasant la perspective) comme à travers une invisible et hostile nappe de
passion aussi dense que de l'eau — ou du vide —, puis
le cri cessa, mourut, et, laissant retomber ses jumelles,
Iglésia se rendit compte qu'elle n'était plus là, découvrant l'agressive robe rouge bien au-dessous de lui déjà
en bas des gradins, dégringolant alors quatre à quatre
les marches, courant, la rattrapant, elle tournant alors
la tête sans cesser de marcher (Iglésia pensant très vite :
« Mais où va-t-elle, qu'est-ce qu'elle veut ? »), le regardant, à peu près comme s'il eût été une mouche, ou
même rien du tout, puis cessant de le regarder, et lui :
« Il a tout de même fait second, il a tout de même
trouvé moyen de remonter les deux... », et elle ne répondant pas, ne paraissant même pas l'entendre, et lui
trottinant toujours à côté d'elle sur ses courtes pattes,
disant : « Elle a fini très fort, vous avez vu, elle... », et
elle marchant toujours : « Second ! Très bien. Bravo.
Second ! Quand il aurait dû gagner de dix longueurs.
Vous trouvez que c'est... », puis s'arrêtant brusquement,
se retournant vers lui d'un mouvement si soudain, si
imprévisible qu'il faillit se cogner à elle, criant maintenant (quoiqu'elle n'élevât pas la voix, mais, dit-il,
c'était bien pire que si elle avait hurlé à tue-tête) :
« Est-ce que vous l'avez jouée placée ou gagnante, di-
tes-le moi ? Mais est-ce que vous l'avez seulement
jouée ? », puis, avant même qu'il ait eu le temps d'ouvrir la bouche, criant encore, sur ce registre à peine au-

dible qui était pire que les pires éclats de voix : « Non,
je ne vous demande pas à les voir ! Je vous ai dit que
je ne vous demanderais même pas de me les montrer,
que si vous préfériez vous pouviez garder l'argent pour
vous... Comme pourboire, comme... », et à ce moment,
dit-il, il s'aperçut avec une espèce de stupeur qu'elle
pleurait, « Peut-être tout simplement de rage, raconta-
t-il plus tard, peut-être seulement de rogne, peut-être
d'autre chose. Est-ce qu'on peut jamais savoir avec les
gonzesses ? Mais en tout cas elle pleurait, elle ne pouvait même pas s'en empêcher. Au milieu de tous ces
gens... », et il raconta qu'ils se tenaient là tous les
deux l'un en face de l'autre, immobiles, parmi la foule
refluant lentement, elle répétant Non je vous dis que
non vous entendez non je ne veux pas je ne veux pas
les voir je veux seulement que vous me le disiez rien
que pour vous l'entendre dire je... puis disant : « Mon
Dieu, Oh mon Dieu, vous l'avez quand même, vous...
vous avez... », regardant stupidement la poignée de tickets qu'il sortait sans hâte de sa poche, lui tendait, elle
se gardant bien de les prendre, comme si ç'avait été du
feu ou quelque chose comme ça, Iglésia se tenant un
moment ainsi, le bras tendu, puis toujours sans hâte,
sans cesser de la regarder, ramenant son bras, ses deux
mains se rejoignant, les doigts déchirant paisiblement
la liasse de tickets et non pas les jetant rageusement
par terre, mais les laissant simplement tomber entre
eux, entre les vieilles bottes craquelées et aussi minces,
semblait-il, à force d'avoir été cirées, que du papier à
cigarettes et les tendres pieds couleur d'abricot, aux ongles sanglants et ces incroyables chaussures qui avaient
l'air d'une gageure, d'un pari né dans l'esprit d'un bot-
tier fou qui aurait juré de réussir à faire se tenir debout et marcher une femme (c'est-à-dire, tout de même,
un être humain, un plantigrade) en équilibre sur (car
on ne pouvait tout de même pas dire dans) quelque
chose d'aussi fait pour la marche que des accessoires

d'acrobate : un défi, non seulement à l'équilibre, au bon sens, mais encore aux simples lois économiques, une marchandise dont la valeur serait inversement proportionnelle à la quantité de matière employée, comme si la règle du jeu avait été de vendre à un prix maximum un minimum de cuir, et...

Et Blum : « Parce que tu veux dire que tu l'avais jouée gagnante ? Bon sang ! Que tu avais mis tout cet argent gagnant ou rien sur un type qui... »

Et Iglésia, toujours de cette même voix douce, réfléchie, obstinée : « Pas sur lui. Sur elle. C'te bête-là... Et puis il montait pas si mal. Seulement il était trop nerveux, et elle l'a senti. Les gailles c'est des drôles d'outils. Ça devine les choses. S'il avait pas été nerveux comme ça il aurait fait gagnant sans même ,avoir besoin de se servir de son bâton. »

Et Blum : « Et alors c'est pour ça qu'ensuite elle n'a plus voulu que du tien ? Zut alors. Tu n'as pourtant pas tout à fait une tête de jeune premier ! » Et Iglésia ne répondant pas en train maintenant d'écraser avec soin les dernières braises du feu et les recouvrant de terre plus que jamais l'air (dans cette burlesque défroque, cette capote démesurée couleur de terre, de bile, dont sortaient ses mains minuscules et son bilieux, terreux visage aquilin) de quelque personnage guignolesque disant : « Ces putains de Frisés s'ils s'aperçoivent qu'on fait notre tambouille ici, ça va va encore chier... Et demain au départ il faudra tâcher de se mettre en tête et de faire vinaigre quand on arrivera à la baraque aux outils parce que les premiers ils s'arrangent pour prendre toutes les pelles et quand toi tu t'amènes il reste plus que les pioches et alors t'en as pour la journée à te casser les bras tandis qu'avec une pelle t'es drôlement peinard parce que t'as juste qu'à faire semblant de te remuer sans même avoir besoin de rien prendre avec parce que tout ce qu'il faut c'est que tu bouges alors si tu es chaque fois obligé de soulever une de ces pioches au lieu de... »

Et Blum : « Et alors... » (mais cette fois Iglésia n'était
plus là : tout l'été ils le passèrent une pioche (ou, quand
ils avaient de la chance, une pelle) en main à des tra-
vaux de terrassement puis au début de l'automne, ils
furent envoyés dans une ferme arracher les pommes de
terre et les betteraves, puis Georges essaya de s'évader,
fut repris (par hasard, et non par des soldats ou des
gendarmes envoyés à sa recherche mais — c'était un
dimanche matin — dans un bois où il avait dormi, par
de paisibles chasseurs), puis il fut ramené au camp et
mis en cellule, puis Blum se fit porter malade et rentra
lui aussi au camp, et ils y restèrent tous les deux, travail-
lant pendant les mois d'hiver à décharger des wagons de
charbon, maniant les larges fourches, se relevant lorsque
la sentinelle s'éloignait, minables et grotesques silhouettes, avec leurs calots rabattus sur leurs oreilles, le col de
leurs capotes relevé, tournant le dos au vent de pluie ou
de neige et soufflant dans leurs doigts tandis qu'ils essayaient de se transporter par procuration (c'est-à-dire
au moyen de leur imagination, c'est-à-dire en rassem-
blant et combinant tout ce qu'ils pouvaient trouver dans
leur mémoire en fait de connaissances vues, entendues
ou lues, de façon — là, au milieu des rails mouillés et
luisants, des wagons noirs, des pins détrempés et noirs,
dans la froide et blafarde journée d'un hiver saxon — à
faire surgir les images chatoyantes et lumineuses au
moyen de l'éphémère, l'incantatoire magie du langage,
des mots inventés dans l'espoir de rendre comestible
— comme ces pâtes vaguement sucrées sous lesquelles
on dissimule aux enfants les médicaments amers — l'innommable réalité) dans cet univers futile, mystérieux et
violent dans lequel, à défaut de leur corps, se mou-
vaient leur esprit : quelque chose peut-être sans plus de
réalité qu'un songe, que les paroles sorties de leurs
lèvres : des sons, du bruit pour conjurer le froid, les
rails, le ciel livide, les sombres pins :) « Et alors il — je
veux dire de Reixach... (et Georges : « Reichac » et

Blum : « Quoi ? Ah oui... ») ... a voulu lui aussi monter
cette alezane, c'est-à-dire la mater, sans doute parce
qu'à force de voir un vulgaire jockey la faire gagner il
pensait que la monter c'était la mater, parce que sans
doute pensait-il aussi qu'elle... (cette fois je parle de
l'alezane-femme, la blonde femelle qu'il n'avait pu ou
qu'il n'avait su, et qui n'avait d'yeux — et vraisemblablement autre chose aussi que les yeux — que pour
ce...) Bref : peut-être a-t-il pensé qu'il ferait alors, si
l'on peut dire, d'une pierre deux coups, et que s'il parvenait à monter l'une il materait l'autre, ou vice-versa,
c'est-à-dire que s'il matait l'une il monterait l'autre aussi
victorieusement, c'est-à-dire qu'il l'amènerait elle aussi
au poteau, c'est-à-dire que son poteau à lui l'amènerait
victorieusement là où il n'avait sans doute jamais réussi
à la conduire, lui ferait passer le goût ou l'envie d'un
autre poteau (est-ce que je m'exprime bien ?) ou si tu
préfères d'un autre bâton, c'est-à-dire que s'il réussissait à se servir de son bâton aussi bien que ce jockey
qui... », et Georges : « Mais arrête ! Arrête ! Est-ce que
tu vas continuer comme ça jusqu'à... », et Blum : « Très
bien, excuse-moi. Je croyais que ça t'amusait : tu es là à
ressasser, à supposer, à broder, à inventer des histoires,
des contes de fées là où je parie que personne excepté
toi n'a jamais vu qu'une vulgaire histoire de cul entre
une putain et deux imbéciles, et encore quand je dis... »,
et Georges : « Une putain et deux imbéciles, et nous ici
à peu près semblables à des macchabées, et à peu près
aussi dépourvus de tout que des macchabées, et peut-
être demain tout à fait des macchabées pour peu qu'un
seul de ces poux qui nous grouillent dessus trimballe le
typhus ou qu'il prenne l'envie à un général d'envoyer
bombarder cette gare, et alors que puis-je, que pouvons-
nous faire, que puis-je avoir d'autre que... », et Blum :
« Très bien, très bien, très beau discours. Bravo. Donc
continuons. Donc il — je parle toujours de de
Reixach — a... », et Georges : « Reichac : x comme

ch, ch comme k. Bon Dieu, depuis le temps tu... », et
Blum : « Bon, bon : de Reichac. Très bien. Si tu tiens à
être aussi assommant qu'Iglésia... », et Georges : « Je
ne... », et Blum : « Mais tu ne portais pourtant pas sa livrée ? Tu n'étais pas à son service, toi ? Il ne t'a jamais
payé pour rappeler à l'ordre les gens qui écorchaient son
nom ? A moins que tu t'estimes aussi lésé, offensé ? Que
par déférence pour vos communs géniteurs, pour le souvenir de cet autre cocu qui... », et Georges : « Cocu ? »,
et Blum : « ... s'est théâtralement tiré une balle de revolver dans... », et Georges : « Pas revolver : pistolet. On
n'avait pas encore inventé le revolver à cette époque.
Mais cocu ?... », et Blum : « Bon : pistolet. Ce qui
n'enlève d'ailleurs rien au théâtral, au pittoresque de la
mise en scène : car n'as-tu pas dit qu'il avait convoqué
un peintre pour la circonstance ? Afin de perpétuer à
l'usage de sa postérité, et en particulier alimenter la
conversation de madame ta mère quand elle recev... »,
et Georges : « Un peintre ? Quel peintre ? Je t'ai dit que
le seul portrait qui existe de lui avait été fait bien avant
que... », et Blum : « Je sais. Et complété, ensanglanté
plus tard par le temps, la dégradation, l'érosion des
jours, comme si la balle qui a traversé sa tête et dont tu
as passé ton enfance à chercher la trace sur les murs
avait été ensuite frapper le visage peint et éternellement
serein, je sais : et puis il y a aussi cette gravure... », et
Georges : « Mais... », et Blum : « ... représentant la
scène et que tu interprètes à la façon de ta mère c'est-à-
dire selon la version la plus flatteuse pour votre amour-
propre familial, sans doute en vertu de cette loi qui veut
que l'Histoire... », et Georges (à moins que ce ne fût toujours Blum, s'interrompant lui-même, bouffonnant, à
moins qu'il (Georges) ne fût pas en train de dialoguer
sous la froide pluie saxonne avec un petit juif souffreteux — ou l'ombre d'un petit juif, et qui n'allait bientôt
plus être qu'un cadavre — un de plus — de petit juif —

mais avec lui-même, c'est-à-dire son double, tout seul
sous la pluie grise, parmi les rails, les wagons de charbon, ou peut-être des années plus tard, toujours seul
(quoiqu'il fût maintenant couché à côté d'une tiède
chair de femme), toujours en tête-à-tête avec ce double,
ou avec Blum, ou avec personne) : « Nous y voilà :
l'Histoire. Ça fait un moment que je pensais que ça allait
venir. J'attendais le mot. C'est bien rare qu'il ne fasse
pas son apparition à un moment ou un autre. Comme la
Providence dans le sermon d'un père dominicain.
Comme l'Immaculée Conception : scintillante et exal-
tante vision traditionnellement réservée aux cœurs simples et aux esprits forts, bonne conscience du dénoncia-
teur et du philosophe, l'inusable fable — ou farce —
grâce à quoi le bourreau se sent une vocation de sœur
de charité et le supplicié la joyeuse, gamine et boy-scou-
tesque allégresse des premiers chrétiens, tortionnaires
et martyrs réconciliés se vautrant de concert dans une
débauche larmoyante que l'on pourrait appeler le va-
cuum-cleaner ou plutôt le tout-à-l'égout de l'intelligence alimentant sans trêve ce formidable amoncelle-
ment d'ordures, cette décharge publique où figurent en
bonne place, au même titre que les képis à feuilles de
chêne et les menottes des policiers, les robes de chambre,
les pipes et les pantoufles de nos penseurs mais sur le
faîte duquel le gorillus sapiens espère néanmoins atteindre un jour une altitude qui interdira à son âme de le
suivre, de sorte qu'il pourra enfin savourer un bonheur
garanti imputrescible, grâce à la production en grande
série de frigidaires, d'automobiles et de postes radio.
Mais continue : après tout il n'est pas défendu de se figurer que l'air expulsé par les boyaux remplis de bonne
bière allemande qui fermente à l'intérieur de cette sentinelle fait entendre dans le concert général un menuet
de Mozart... », et Blum (ou Georges) : « C'est fini ? »,
et Georges (ou Blum) : « Je pourrais continuer », et
Blum (ou Georges) : « Alors continue », et Georges (ou

Blum) : « Mais je dois également apporter ma contribu-
tion, participer, ajouter au tas, l'augmenter de quelques-
unes de ces briquettes de charbon... », et Blum : « Bien.
Donc cette loi qui veut que l'Histoire... », et Georges :
« Mange ! », et Blum : « ... que l'Histoire (ou si tu préfères : la sottise, le courage, l'orgueil, la souffrance) ne
laisse derrière elle qu'un résidu abusivement confisqué,
désinfecté et enfin comestible, à l'usage des manuels sco-
laires agréés et des familles à pedigree... Mais en réalité
que sais-tu ? Quoi d'autre que le caquetage d'une femme
peut-être plus soucieuse de protéger la réputation d'une
de ses semblables que de fourbir — c'est un travail en
général réservé aux domestiques comme Iglésia — un
blason et un nom quelque peu ternis et que... », et
Georges : « Oh ! Est-ce que tu crois que ce tas de charbon va se mettre à marcher tout seul si on ne fait pas au
moins semblant de faire semblant de l'aider pour que ce
paquet de tripes mozartiennes qui là-bas commence à
nous regarder de travers ne se mette pas... », et Blum :
« ... de sorte que ce pathétique et noble suicide pourrait
bien ne... Oui : voilà, voilà ! » (la malingre et bouffonnante silhouette se mettant en mouvement, se démenant,
s'arc-boutant, agitée de brèves secousses, jusqu'à ce
qu'elle ait réussi à charger la fourche de quatre ou cinq
briquettes détrempées, puis la fourche décrivant un rapide arc de cercle, les briquettes un moment en l'air,
sans pesanteur, tournoyant lentement sur elles-mêmes
puis retombant avec un bruit sourd sur le plateau du camion, puis la fourche de nouveau verticale, les dents en
bas, les deux mains de Blum réunies en haut du manche
et son menton appuyé dessus de sorte que quand il parle
de nouveau ce n'est pas sa mâchoire inférieure
— fixe — mais toute sa tête qui s'élève et s'abaisse légèrement dans un mouvement de sentencieuse approbation à chaque parole :) « ... Parce que tu prétends que
cette femme à moitié nue entrevue dans l'entrebâille-
ment de la porte, le sein et le visage éclairés d'en dessous

par une bougie, si bien qu'elle ressemble à une de ces
Marianne de plâtre des salles d'école ou de mairie où la
poussière que nul plumeau ne vient jamais déranger
s'accumule en couches grises sur toutes les saillies, in-
versant ainsi le relief ou plutôt la lumière et même
l'expression puisque, les globes des yeux se trouvant
ainsi ombrés, noircis dans leur partie supérieure, elles
semblent éternellement diriger leur regard aveugle vers
le ciel, — tu prétends donc que cette femme serait
une servante accourue derrière celui que tu baptises le
valet ou le domestique réveillé par le coup de feu, et
qui n'est peut-être que son amant, — non de la servante
car ce n'en est pas une mais bien la femme, l'épouse,
c'est-à-dire votre commune arrière-arrière-arrière
grand-mère, l'homme — l'amant — appartenant d'ailleurs peut-être en effet à l'espèce domestique comme tu
le prétends, pour peu qu'elle ait aussi partagé en matière sexuelle ces goûts plébéiens ou plutôt chevalins, je
veux dire les mêmes dispositions pour l'équitation, je
veux dire la même tendance à choisir ses amants du
côté des écuries... », et Georges : « Mais... », et Blum :
« Ne m'as-tu d'ailleurs pas raconté qu'il existait, en
pendant à l'autre portrait ensanglanté, une peinture
exécutée à la même époque et la représentant dans une
tenue non de chasseresse en accord avec celle de son
mari mais empreinte (la robe, la pose, l'allure, la façon
de dévisager hardiment le peintre qui reproduit ses
traits et, plus tard, celui qui les interroge) d'une sorte
d'insolence, de défi, de violence réfrénée (d'autant
qu'elle tient à la main quelque chose de bien plus redou-
table qu'une arme, qu'un simple fusil de chasse : un
masque, une de ces figures de carnaval vénitien à la fois
grotesques et terrifiantes, pourvues d'un loup noir et
d'un nez démesuré qui donnait aux gens l'aspect de
monstrueux oiseaux encore accentué par ces capes dont
les pans battaient autour d'eux ou, au repos, les envelop-
paient comme des ailes repliées), et dépassant dans

l'ouverture du corsage quelque chose d'impalpable, une
mousse, les replis d'une dentelle délicate et compliquée
s'échappant comme si c'était le parfum même de sa
chair, de sa gorge cachée plus bas dans la soyeuse obscurité, s'exhalant, la secrète haleine de fleur de sa chair
se... », et tout à coup la voix changée, discordante, deux
tons plus haut, éclatant, disant : « Donc cette Déja-
nire... », et Georges : « Virginie », et Blum : « Quoi ? »,
et Georges : « S'appelait Virginie ». Et Blum : « Beau
nom pour une putain. Donc cette virginale Virginie
haletante et nue, ou plus que nue, c'est-à-dire vêtue — ou
plutôt dévêtue — d'une de ces chemises qui n'ont sans
doute été inventées que pour permettre aux mains emprisonnées de glisser par-dessous sur la liquide tiédeur
du ventre, se retrousser, remonter jusqu'aux seins, s'ac-
cumulant en replis, une soyeuse écume, au-dessus des
hanches de façon à dénuder, présenter — comme ces
étalages de boutiques de luxe où les objets précieux, délicats et fantastiquement chers sont exposés dans un
bouillonnement de satin — cette bouche cachée, secrète — : femme non pas simplement étendue mais renversée, culbutée, dans le sens précis, mécanique du
terme, c'est-à-dire comme si son corps avait effectué
une demi-rotation à partir de cette attitude ancestrale
dans laquelle elle s'accroupit pour satisfaire ses besoins — parce qu'elle ne dispose que d'une position
pour les satisfaire tous, celle-ci : les jambes repliées,
les cuisses pressées contre les flancs, les genoux venant
toucher les ombreuses aisselles — mais maintenant
comme si le sol avait basculé, l'envoyant à la renverse,
telle quelle, sur le dos, présentant maintenant non à la
terre mais vers le ciel comme dans l'attente d'une de ces
fécondations légendaires, de quelque tintante pluie d'or,
ses fesses jumelles, cette nacre, ce buisson, cette éternelle blessure ruisselant déjà avant d'être forcée et si
impudiquement offerte qu'elle semble attendre un acte
d'une précision et d'une nudité sinon chirurgicale comme

le suggère l'idée de quelque chose qui perce, pénètre, s'enfonce en crissant dans l'étroite chair, du moins presque médical en ce sens qu'il (l'acte en soi, physique, dénudé, débarrassé de son aspect passionnel) relève évidemment du domaine physiologique : d'où l'abondance, la variété de cette imagerie équivoque où le clystère sert de prétexte à d'innombrables variations sur le thème de l'introduction d'un objet non seulement dur mais capable de répandre, projeter avec violence hors de lui et comme un prolongement liquide de lui-même cette impétueuse laitance, ce jaillissement, ce... »

Et Georges : « Mais non !... »

Et Blum : « Et toi, occupé à chercher rêveusement sur les murs la trace d'une balle sinon glorieuse tout au moins honorable, romantique, n'y as-tu jamais vu cela : projetée par la bougie posée près du lit l'ombre bossue, compliquée et bondissante d'un dos musculeux sur les reins duquel se nouent — comme celles d'un naufragé cramponné à un mât — les jambes laiteuses, les pieds aux talons couleur d'abricot, s'enflant (l'ombre) comme une montagne, monstrueuse, s'élevant jusqu'au plafond et agitée de tempétueux soubresauts par cette houle furieuse qui secoue au-dessous d'elle l'espèce de bête qui possède deux têtes, quatre bras, quatre jambes et deux troncs soudés par le ventre au moyen de cet organe commun (ou si l'on préfère également étranger, car le membre de l'homme ne semble-t-il pas s'enfoncer à l'intérieur du corps de celui-ci comme il s'enfonce dans celui de la femme, s'y prolonger jusqu'au plus profond des entrailles par un membre égal et symétrique ?), ce muscle, cette alène, ce pilon rouge sombre, luisant et furieux, apparaissant et disparaissant entre deux broussailleuses et fauves toisons, et lui (de Reixach, ou plutôt Reixach tout court) survenant... »

Et Georges : « Mais non ! »

Et Blum : « ... rentrant à l'improviste (car, veux-tu me le dire, pourquoi serait-il revenu là sinon pour elle ?

Parce qu'il me semble que pour se dépêcher soi-même
dans l'autre monde cela peut aussi bien se faire n'importe où, comme on dépose une ordure derrière le premier buisson venu, parce que je ne pense pas qu'il soit
très nécessaire dans ces moments-là de disposer d'un
confort spécial...), donc lui laissant là ses troupes dé-
faites, la piétaille, les fuyards gueulant sans doute eux
aussi à pleins poumons à la trahison, en proie à cette
panique, cette espèce de diarrhée morale (as-tu remarqué qu'on appelle cela aussi la courante ?) impossible à
contenir, irraisonnée — mais est-ce que tout ce qu'on
demande à un soldat, est-ce que tout le dressage qu'il
subit n'a pas précisément pour but de lui faire accomplir comme dans un état second des actes d'une façon ou
d'une autre contraires à la raison, de sorte qu'en fuyant
il ne fait sans doute que s'abandonner à la même force
ou si tu préfères au même désespoir qui dans d'autres
circonstances l'a poussé ou le poussera à un acte que
sa raison ne peut que désavouer, comme par exemple de
se précipiter en hurlant au-devant d'une mitrailleuse
en train de tirer sur lui : d'où sans doute la facilité avec
laquelle une troupe peut se muer en quelques instants
en un troupeau détalant et affolé... Et lui deux fois traître, — d'abord à cette caste dont il était issu et qu'il
avait reniée, désavouée, se détruisant, se suicidant en
quelque sorte une première fois, pour les beaux yeux
(si l'on peut dire) d'une morale larmoyante et suisse dont
il n'aurait jamais pu avoir connaissance si sa fortune,
son rang, ne lui en avait donné les moyens, c'est-à-dire
le loisir et le pouvoir de lire, — traître ensuite à la
cause qu'il avait embrassée, mais cette fois par incapacité, c'est-à-dire coupable (lui, le noble de naissance
et dont la guerre — c'est-à-dire, en une certaine façon,
l'oubli de soi, c'est-à-dire une certaine désinvolture, ou
futilité, c'est-à-dire, en une certaine façon, le vide intérieur — était la spécialité) d'avoir voulu mélanger
— ou concilier — courage et pensée, méconnu cet ir-

réductible antagonisme qui oppose toute réflexion à
toute action, de sorte qu'à présent il ne lui restait plus
qu'à regarder ou plutôt éviter de regarder (en ravalant
j'imagine quelque chose comme une fameuse nausée) se
débander de tous côtés cette racaille (quoi d'autre, quel
autre mot, puisqu'ils en savaient maintenant trop
— ou pas assez — pour continuer à vivre comme des
savetiers ou des boulangers, et d'un autre côté pas assez — ou trop — pour être capables de se comporter
en soldats) que dans son imagination ou ses rêves il
voyait sans doute déjà promue à cet état supérieur auquel, croyait-il, on pouvait accéder par la lecture indi-
geste de vingt-cinq tomes... », et Georges : « Vingt-
trois », et Blum : « Vingt-trois bouquins imprimés par
un libraire de la Haye à titre d'article d'exportation et
reliés plein veau aux armes... Tu as dit, je crois, trois canards sans têtes ?... », et Georges : « Colombes, pas
cana... », et Blum : « Les trois pigeons donc, symboliquement décapités... », et Georges : « Mais non ! » et
Blum : « ... qui constituaient le blason en quelque sorte
prophétique de sa famille : parce qu'il avait simplement
oublié de se servir de sa cervelle, si tant est qu'il en ait
jamais possédé une à l'intérieur de son aimable tête de
pur-sang... », et Georges : « Ouais. Malheureusement ce
tas de charbon, cet historique tas de charbon... », et
Blum saisi tout à coup d'une frénétique agitation, sautillant dans les flaques noirâtres, se démenant, disant :
« Bien, bien : travaillons nous aussi à l'Histoire, écri-
vons nous aussi notre quotidienne petite page d'Histoire ! Après tout je suppose qu'il n'y a rien de plus
déshonorant ou stupide à pelleter une montagne de charbon qu'à mourir gratis pour le roi de Prusse, alors don-
nons-en pour son argent à ce Mozart brandebour-
geois... », la fourche allant et venant plusieurs fois à
toute vitesse, faisant bien voler au total trois briquettes
et la moitié d'une, dont deux tombèrent à côté du camion, puis s'arrêtant, essoufflé, disant : « Mais je

n'avais pas fini ! Je ne t'avais pas tout raconté. Où en
étais-je, ah oui, voilà : il revint donc à l'improviste, il
laissa là ses savetiers en déroute, ses illusions, ses rêves
idylliques, pour courir se réfugier auprès de ce qui lui
restait encore — du moins le croyait-il — c'est-à-dire
ce qu'il pouvait encore considérer comme une certitude : non pas peut-être le cœur (car sans doute avait-il
tout de même fini par perdre un peu de sa naïveté)
mais en tout cas la chair, le corps tiède et palpable de
cette Agnès... (car ne m'as-tu pas dit qu'elle avait
vingt ans de moins que lui de sorte que... », et Georges : « Mais non. Tu mélanges tout. Tu confonds
avec... » et Blum : « ... son arrière-petit-fils. C'est vrai.
Mais je pense qu'on peut néanmoins l'imaginer : on
mariait alors les filles de treize ans avec des vieillards,
et même si sur ces deux portraits ils ont l'air sensiblement du même âge c'est sans doute que le savoir-faire
de l'artiste (c'est-à-dire son savoir-vivre, c'est-à-dire son
savoir-flatter) a quelque peu rajeuni l'épouse. Non, je
ne me trompe pas, je dis bien : elle, c'est-à-dire atté-
nuer, tempérer ce qui transparaissait de son expérience
réelle, soit, dans le mensonge et la duplicité, environ
mille ans de plus que lui.)... Donc cet Arnolphe philan-
thrope, jacobin et guerroyeur renonçant définitivement à
perfectionner l'espèce humaine (ce qui explique sans
doute que, fort de ce souvenir et plus sage, son lointain
descendant se soit, lui, exclusivement consacré à l'amé-
lioration de la race chevaline), couvrant ainsi à bride
abattue les deux cents kilomètres qui le séparaient
d'elle... », et Georges : « Trois cents », et Blum : « Trois
cents kilomètres, ce qui, en mesure de l'époque fait à
peu près quatre-vingts lieues, ce qui en crevant un cheval représente au bas mot quatre jours (disons plutôt
cinq), arrivant enfin, tard dans la cinquième nuit, fourbu
et couvert de boue... », et Georges : « Pas de boue : de
poussière. C'est un pays où il ne pleut presque jamais »,
et Blum : « Bon sang ! Mais qu'est-ce qu'il y a alors ? »,

et Georges : « Du vent. Enfin, si l'on peut dire. Parce que ça ressemble à peu près autant à du vent qu'un coup de canon à une décharge de pistolet à bouchon. Mais qu'est-ce que tu... », et Blum : « Tout poudreux, donc, comme s'il avait apporté sur lui une impalpable et tenace poussière de décombres, les restes pulvérisés de ses espoirs déçus : blanchi avant l'âge par les cendres du bûcher où sans doute, pendant quatre jours et cinq nuits, sur les chemins de la défaite, il avait médité, passé en revue et brûlé tout ce qu'il avait adoré, n'adorant plus maintenant que celle qu'il brûlait de retrouver, et ceci : dans le silence nocturne, des bruits, un piétinement de sabots, car sans doute n'était-il pas seul, avait-il lui aussi auprès de lui, s'était-il fait suivre d'un fidèle valet, comme l'autre a amené avec lui à la guerre pour panser son cheval et fourbir ses bottes le fidèle jockey ou plutôt étalon dont l'infidèle Agnès avait fourbi, ou plutôt qui avait, comme on dit, fait reluire la jeune... », et Georges : « Oh bon Dieu !... », et Blum : « Mais on peut imaginer ça : le piétinement confus des fers sur le pavé de la cour, les bêtes fourbues, renâclant, la nuit — ou peut-être l'annonce de l'aube — bleuâtre, la lanterne que tient le portier accouru sculptant les muscles en ronde-bosse sur le poitrail rouge et fumant des chevaux, et un envol de manteaux tandis qu'ils mettent pied à terre, et lui jetant les rênes au jockey, donnant un ordre bref, ou même pas, pas d'ordres, même pas un bruit de voix, rien que son pas, le tintement des éperons, tandis qu'il gagne rapidement le perron, l'escalade : tout cela elle l'entendit, réveillée en sursaut, encore dans cette molle langueur du sommeil et du plaisir mais réfléchissant déjà — peut-être pas son esprit puisqu'elle dormait encore à demi, titubait, mais quelque chose en elle que ni le sommeil, ni la volupté ne pouvait émousser, et qui n'avait pas besoin d'attendre qu'elle fût complètement réveillée pour se mettre à fonctionner à toute vitesse et infailliblement :

d'instinct, la ruse qui n'a pas besoin d'avoir été apprise,
de sorte que la tête, le cerveau lui-même encore absent,
endormi, le corps agile sursaute (repoussant le drap, les
jambes un instant entrevues pédalant pour se libérer
laissant entrevoir dans un éclair entre les cuisses rapides
cette ombre, cette flamme — mais n'as-tu pas parlé
d'une lourde chevelure blonde ? donc : — ce miel, cette
toison d'or déjà disparue tandis qu'elle s'assied, pivote,
la chemise retroussée découvrant maintenant la coulée
des jambes jointes et parallèles, l'éblouissante traînée
nacrée, les pieds teintés de rose tâtonnant à la recherche
des mules) sans cesser de penser (le corps), de calculer,
d'organiser, de combiner avec une foudroyante rapidité en même temps qu'il suit le bruit des bottes en
train de monter quatre à quatre l'escalier, traversant le
palier, puis une pièce, se rapprochant (les jambes dis-
parues maintenant, la chemise retombée), et elle — la
virginale Agnès — debout, poussant par les épaules
l'amant — le cocher, le palefrenier, le rustre ahuri —
vers l'inévitable et providentiel placard ou cabinet des
vaudevilles et des tragédies qui se trouve chaque fois
là à point nommé comme ces énigmatiques boîtes des
farces et attrapes dont l'ouverture pourra provoquer
tout à l'heure aussi bien une explosion de rire qu'un
frisson d'horreur parce que le vaudeville n'est jamais
que de la tragédie avortée et la tragédie une farce sans
humour, les mains (toujours le corps, les muscles, pas
le cerveau qui à ce moment se dégage à peine de la
poisseuse brume du sommeil, les mains donc seules,
voyant) ramassant au passage les pièces d'habit masculin éparpillées çà et là qu'elles jettent pêle-mêle aussi
dans le placard, le bruit des bottes ayant cessé, se tenant
(les bottes, ou plutôt l'absence, l'arrêt soudain et alar-
mant du bruit) immédiatement derrière la porte, la poignée secouée en tous sens, puis le poing frappant, et
elle criant : « Voilà ! », refermant le placard, s'éloignant, se dirigeant vers la porte, apercevant encore

alors un gilet, ou un soulier d'homme, le ramassant,
criant de nouveau à l'adresse de la porte : « Voilà ! »
tandis qu'elle revient en courant au placard, le rouvre,
lance sauvagement à l'intérieur, sans regarder, ce qu'elle
vient de ramasser, le panneau de la porte résonnant
maintenant sous les terribles coups d'épaule (la porte
que tu as entendue voler en éclats sous les furieux as-
sauts d'un homme — mais ce n'était pas le valet !),
puis elle, là, puérile, innocente, désarmante, se frottant
les yeux, souriant, lui tendant les bras, lui expliquant
qu'elle s'enferme à clef par crainte des voleurs tandis
qu'elle se presse contre lui, l'enlace, l'enveloppe, la chemise glissant par hasard sur son épaule, dénudant ses
seins dont elle presse, froisse les tendres bouts meurtris
sur la tunique poussiéreuse qu'elle commence déjà à dé-
grafer de ses mains fébriles, lui parlant maintenant bouche à bouche pour qu'il ne puisse voir ses lèvres gonflées sous les baisers d'un autre, et lui se tenant là, dans
ce désordre de l'esprit, ce désarroi, ce désespoir : dé-
fait, désorienté, désarçonné, dépossédé de tout et peut-
être déjà détaché, et peut-être déjà à demi détruit...
Est-ce que ce n'est pas comme ça ? », et Georges :
« Non ! », et Blum : « Non ? Mais qu'en sais-tu ? », et
Georges : « Non ! », et Blum : « Lui qui avait voulu
jouer au naturel la fable des deux pigeons, seulement
c'était lui le pigeon, c'est-à-dire que de retour au pi-
geonnier avec son aile cassée, ses rêves boiteux, il
s'aperçut qu'il s'était fait pigeonner, et pas seulement
parce qu'il avait eu la malencontreuse idée d'aller, lui,
le gentilhomme-farmer, forniquer dans le quartier réservé, les bourbiéreux bousbirs de la pensée, mais encore celle de laisser seule derrière lui sa petite poulette
ou plutôt sa petite pigeonne adorée qui en avait pro-
fité pour forniquer, elle, de la façon la plus naturelle,
c'est-à-dire comme cela se fait depuis le commencement
du monde, avec simplement pour partenaire non de
chlorotiques rêveries mais un garçon pourvu de reins

solides, et quand il s'en rendit compte il était trop tard ;
il se vit sans doute là, tout nu — probablement était-
elle parvenue à le déshabiller en profitant de cette
espèce d'hébétude, de paralysie — avec cette pigeonne‚
de vingt ans en train de roucouler et de se frotter contre lui, et lui (peut-être prit-il alors conscience du voluptueux désordre du lit bouleversé, ou entendit-il un
bruit, ou l'instinct) la repoussant, et marchant d'un pas
décidé — quoiqu'elle s'accrochât maintenant à lui, le
suppliant, niant, s'efforçant de le retenir, mais sans doute
en aurait-il fallu plus que cela, aurait-il pu en traîner
plusieurs comme elle, lui qui traînait déjà depuis quatre jours avec lui le cadavre pesant, décomposé et puant
de ses désillusions — jusqu'au placard, ouvrant la porte,
et prenant alors en pleine poire ce coup de pistolet tiré
à bout portant, de sorte que le sort miséricordieux lui
épargna au moins cela, c'est-à-dire de savoir ce qu'il y
avait dans le placard, connaître cette seconde et su-
prême disgrâce, la boîte des farces et attrapes fonctionnant à point nommé, le pétard faisant son office,
c'est-à-dire mettant fin à ce pénible et insupportable
« suspense », amenant l'heureuse détente, le salubre
soulagement par, si l'on peut dire, décervelage... »

Et Georges : « Non ! »

Et Blum : « Non ? Non ? Non ? Mais comment le
sais-tu à la fin ? Comment sais-tu qu'ils ne le disposèrent
pas là, lui fourrant dans la main le pistolet encore fumant, pendant les quelques minutes dont ils disposaient
avant que les autres domestiques n'accourent, ne prenant
même pas (l'urgence, la précipitation, chaque seconde qui
compte, et elle maintenant complètement réveillée, agissant avec toute sa tête et aidée par cet infaillible instinct qui permet à une femme de voir, d'un seul coup
d'œil, si tout est bien en place pour l'arrivée des invités, ayant assez d'esprit pour poster ce palefrenier dans
le couloir en lui commandant de cogner contre ce panneau de porte déjà enfoncé quand il entendrait arriver

les autres), ne prenant donc même pas la peine (n'ayant d'ailleurs pas le temps) d'essayer de le revêtir de nouveau de ce poussiéreux costume dont elle l'avait dépouillé un peu plus tôt dans l'espoir de... »

Et Georges : « Non. »

Et Blum : « Mais n'as-tu pas dit toi-même qu'ils l'avaient trouvé complètement nu ? Comment l'expliquer, alors ? A moins que ce ne fût l'effet de ses convictions naturistes ? De ses émouvantes lectures genevoises ? Est-ce qu'il — je veux dire ce Suisse mélomane, effusionniste et philosophe dont il avait appris par cœur l'œuvre complète — est-ce qu'il n'était pas aussi un petit peu exhibitionniste ? Est-ce que ce n'était pas lui qui avait la douce manie de montrer son derrière aux jeunes f... » et Georges : « Oh arrête ! Bon Dieu arrête, arrête ! Ce que tu peux être fatigant ! Arrête donc un peu qu'on... », puis sa voix cessant (ou peut-être lui cessant de l'entendre) tandis qu'il regardait maintenant sans le reconnaître, c'est-à-dire sans l'identifier comme étant celui de Blum mais seulement de la misère, de la souffrance, de l'absolu dénuement, le masque aux traits émaciés, tiré, affamé qui était comme un démenti tragique à l'enjouement, la bouffonnerie de la voix, tandis qu'il lui semblait une fois de plus vivre cela : cette lente agonie solitaire, ces heures de la nuit, le silence (peut-être seulement, dans le vieil hôtel endormi, l'écho sourd d'un cheval piaffant dans l'écurie, et peut-être aussi le vent noir, soyeux, inquiet, errant, s'engouffrant en sporadiques rafales dans la cour), et Reixach, debout, là, dans ce décor de gravure galante, se dépouillant, arrachant de lui, rejetant, répudiant ces vêtements, cet ambitieux et tapageur costume qui sans doute était maintenant devenu pour lui le symbole de quelque chose en quoi il avait cru et à quoi maintenant il ne voyait même plus de sens (la redingote bleue au col montant, aux revers brodés d'or, le bicorne, les plumes d'autruche : pitoyable et grotesque défroque gi-

sant à présent, mausolée fripé de ce que (non pas le
pouvoir, les honneurs, la gloire, mais les idylliques om-
brages, l'idyllique et larmoyant règne de la Raison et
de la Vertu) ses lectures lui avaient fait entrevoir) ; et
quelque chose à l'intérieur de lui-même achevant de se
désagréger, secoué par une sorte de terrifiante diarrhée
qui le vidait sauvagement de son contenu comme de
son sang même, et non pas morale, comme disait Blum,
mais, pour ainsi dire mentale, c'est-à-dire non plus une
interrogation, un doute, mais plus aucune matière à
interrogation, à doute, disant tout haut (Georges) :
« Mais le général aussi s'est tué : non pas seulement lui,
cherchant et trouvant sur cette route un suicide décent
et maquillé, mais l'autre aussi dans sa villa, son jardin
aux allées de gravier ratissé... Te rappelles-tu cette revue, cette prise d'armes, ce champ détrempé, ce matin
d'hiver dans les Ardennes, et lui — c'est la seule fois
où nous l'ayons vu — avec sa petite tête de jockey, cette
espèce de petite pomme ridée, bridée et recuite, ses petites jambes de jockey dans les étincelantes et minuscules bottes qui pataugeaient avec indifférence dans la
boue tandis qu'il passait devant nous sans nous regarder : petit vieillard ou plutôt petit fœtus qu'on aurait
tout juste sorti de son bocal d'alcool pour venir là,
merveilleusement conservé, inaltérable, sautillant, expé-
ditif et sec, longer à toute vitesse les escadrons alignés
en traînant derrière lui ce groupe d'officiers galonnés,
gantés, la coquille de leur sabre au creux du coude, et
qui s'essoufflaient à le suivre dans la prairie spongieuse
tandis qu'il fonçait sans se retourner, s'entretenant
sans doute avec l'officier vétérinaire — le seul à qui il
eût adressé la parole — de l'état des chevaux et de ce
tracassant crapaud de la sole que leur donnait la terre
— ou le climat — de ce pays) ; et alors quand il a appris, c'est-à-dire s'est rendu compte, a fini par comprendre que sa brigade n'existait plus, avait été non pas
anéantie, détruite selon les lois — ou du moins ce qu'il

pensait être les lois — de la guerre : normalement, cor-
rectement, comme, par exemple en montant à l'assaut
d'une position imprenable, ou encore par un pilonnage
d'artillerie, ou même encore — cela il l'eût peut-être, à
la rigueur, admis — submergée par une attaque enne-
mie : mais pour ainsi dire absorbée, diluée, dissoute,
bue, effacée de la carte d'état-major sans qu'il sût où,
ni comment, ni à quel moment : seulement les estafettes revenant l'une après l'autre sans avoir rien vu à
l'endroit — le village, le petit bois, la colline, le pont —
où était censé se trouver un escadron ou un groupe de
combat, et cela encore résultant selon toute apparence
non d'une panique, d'une fuite, d'une débandade — mé-
saventure qu'il eût aussi peut-être encore admise, tout
au moins reconnue comme étant du domaine des choses désastreuses mais somme toute normales, faisant
partie du déjà vu, des inévitables aléas de toute bataille
et auxquels on peut remédier par des moyens également
ment connus comme par exemple un barrage de gendarmes aux carrefours et quelques exécutions sommai-
res —, non pas une débandade donc, puisque l'ordre
que portait, que devait remettre l'estafette était invaria-
blement un ordre de repli et que la position sur laquelle était censée se trouver l'unité à laquelle il était
destiné était elle-même une position de repli mais que,
apparemment, personne n'avait jamais atteinte, les estafettes continuant alors plus avant, c'est-à-dire vers la
précédente position de repli, sans jamais voir, à droite
et à gauche du chemin autre chose que cet inextricable,
monotone et énigmatique sillage des désastres, c'est-à-
dire même plus des camions, ou des charrettes brûlées,
ou des hommes, ou des enfants, ou des soldats, ou des
femmes, ou des chevaux morts, mais simplement des
détritus, quelque chose comme une vaste décharge publique répandue sur des kilomètres, et exhalant non pas
la traditionnelle et héroïque odeur de charnier, de cadavre en décomposition, mais seulement d'ordures,

simplement puant, comme peut puer un tas de vieilles
boîtes de conserves, d'épluchures de légumes et de
chiffons brûlés, et pas plus émouvant ou tragique qu'un
tas d'ordures, et tout juste utilisable peut-être pour des
ferrailleurs ou des chiffonniers, et rien de plus, jusqu'à
ce que, allant toujours de l'avant, elles (les estafettes)
essuient à un tournant du chemin une rafale, ce qui
faisait alors un mort de plus au revers du fossé, la moto
renversée continuant à pétarader dans le vide, ou prenant feu, ce qui faisait alors un de plus de ces cadavres
carbonisés et noirs continuant à chevaucher une de ces
carcasses de fer tordues et rouillées (as-tu remarqué
comme tout cela va vite, cette espèce d'accélération du
temps, d'extraordinaire rapidité avec laquelle la guerre
produit des phénomènes — rouille, souillures, ruines,
corrosion des corps — qui demandent en temps ordi-
naire des mois ou des années pour s'accomplir ?) semblables à quelques macabres caricatures de coureurs
motocyclistes continuant à foncer, toujours penchés sur
leurs guidons, à une formidable vitesse, se décomposant
ainsi (répandant sous eux dans l'herbe verte comme
une bitumineuse et excrémentielle tache brunâtre faite
— huile, cambouis, chair brûlée ? — d'un liquide
gluant et sombre) à une formidable vitesse —, les estafettes, donc, revenant l'une après l'autre sans avoir
rien trouvé, et même, ensuite, ne revenant plus du tout,
sa brigade comme volatilisée, escamotée, gommée,
épongée sans laisser de traces sinon quelques types hébétés, errants, cachés dans les bois, ou ivres, et à la fin
il me restait juste un minimum de conscience, me tenant devant ce petit cône de genièvre qu'à présent je
n'avais même plus la force de vider tandis qu'écrasé sur
la banquette par mon propre poids j'essayais avec cette
conscience obstinée des ivrognes de me lever et de m'en
aller, me rendant compte qu'ils (Iglésia et ce vieux type
que nous avions d'abord cambriolé, puis manqué tuer
et qui s'était ensuite fait fort de nous faire passer les li-

gnes la nuit venue) étaient tout aussi saouls que moi, recommençant donc sans me décourager à incliner le
buste en avant de façon que son poids m'entraîne,
m'aide à me lever de cette banquette où j'étais comme
cloué, en même temps que mes mains s'efforçaient de
repousser la table, me rendant compte au même moment que ces divers mouvements restaient à l'état de
velléités et que j'étais toujours absolument immobile,
une sorte de double fantomatique et transparent de
moi-même et sans la moindre efficacité répétant sans
cesse les mêmes gestes inclinaison du buste effort si-
multané des cuisses et poussée des bras jusqu'au moment où il s'apercevait que rien n'avait suivi revenant
alors en arrière se confondant de nouveau avec mon
corps toujours assis qu'il essayait d'entraîner une nouvelle fois mais sans plus de résultat c'est pourquoi j'essayai de mettre de l'ordre dans ma tête pensant que si
j'arrivais à fixer classer mes perceptions j'arriverais
aussi à ordonner et diriger mes mouvements et alors
successivement :

d'abord cette porte qu'il me fallait en premier lieu
réussir à gagner et franchir ensuite, la voyant reflétée
dans la glace surmontant le comptoir une de ces glaces
rectangulaires comme celles que l'on peut voir ou plutôt dans lesquelles on peut se voir chez le coiffeur les
angles supérieurs arrondis le cadre commençant au
bord de la glace par un léger décrochement et un étroit
à-plat puis une rangée de perles puis se renflant non
pas ripoliné en blanc comme dans les salons de coiffure
mais couvert d'un badigeon marron, de légers, et fili-
formes reliefs comme des vermicelles décorant la mou-
lure comme des astragales des astérisques à partir d'un
motif central genre palmette au milieu de chaque côté,
et comme la glace était inclinée les verticales qui s'y reflétaient inclinées elles aussi, à commencer par au premier plan et en bas la rangée de cols et de goulots des
bouteilles alignées sur l'étagère située immédiatement

au-dessous puis le plancher de bois brut non ciré qui
semblait se relever suivant un angle d'environ vingt degrés, gris dans l'ombre, jaune dans le rectangle de soleil étiré en biais qui s'étendait à partir du seuil de la
porte ouverte sur la rue, les deux montants verticaux
du chambranle inclinés eux aussi comme si le mur
tombait en avant le seuil de la porte formé d'une dalle
de pierre puis le trottoir puis les longues pierres rectangulaires bordant le trottoir puis les premières rangées
des pavés de la rue à laquelle je tournais le dos

et sans doute à cause de l'ivresse, impossible d'avoir
visuellement conscience d'autre chose que cela cette
glace et ce qui s'y reflétait à quoi mon regard se cram-
ponnait pour ainsi dire comme un ivrogne se cram-
ponne à un réverbère comme au seul point fixe dans un
univers vague invisible et incolore d'où me parvenaient
seulement des voix sans doute celle de la femme (de la
tenancière) et des deux ou trois types indéterminés qui
étaient là, et à un moment l'un d'eux disant Le front est
crevé, mais moi entendant Le chien est crevé, pouvant en même temps le voir crevé descendant au fil de
l'eau le ventre blanc rose gonflé les poils collés comme
un rat puant déjà

puis le rectangle de soleil sur le plancher disparaissant puis reparaissant puis disparaissant de nouveau
mais pas complètement : cette fois je pouvais voir
grâce à la glace dans l'encadrement de la porte le bas
de la jupe de la femme ses deux mollets et ses deux
pieds chaussés de pantoufles le tout incliné comme si
elle tombait tout d'une pièce en arrière

sa voix arrivant alors du dehors revenant à l'intérieur du café par dessus son épaule parlant sans doute
la tête à moitié tournée c'est-à-dire que si la glace avait
été assez haute je l'aurais vue de profil; de cette façon elle pouvait à la fois suivre des yeux ce qu'elle venait de voir et se faire quand même entendre de l'intérieur du café disant Tiens des soldats

et moi réussissant cette fois à me lever accrochant la table dans mon mouvement entendant un des verres coniques se renverser rouler sur la table décrivant sans doute un cercle autour de son pied jusqu'à ce qu'il rencontre le bord de la table bascule et tombe l'entendant se briser en même temps qu'arrivé derrière la femme et regardant par dessus son épaule je vis disparaître la voiture grise curieusement carrossée comme une espèce de cercueil toute en pans coupés et quatre dos et quatre casques ronds et moi Bon Dieu mais ce sont... Bon Dieu mais vous

et elle Oh vous savez moi les uniformes je n'y connais rien

et moi Bon Dieu

et elle J'en ai déjà rencontré un ce matin en allant chercher le lait, il parlait français ça devait être sûrement un officier parce qu'il regardait une carte assis dans un side, il m'a demandé si c'était le chemin je lui ai dit Oui vous y êtes C'est seulement ensuite que j'ai trouvé qu'il avait un drôle d'air

retraversant alors le café secouant Iglésia qui dormait les coudes écartés sur la table la joue sur son bras disant Réveille-toi bon Dieu réveille-toi il faut filer d'ici bon Dieu filons

la femme toujours sur le pas de la porte disant un moment après Tiens en voilà d'autres

cette fois je fus tout de suite derrière elle regardant du côté où elle regardait c'est-à-dire dans la direction opposée à celle où avait disparu l'auto de sorte que les deux cyclistes qui s'avançaient avaient l'air de poursuivre l'auto mais ceux-là étaient en kaki

un instant me traversa l'idée la vision des soldats des deux armées se poursuivant en tournant en rond autour du pâté de maisons comme à l'Opéra ou dans les films comiques les gens lancés dans ces poursuites parodiques et burlesques l'amant le mari brandissant un revolver la bonne de l'hôtel la femme adultère le valet de

chambre le petit pâtissier les agents puis de nouveau
l'amant en caleçon et fixe-chaussettes courant le buste
droit les coudes au corps levant haut les genoux le mari
au revolver la femme en culottes bouffantes bas noirs
et cache-corset et ainsi de suite dans le soleil tout tournait je ne vis pas la marche que faisait le trottoir et
faillis m'étaler la tête la première je fis quelques en-
jambées le buste presque horizontal à la limite du déséquilibre au-dessus de mon ombre puis j'attrapai son
guidon

le visage du type sous le casque, gras rouge pas
rasé et ruisselant de sueur furieux ses yeux furieux et
affolés sa bouche furieuse criant Qu'est-ce que c'est
qu'est-ce que Fous le camp laisse-moi, puis je vis la camionnette une voiture de livraison vaguement camou-
flée à la hâte barbouillée de peinture jaune marron et
vert déséquilibrée penchant sur le côté dans le virage
puis se redressant je fis de grands signes avec les bras
planté au milieu de la rue.

je vis à ses écussons qu'il était du génie il devait être
du cadre de réserve employé de voirie ou des ponts et
chaussées il avait l'air d'un fonctionnaire et des lunettes à montures de métal, s'avançant vers moi dès qu'il
fut descendu de la cabine agité fébrile criant déjà ne
m'écoutant pas répétant lui aussi Qu'est-ce que vous
voulez qu'est-ce que c'est qu'est-ce que vous voulez,
j'essayai de lui expliquer mais il était toujours agité fébrile jetant sans cesse de brefs regards par dessus son
épaule dans la direction d'où ils venaient tenant son
revolver à la main d'abord tourné vers moi puis il l'ou-
blia l'agitant en faisant des gestes me tenant par un
bouton de ma veste, le bleu de travail que m'avait
donné le type, criant Qu'est-ce que cette tenue, de nouveau j'essayai de lui expliquer mais il n'écoutait pas se
retournait sans cesse pour regarder le tournant de la
rue, agité, je sortis mon livret ma plaque que j'avais
gardés avec moi mais il ne cessait pas de regarder par

dessus son épaule alors je dis Par là, montrant l'endroit
où avait disparu la petite auto grise et lui Quoi ? et moi
Ils viennent de passer il y a cinq minutes quatre dans
une petite auto, et lui criant Et si je vous faisais fusiller ? j'essayai de recommencer à lui expliquer mais il
me lâcha reculant vers la camionnette jetant toujours
de rapides regards dans la direction d'où ils venaient
(je regardai aussi m'attendant presque à voir paraître
la petite voiture grise en forme de cercueil qui depuis
le temps devait bientôt avoir fini de faire le tour du
pâté de maisons) puis il rentra dedans le dos d'abord
s'assit referma la portière par la glace baissée il tenait
maintenant le revolver le canon dirigé vers moi son visage maigre grisâtre et suant se penchant regardant encore en arrière ses yeux de myope derrière les lunettes,
la camionnette démarra

courant derrière : ils étaient une dizaine environ sous
la bâche assis sur les deux banquettes de chaque côté,
j'accrochai le panneau arrière courant essayant de monter mais ils me repoussèrent ils avaient l'air ivres eux
aussi je réussis à passer une jambe l'un d'eux essaya de
me donner un coup de crosse mais sans doute était-il
trop saoul la plaque de fer de la crosse tapant à côté
de ma main alors je lâchai tout ayant encore le temps
d'en voir un la tête renversée en arrière buvant avi-
dement au goulot d'une bouteille puis il visa un œil
fermé et me la lança mais ils étaient déjà trop loin et
elle tomba un bon mètre au moins devant mes pieds
éclata il y avait encore du vin dedans cela fit sur les pavés une tache sombre avec des tentacules les éclats de
verre vert noir brillaient éparpillés puis j'entendis un
coup de feu mais même pas la balle passer, saouls
comme ils étaient et secoués brinqueballés dans cette
camionnette ce n'était pas étonnant, puis elle disparut

il avait réussi à se réveiller et se tenait debout devant
la porte du bistrot en avant de la femme ses gros yeux
globuleux me regardant d'un air offusqué, je criai Il

faut foutre le camp Il faut aller remettre nos frusques
Il a voulu me faire fusiller un des types m'a tiré un coup
de flingue

mais il ne bougea pas continua à me regarder de ce
même air de blâme réprobateur morose puis il leva le
bras dans la direction du bistrot derrière lui, disant Il a
dit que ce soir il nous ferait cuire un canard

et moi Un canard ?

et lui Il va nous faire à bouffer Il a dit que

puis je cessai d'écouter, je pris à travers champs remontant la colline le soleil avait cette insistante obsé-
dante présence des fins d'après-midi des trop longues
journées de printemps où il s'attarde n'en finissant
plus de traîner encore haut dans le ciel des journées
n'en finissant plus comme s'il était immobilisé sur le
point de redescendre mais ne s'y décidant pas arrêté
par quel Josué il devait bien y avoir deux ou trois jours
au moins qu'il avait oublié de se coucher depuis qu'il
s'était levé rosissant teintant d'abord doucement le ciel
lilas l'aurore aux doigts de pétales mais je n'avais pas
vu le moment où il était apparu seulement mon ombre
allongée et diaphane de quadrupède sur le chemin où
il n'y avait plus que ces tas immobiles comme des chiffons et le visage idiot de Wack renversé me regardant,
maintenant je l'avais en plein dans les yeux immobile
dans le ciel blanc

me retournant je l'aperçus qui me suivait ; ainsi il
avait fini par se décider, il était encore au bas de la colline avait à peine dépassé les dernières maisons montant
le pré en titubant un peu une fois il trébucha tomba
mais se releva alors je m'arrêtai et je l'attendis arrivé
près de moi il s'embrouilla de nouveau les jambes et
tomba encore restant cette fois un moment à quatre
pattes vomissant puis il se releva essuyant sa bouche de
sa manche et se remettant en marche.

Peut-être était-ce à cette même heure que le général
s'était tué ? Il avait pourtant une voiture, un chauf-

feur, de l'essence. Il n'avait qu'à coiffer son casque, enfiler ses gants et sortir, descendre le perron de cette villa (je suppose que ce devait être une villa : c'est l'endroit habituel où l'on installe un P.C. de général de brigade, les châteaux étant réservés traditionnellement à ceux de division et au-dessus, et les fermes aux simples colonels) : une villa donc, avec sans doute un prunus en fleurs sur le gazon, un portail peint en blanc, une allée tournante de gravier entre les haies d'aucubas aux feuilles tachetées, et un salon bourgeois décoré de l'inévitable bouquet de branches de houx ou de plumeaux et teints — argent ou rouge automnal — sur le coin de la cheminée ou le piano à queue, le vase repoussé pour faire place aux cartes étalées, et d'où (la villa) étaient partis pendant huit jours des ordres et des directives à peu près aussi utiles que ceux et celles données pendant la même période par les stratèges d'un café de province commentant le communiqué quotidien : il n'avait donc qu'à descendre ce perron, s'asseoir tranquillement dans son auto à fanion, et filer tout droit sans s'arrêter jusqu'au quartier général de sa division ou de son corps d'armée, et là faire antichambre suffisamment longtemps pour qu'on lui donne un nouveau commandement, comme aux autres. Et au lieu de cela, quand ses officiers ont été installés dans la seconde voiture, les moteurs tournant déjà, les motos des trois ou quatre estafettes restantes pétaradant, l'auto à fanion attendant portière ouverte, il s'est fait sauter la cervelle. Et dans le potin des moteurs et des voitures on ne l'a même pas entendu. Et peut-être n'était-ce même pas le déshonneur, la brusque révélation de son incapacité (après tout peut-être n'était-il pas absolument imbécile — comment le savoir ? — peut-être n'est-il pas interdit d'imaginer que ses ordres étaient non pas stupides mais les meilleurs, les plus pertinents, inspirés même — mais encore une fois comment le savoir puisqu'aucun ne parvint jamais à son destinataire ?) : autre chose

probablement : une sorte de vide de trou. Sans fond
Absolu. Où plus   rien n'avait de sens, de raison d'être
— sinon pourquoi enlever ses vêtements, se tenir ainsi,
nu, insensible au froid, effroyablement calme sans doute,
effroyablement lucide, disposant soigneusement sur une
chaise (les touchant, les maniant avec une espèce de dégoût et des précautions infinies comme si ç'avait été
des ordures ou des explosifs) la redingote, la culotte,
posant les bottes devant, couronnant le tout par ce chapeau, cette extravagante coiffure semblable à un bouquet de feu d'artifice, tout comme s'ils avaient revêtu,
chaussé, coiffé quelque imaginaire et inexistant personnage, les regardant de ce même œil sec, glacé, effrayant,
tandis qu'il continuait toujours à grelotter, impassible,
et se reculant pour juger de l'effet, et à la fin renversant
sans doute la chaise d'un revers de main, puisque sur
la gravure elle gisait par terre et les vêtements... »

Et Blum : « La gravure ? Alors il y en a bien une !
Tu m'avais dit que... »

Et Georges : « Mais non. Il n'y en a pas. Où as-tu
pris ça ? » Il n'y avait pas non plus — du moins il n'en
avait jamais vu — d'image représentant cette bataille,
cette défaite, cette déroute, sans doute parce que les na-
tions vaincues n'aiment pas perpétuer le souvenir des
désastres ; il n'existait de cette guerre qu'une peinture
décorant la grande salle de l'Hôtel de Ville, et illustrant
la phase victorieuse de la campagne : mais cette victoire
n'était arrivée qu'un an plus tard, et c'était environ cent
ans plus tard encore qu'un peintre officiel avait été
chargé de la représenter, plaçant à la tête de soldats dépenaillés qui avaient l'air de figurants de cinéma un personnage allégorique, une femme vêtue d'une robe blanche qui dénudait un de ses seins, coiffée d'un bonnet
phrygien, brandissant une épée et la bouche grande ouverte, debout dans la lumière jaune d'une journée ensoleillée, au milieu des écharpes d'une fumée glorieuse
et bleuâtre, les gabions renversés et, au premier plan,

le visage grimaçant et stupide d'un mort représenté en
perspective, couché sur le dos, une jambe à demi repliée, les bras en croix et la tête en bas, regardant de ses
yeux exorbités, les traits tordus dans une éternelle gri-
mace, les successives générations d'électeurs écoutant
discourir les successives générations de politiciens auxquels cette victoire avait conféré le droit de discourir
— et aux auditeurs celui de les écouter discourir —
sur l'estrade drapée de tricolore.

« Mais ils avaient d'abord commencé par la défaite,
dit Georges, et les Espagnols les avaient rossés à cette
bataille où Reixach commandait, et alors ils durent battre en retraite par toutes les routes qui descendaient des
Pyrénées, c'est-à-dire, je suppose, de vagues chemins.
Mais, routes ou chemins c'est toujours la même chose :
des fossés bordés de morts, des chevaux crevés, des camions brûlés et des canons abandonnés... » (C'était
un dimanche cette fois et ils étaient assis tous deux,
lui et Blum tentant de se chauffer au pâle soleil saxon,
toujours affublés de leurs grotesques capotes de soldats
polonais ou tchèques, le dos contre la paroi de planches
de leur baraque et tirant chacun à tour de rôle une
bouffée de la même cigarette qu'ils se repassaient, gardant le plus longtemps possible la fumée au fond des
poumons, la rejetant lentement par les narines pour
mieux s'en pénétrer, sentant avec indifférence grouil-
ler sur leur corps la vermine dont ils étaient couverts,
les dizaines de minuscules poux grisâtres dont ils avaient
un jour découvert avec terreur le premier, pourchassé
désespérément ensuite les suivants, et qu'ils avaient fini
par renoncer à tuer, les laissant maintenant courir sur
eux avec un sentiment de permanent dégoût, de permanente impuissance et de permanente décomposition, les
éclats de voix des Oranais en train de se disputer leur
parvenant par la fenêtre ouverte, Georges tirant une
dernière fois tout ce qu'il pouvait du dernier demi-cen-
timètre de mégot qui lui brûlait le bout des doigts, le re-

jetant ou plutôt (car il n'en restait après cela même plus
assez pour le saisir) le chassant d'un coup d'index entre ses lèvres puis se levant, dégourdissant ses jambes,
tournant le dos au soleil, posant ses bras repliés sur
l'appui de la fenêtre, le menton sur ses avant-bras et
restant là à les regarder, autour de la table graisseuse,
leurs cartes graisseuses dans les mains, leurs impassibles et durs visages de joueurs tendus, implacables, rongés par cette passion froide, patiente et attentive qui les
isolait dans une sorte de cage à l'intérieur de laquelle ils
se seraient tenus, à l'abri dans le monde violent et dur
(de même qu'un nageur est à l'abri de la pluie) de cette
cloche, d'une aura individuelle de risque et de violence
qu'ils secrétaient à la manière de cette encre projetée
par les seiches : le chef du jeu, le tenancier en quelque sorte du tripot où se gagnaient et se perdaient,
changeaient de main d'heure en heure les fortunes
en misérables marks de camp (et pour ceux qui n'avaient
plus de marks, en tabac, et pour ceux qui n'avaient plus
de tabac, en rations de pain, et pour ceux qui n'avaient
plus leur ration de pain, celle du jour suivant et quelquefois du surlendemain — et il y eut ainsi un Bônois
(un Italien) qui joua et perdit quatre jours de rations,
et, à partir du lendemain il vint chaque soir remettre
ponctuellement au banquier son morceau de pain noir
et sa margarine de charbon, et pas un mot entre eux,
simplement un acquiescement, un imperceptible mouvement de tête de celui qui prenait le pain, l'ajoutait à sa
propre ration sans même paraître voir l'autre, et le troisième jour l'Italien s'évanouit, et quand il put de nouveau voir et comprendre l'autre prit — toujours sans le
regarder — la ration de pain et de margarine qu'il venait de recevoir et la lui tendit, disant : « Tu le veux ? »,
et l'autre : « Non », et, toujours sans un regard, l'autre
remit pain et margarine dans sa musette, et le lendemain il (le perdant) les apporta encore (c'était la quatrième et dernière fois, et dans la journée, au travail,

il s'était évanoui encore une fois), et l'autre ne le regarda
pas plus que les fois précédentes, prit la ration et, sans
mot dire, la mit dans sa musette, et un de ceux qui as-
sistaient à la scène dit quelque chose comme « Espèce
de salaud », et il (le banquier) ne bougea pas, continua
de manger, son œil froid, mort, se posant un instant
sur le visage de celui qui venait de parler, parfaitement
inexpressif, parfaitement froid, puis se détournant, ses
mâchoires mastiquant toujours, pendant que deux ou
trois types aidaient l'Italien à regagner sa couchette en
titubant), le chef de jeu, donc, le tenancier — ou banquier — un Maltais (ou Valencien, ou Sicilien : un mélange, un de ces produits bâtards et synthétiques de
ports, de bas quartiers et d'îles de cette mer, cette
vieille mare, cette antique matricee, creuset originel de
tout négoce, de toute pensée et de toute ruse) avec une
tête de rapace, de petits yeux morts de reptile, un
visage maigre, sec, noir, sans expression, sans âge et,
bien sûr, vêtu comme les autres d'une vague défroque
militaire mais dont on se demandait ce qu'il était venu
faire là (c'est-à-dire dans cette guerre, c'est-à-dire dans
une armée, c'est-à-dire pourquoi on avait enrôlé, mobi-
lisé, un type avec une gueule (et probablement aussi
un casier judiciaire comme celle-là (ou celui-là) et qui
manifestement ne pouvait être utilisé à rien d'autre qu'à
tirer à la première occasion dans le dos de l'officier ou
du sous-officier. trésorier du bataillon ou du régiment
et s'enfuir avec la caisse — à moins qu'il n'ait été na-
turalisé, appelé sous les armes, revêtu d'un uniforme
et muni non pas d'un fusil — ce qui eût tout de même
été de l'inconscience — mais d'un livret militaire dans
la seule et unique prévision de cette éventualité — puisqu'il faut de tout pour faire une armée —, ce rôle
futur à remplir de tenancier de tripot dans une baraque
de prisonniers) ; et en face de lui un juif paisible, majestueux, gras (non pas adipeux : simplement gras, au-
guste, et sans doute le seul prisonnier de tout le camp

— mais comment ? car, pendant ces deux premiers
mois il n'avait, comme tous les autres, pas reçu le moindre colis — à n'avoir pas perdu depuis qu'il était là une
seule once de graisse), qui était quelque chose comme
maquereau à Alger et sur lequel la dérisoire tenue de
guerrier, la dérisoire capote jaune, l'informe calot, res-
semblaient à une robe et une tiare d'or, et qui avait perpétuellement l'air d'être assis sur un trône, royal, bibli-
que et impavide entouré d'une cour de petites gouapes
exsangues qui se disputaient pour lui allumer ses cigarettes et qu'il semblait ne même pas voir, quoiqu'il fût
pourtant capable de prendre sa gamelle à peine enta-
mée — Georges l'avait vu — et de la tendre au plus
cadavérique d'entre eux, disant simplement : « Je n'ai
pas faim. Tiens ! », interrompant les protestations
de l'autre, disant : « Mange ! », du ton sur lequel on
donne un ordre, un commandement, et rien de plus,
tirant une cigarette, l'allumant — ou laissant une des
larves l'allumer — et restant là, placide, grave, pesant,
peut-être seulement un peu pâle, à tirer de lentes bouffées de fumée tandis qu'autour de lui les autres englou-
tissaient fébrilement l'écœurante soupe aux aigres relents dont il ne semblait même pas se priver, lui qui,
pas plus qu'il n'avait maigri, n'avait jamais été vu par
quiconque en train de faire non pas même le moindre
travail mais le moindre simulacre de travail, traînant
jusqu'au chantier la pelle qu'on lui fourrait dans les
mains et, arrivé là, la plantant devant lui, passant les
huit heures appuyé dessus, les bras croisés, à fumer
(car, de même qu'il semblait, par un reste de prérogative royale, pouvoir se passer de manger, il avait, sans
doute en vertu de la même prérogative, toujours de
quoi fumer) ou à regarder d'un œil même pas méprisant les prisonniers en train de s'agiter autour de lui,
et cela sans que jamais une sentinelle ou le contre-
maître lui fassent une observation, et, le jour du Yom
Kippour, lui qui n'avait jamais de sa vie mis les pieds

dans une synagogue, ni observé, ni sans doute même jamais su ce qu'était le Sabbat, et encore moins la Thora,
et qui ne savait même pas lire (cela Georges le savait
parce que — soit qu'il n'ait pas voulu laisser connaître cette faiblesse à une de ces petites frappes qui gra-
vitaient autour de lui, soit qu'il ait préféré avoir recours
pour cette besogne à des étrangers — c'était à Blum
ou à lui (Georges) qu'il demandait d'écrire les lettres
qu'il dictait pour sa mère (pas ses femmes : sa mère) et
de lui lire les réponses), le jour du Yom Kippour, donc,
en plein milieu d'un pays où on massacrait et brûlait
les juifs par centaines de mille, se fit porter malade pour
ne pas travailler, et non seulement resta toute la journée sans rien faire, rasé de près, sans manger ni toucher une allumette, mais encore fut assez fort pour obliger ses semblables (ceux de ce peuple où il eût autrefois été — était encore — roi) à l'imiter ; tous les
deux, donc, le Sicilien et le roi venu tout droit de la
Bible assis face à face, et autour d'eux (ou au-dedans
d'eux, c'est-à-dire au-dedans de ce qui émanait d'eux,
de cette invisible cage qu'ils édifiaient ou plutôt qui
s'édifiait d'elle-même dès qu'ils s'asseyaient et sortaient
les cartes et sur les parois de laquelle il semblait qu'une
main invisible avait écrit « Privé », comme sur la porte
des salles réservées des casinos ou des cercles) l'habi-
tuelle rangée de têtes des joueurs, faisans et pigeons, de
marlous, ou de calicots, ou de garçons coiffeurs aux airs
d'affranchis et venant là se faire plumer, les visages fiévreux et impassibles, les lèvres remuant à peine, les
mains remuant à peine pour faire glisser chacune des
cartes juste assez pour qu'apparaisse le coin droit, et
à la fin de chaque coup cette espèce de silencieux
soupir, de plainte, d'orgasme s'exhalant non des joueurs,
aux visages toujours parfaitement dépourvus d'expression, mais du public, et pendant un de ces temps morts,
Georges se fouillant, extrayant de sa poche, comptant en
vitesse sa maigre fortune, son maigre trésor de petits

bouts de papier (salaire qu'un vainqueur qui, quelque
part à côté tuait avec bonne conscience des petits
enfants, se croyait tenu, et non pas ironiquement, non
par facétie, mais en vertu d'un principe, d'une loi,
d'une espèce de morale acquise ou plutôt apprise, ou
plutôt implantée, irraisonnée et apparemment intrans-
gressible, empreinte par l'usage d'une sorte de caractère
sacré (quoique quelque cent ans auparavant encore parfaitement inconnue) : à savoir que tout travail doit
être payé, si peu que ce soit, mais payé, — salaire donc
qu'un vainqueur qui eût pu les faire trimer pour rien,
le faisait d'ailleurs, mais, par une sorte d'hommage en
quelque sorte superstitieux quoique symbolique rendu
à un principe, se croyait tenu de leur verser), en dé-
tacha à peu près les deux tiers, fit signe à l'un des spectateurs qui se leva, prit les bouts de papier, s'approcha
du Sicilien, lui parla, revint vers la fenêtre et tendit
deux cigarettes que Georges alluma, puis, se retournant, il se laissa glisser, appuyé du dos le long de la
paroi de planches jusqu'à ce que ses fesses touchent
ses talons, tendant alors une des cigarettes toute allumée à Blum, et Blum disant : « Tu n'es pas fou ? », et
Georges : « Oh zut ! Après tout c'est dimanche, non ? »,
et s'asseyant alors complètement, tirant cette fois une
interminable bouffée de fumée jusqu'à ce qu'il la sentît
arriver tout à fait en bas, tout au fond de ses poumons, la
rejetant le plus lentement possible, disant :) « Alors, il
était là, sur cette route, battant piteusement en retraite,
avec ce chapeau, ce bicorne emplumé de guignol, le
pan de son manteau drapé à la romaine sur son épaule,
ses bottes crottées — ou plutôt poussiéreuses — et perdu
dans ses pensées, ou plutôt sans doute dans son absence de pensées, dans l'impossibilité de penser, de
rassembler, de mettre bout à bout deux idées cohéren-
tes, face à face avec ce qu'il croyait sans doute être
l'effondrement de ses rêves, sans se douter que c'était
probablement le contraire — mais heureusement pour

lui il ne vécut pas assez longtemps pour s'en rendre
compte —, c'est-à-dire que les révolutions se renforcent
et s'affermissent dans les désastres pour se corrompre à
la fin, se pervertir et s'écrouler dans une apothéose de
triomphes militaires... »

Et Blum : « Mais tu parles comme un livre !... » »

Et Georges relevant la tête, le regardant un moment,
perplexe, interdit, et à la fin haussant les épaules disant : « C'est vrai. Excuse-moi. Une habitude, une tare
héréditaire. Mon père a absolument tenu à ce que je me
fasse recaler à Normale. Il tenait absolument à ce que je
profite au moins un peu de cette merveilleuse culture
que des siècles de pensée nous ont léguée. Il voulait
à toute force que son enfant jouisse des incomparables
privilèges de la civilisation occidentale. Etant le fils de
paysans analphabètes, il est tellement fier d'avoir pu
apprendre à lire qu'il est intimement persuadé qu'il n'y
a pas de problème, et en particulier celui du bonheur
de l'humanité, qui ne puisse être résolu par la lecture
des bons auteurs. Il a même trouvé l'autre jour le
moyen de se réserver (et je t'assure que si tu connaissais ma mère tu te rendrais compte de l'exploit, de la
volonté, et par conséquent du degré d'émotion, de désarroi, que cela représente) cinq lignes sur les insi-
pides lamentations qu'elle répand tout au long de ces
lignes heureusement limitées que nous sommes autorisés
à recevoir, pour ajouter au concert ses propres lamentations en me faisant part de son désespoir à la nouvelle du bombardement de Leipzig et de sa paraît-il ir-
remplaçable bibliothèque... » (s'interrompant, se taisant,
pouvant voir sans avoir besoin de la sortir de son porte-
feuille la lettre — la seule qu'il ait gardée de toutes celles écrites par Sabine et au bas desquelles son
père se contentait habituellement de tracer au-dessous
du fatidique « Nous t'embrassons bien fort » les minuscules pattes de mouches dans lesquelles Georges était
le seul à savoir qu'il fallait lire « Papa » —, re-

voyant donc (encore plus pattes de mouches, encore plus serrée, compressée par le manque et le désir d'en dire le plus possible dans le moins d'espace possible) la fine et délicate écriture d'universitaire, le maladroit style télégraphique : « ... laissé à ta mère le soin de te donner de nos nouvelles qui sont bonnes comme tu le vois... dans la mesure où quelque chose peut être bon aujourd'hui te sachant pensant sans cesse à toi là-bas et à ce monde où l'homme s'acharne à se détruire lui-même non seulement dans la chair de ses enfants mais encore dans ce qu'il a pu faire, laisser, léguer de meilleur : l'Histoire dira plus tard ce que l'humanité a perdu l'autre jour en quelques minutes, l'héritage de plusieurs siècles, dans le bombardement de ce qui était la plus précieuse bibliothèque du monde, tout cela est d'une infinie tristesse, ton vieux père », pouvant le voir assis, pachydermique, massif, presque difforme, dans la pénombre du kiosque où ils s'étaient tenus tous les deux ce dernier soir avant son départ tandis que leur parvenait du dehors le bourdonnement tantôt rageur tantôt assourdi du tracteur sur lequel le métayer achevait de faucher la grande prairie, le pénétrant et vert parfum de l'herbe coupée flottant dans le tiède crépuscule, les entourant, l'entêtante exhalaison de l'été, l'obscure silhouette du métayer juché sur le tracteur avec son chapeau de paille aux bords ébréchés et déchiquetés comme une noire auréole reflétée deux fois par les lunettes, parcourant lentement la surface courbe et brillante des verres devant le visage obscur et triste de son père, et tous les deux face à face, ne trouvant rien à se dire, tous deux murés dans cette pathétique incompréhension, cette impossibilité de communiquer qui s'était établie entre eux et qu'il (son père) venait d'essayer encore une fois de briser, Georges entendant sa bouche qui continuait (n'avait sans doute pas arrêté) de parler, sa voix lui parvenir, disant :) « ... à quoi j'ai répondu par retour que si le contenu des milliers de bouquins de cette irrem-

plaçable bibliothèque avait été précisément impuissant
à empêcher que se produisent des choses comme le
bombardement qui l'a détruite, je ne voyais pas très
bien quelle perte représentait pour l'humanité la disparition sous les bombes au phosphore de ces milliers
de bouquins et de papelards manifestement dépourvus
de la moindre utilité. Suivait la liste détaillée des valeurs
sûres, des objets de première nécessité dont nous avons
beaucoup plus besoin ici que de tout le contenu de la
célèbre bibliothèque de Leipzig, à savoir : chaussettes,
caleçons, lainages, savon, cigarettes, saucisson, chocolat,
sucre, conserves, gal... »

Et Blum : « Ça va. Bon. Ça va. Bon. Nous connais-
sons. Bon. Merde pour la bibliothèque de Leipzig. Bon.
D'accord. Mais, encore une fois, ton bonhomme, ton
type du portrait, la gloire et la honte de ta famille, ce
n'était pas le premier général, ou missionnaire, ou com-
missaire, ou ce que tu voudras qui... »

Et Georges : « Oui. Sans doute. Je sais bien. Oui.
Peut-être que ce ne fut pas seulement le fait de cette
bataille, d'une simple défaite : non pas uniquement ce
qu'il vit là, la panique, la lâcheté, les fuyards jetant
leurs armes, criant comme toujours à la trahison et
maudissant leurs chefs pour justifier leur panique, et
peu à peu les coups de feu s'espaçant, puis isolés, sans
suite, sans conviction, le combat en train de s'épuiser,
de mourir de lui-même dans la langueur de la fin du
jour. Nous avons vu, connu cela : ce ralentissement,
cette progressive immobilisation. Comme la roue de la
loterie foraine, le crépitement serré de la languette de
métal (ou baleine) sur l'étincelante couronne des bu-
toirs se décomposant pour ainsi dire, les claquements
qui ne faisaient qu'un seul bruit continu de crécelle se
séparant, se dissociant, se raréfiant, ces dernières heures
où la bataille semble ne plus continuer qu'en vertu de
la vitesse acquise, ralentir, reprendre, s'éteindre, se
rallumer en d'absurdes et incohérents sursauts pour

s'affaler de nouveau tandis que l'on recommence à entendre chanter les oiseaux, se rendant compte tout à
coup qu'ils n'ont jamais arrêté de chanter, pas plus que
le vent n'a cessé de balancer les branches des arbres,
les nuages de cheminer dans le ciel, — quelques coups
de feu, donc, encore, insolites maintenant, absurdes,
çà et là dans la paix du soir, quelques acrochages tar-
difs d'arrière-gardes et de poursuivants, et non sans
doute les troupes espagnoles proprement dites (c'est-à-
dire régulières, royales, c'est-à-dire très probablement
composées non pas d'Espagnols mais de mercenaires,
de soudards irlandais ou suisses et commandées par
quelque prince enfant ou quelque vieux général à tête
de pharaon momifié, aux mains parcheminées, constellées de taches de son, également (l'enfant ou la vieille
momie) couverts d'or, de plaques, d'ordres de diamants,
semblables à des châsses, des madones, avec leurs immaculés uniformes blancs, leurs larges rubans de
moire bleu ciel en sautoir, leurs mains baguées, le
prince enfant à califourchon sur son rouan au sommet
d'une colline, s'amusant à chercher dans la plaine à
travers une lunette qu'il ne sait pas manier les dernières troupes de l'ennemi battant en retraite, la vieille
momie parcheminée assise dans sa berline et à ce moment s'inquiétant déjà du cantonnement, de la ferme,
du dîner, du lit — et peut-être de la fillette — que lui
trouveront ses officiers), mais tirés (les sporadiques
coups de feu) par ces occultes et mystérieux alliés que
toute armée victorieuse semble susciter spontanément
autour, en avant et en arrière d'elle, sans doute des
paysans, ou des contrebandiers, ou les voleurs de grand
chemin de l'endroit ou des environ armés de vieux
tromblons et de pistolets rafistolés, un chapelet de mé-
dailles et d'ex-votos autour du cou, et à peu près la
tête, le bec et les serres de cet honorable gentleman
aux ascendances calabraises ou siciliennes qui tient la
table de poker là derrière, déguisé en soldat, et fait

commerce de cigarettes à raison de deux unités pour
le prix d'environ quatre jours de notre travail, et em-
brassant (les paysans et les contrebandiers) une vieille
croix crasseuse sortie de sous leurs chemise avant de
décharger à bout portant de derrière un chêne-liège ou
un fourré leur vieux tromblon sur un blessé ou un traî-
nard avec cette sorte de rage sacrée, de sainte et meur-
trière fureur, criant en même temps que part le coup
quelque chose comme : « Tiens, salaud, mange ça ! »,
et lui (de Reixach) apparemment sourd et aveugle (aux
coups de feu, aux chants d'oiseaux, au soleil déclinant),
morne, absent, se laissant conduire par son cheval, les
rênes abandonnées, déjà parvenu ou entré dans un autre état, un autre degré, soit de connaissance, soit de
sensibilité — ou d'insensibilité — et à un moment donné
un type — un soldat tête nue, sans écussons ni armes —
sortant de quelque part (du coin d'une maison, de derrière une haie, du fossé où il s'était tapi) et se mettant
à courir près de lui en criant : « Emmenez-moi, mon
capitaine, emmenez-moi, laissez-moi aller avec vous ! »,
et lui ne le regardant même pas, ou peut-être si, mais
comme on regarde un caillou, une chose, et détournant
aussitôt la tête, et disant seulement un peu plus haut
que le ton de la conversation : « Fichez-moi le camp »,
et le soldat continuant à courir à hauteur de sa botte
— ou plutôt à trottiner, et sans doute n'en aurait-il pas
eu besoin, n'aurait-il eu qu'à allonger le pas pour marcher à la même vitesse que le cheval, mais probablement l'idée de courir était-elle la chose qui répondait
spontanément chez lui à son désir de fuir, d'échapper —, haletant, psalmodiant : « Emmenez-moi j'ai
perdu mon régiment emmenez-moi mon capitaine je
n'ai plus de régiment emmenez-moi laissez-moi aller
avec vous... », et lui ne répondant maintenant même
plus, ne l'entendant, ne le voyant sans doute même
plus, retourné, emmuré dans ce silence hautain où lui
parlaient peut-être maintenant déjà d'égal à égal tous

ses barons d'ancêtres morts, tous ces Reixach qui... »

Et Blum : « Mais qu'est-ce que tu... »

Et Georges : « Non, écoute : alors le type a cessé de
courir et il est venu vers nous, ou plutôt il s'est simplement arrêté de courir comme un petit chien, la tête levée, à peu près à la hauteur du genou de de Reixach,
s'est planté au milieu de la route et a attendu qu'on soit
arrivé à sa hauteur, disant à ce moment : « Laissez-
moi monter sur le cheval », et Iglésia qui tenait la
bride de ce sous-verge de la mitraille aux harnais coupés ne lui répondant pas plus que de Reixach, ne semblant pas plus le voir, et alors j'ai dit : « Tu vois bien
qu'il n'a pas de selle, tu ne pourras pas tenir si on
trotte », mais maintenant c'était à côté de nous qu'il
s'était mis à courir ou plutôt à trottiner de nouveau,
avançant de cette allure saccadée, sautillante, sa tête
ballottant comme s'il allait s'effondrer chaque fois au
pas suivant, ses yeux me regardant, répétant sans arrêt
sur le même ton monotone, morne, suppliant : « Laissez-moi monter laissez-moi monter oh dites laissez-moi
monter », et moi, à la fin, j'ai dit : « Hé, monte si tu
veux ! », et en réalité, prêt à s'effondrer comme il était,
je n'aurais jamais cru qu'il en serait capable, mais je
n'avais pas plutôt parlé qu'il était là à se hisser, accroché aux harnais, avec une espèce de frénésie, de furieux coups de reins, et enfin il y parvint, fut dessus, se
redressa, de Reixach se retournant alors comme s'il
avait eu des yeux dans le dos, lui qui à ce moment ne
semblait même plus voir ce qu'il avait devant lui,
criant : « Qu'est-ce que vous fichez là ? Je vous ai dit de
ficher le camp ! Qui est-ce qui vous a permis de monter sur ce cheval et de me suivre ? » et le type recommençant à geindre, recommençant sa litanie, disant :
« Laissez-moi aller avec vous J'ai perdu mon régiment
et ils vont me prendre laissez-moi... », et lui : « Des-
cendez tout de suite et fichez-moi le camp ! », puis je ne
vis plus le type sur le cheval : encore plus vite qu'il

n'était monté il s'était glissé à terre et en me retournant
je le vis, planté droit au bord de la route, misérable,
seul, désemparé, qui nous regardait nous éloigner, et
au bout d'un moment Iglésia dit : « C'était un es-
pion ! », et moi : « Qui ? », et Iglésia : « Le type. T'as
pas vu ? C'était un Frisé », et moi : « Un Frisé ? Tu
n'es pas fou. Pourquoi un Frisé ? », et lui haussant les
épaules sans me répondre comme si j'étais idiot, et toujours le cliquetis régulier des pas des chevaux, et ce dos
raide de de Reixach droit sur sa selle, oscillant à peine,
et ce soleil, et cette couche de fatigue, de sommeil, de
sueur et de poussière que j'avais comme collée à la figure comme un masque, m'isolant, et au bout d'un moment la voix d'Iglésia m'arrivant d'au-delà de cette pellicule, de très loin, quelque part dans le poudroiement
de soleil, l'air épais, disant : « C'était un Frisé que j' te
dis. Il parlait trop bien le français. Et puis t'as pas vu
sa tête ? Ses cheveux ? Tout rouquin qu'il était ! », et
moi : « Rouquin ? », et Iglésia : « Oh merde, t'es complètement abruti ou quoi ? T'es même plus capable
de... »

« Et c'est alors que cette rafale de mitraillette est
partie », dit-il (se tenant là, devant elle, tandis qu'elle
continuait à l'examiner avec cette espèce de curiosité
ennuyée, patiente, polie, et parfois quelque chose (non
pas de l'effroi, mais comme une discrète et insolente
méfiance aux aguets, comme ce qui aiguise, insaisissa-
ble, le regard indifférent des chats) quelque chose de
furtif, aigu, foudroyant passant dans ses yeux, et aussitôt éteint, le visage inaltérable, ce masque régulier, serein, magnifique et vide, « Comme ces statues, pensa-
t-il. Mais peut-être n'est-elle rien d'autre, ne faut-il
rien lui demander de plus que ce que l'on demande à
du marbre, à la pierre, au bronze : seulement de se
laisser regarder et toucher, qu'elle se laisse seulement
regarder et toucher... », mais il ne bougeait pas, pensant : « Mais elle pleurait. Il a dit qu'elle pleurait... »),

puis il lui sembla les voir tous deux, elle et Iglésia, debout parmi le piétinement multiple de la foule, l'incessant crissement du gravier parsemé ou plutôt souillé
de tickets perdants, et les minuscules mains de singe
d'Iglésia en train de déchirer les petits bouts de papier
maintenant sans valeur, tous les deux droits, raides l'un
en face de l'autre : lui avec ce visage couleur de cuir,
ahuri, terrifiant et triste, sa culotte blanche, ses bottes
de poupée et ce triangle de soie brillante et rose de la
casaque apparaissant entre les revers élimés du veston,
et elle maintenant non plus inventée (comme disait
Blum — ou plutôt fabriquée pendant les longs mois de
guerre, de captivité, de continence forcée, à partir
d'une brève et unique vision un jour de concours hippique, des racontars de Sabine ou des bribes de phrases (elles-mêmes représentant des bribes de réalité), de
confidences ou plutôt de grognements à peu près mono-
syllabiques arrachés à force de patience et de ruse à
Iglésia, ou à partir d'encore moins : d'une gravure qui
n'existait même pas, d'un portrait peint cent cinquante
ans plus tôt...), mais telle qu'il pouvait la voir maintenant, réellement devant lui, pour de vrai, puisqu'il
pouvait (puisqu'il allait) la toucher, pensant : « Je vais
le faire. Elle va me frapper, me faire mettre à la porte,
mais je vais le faire... », et elle continuant toujours à le
dévisager comme si elle le regardait à travers une plaque de verre, comme si elle se trouvait de l'autre côté
d'une paroi transparente mais aussi dure, aussi impossible à traverser que du verre quoique apparemment
aussi invisible et derrière laquelle, depuis qu'il était là,
elle se serait tenue à l'abri ou plutôt hors d'atteinte
tandis qu'elle laissait à ses lèvres (seulement ses lèvres,
pas elle, — c'est-à-dire cette chose aiguë ou plutôt affûtée, subtile et foudroyante — et peut-être même inconnue d'elle — qui se mouvait à toute vitesse, traversait
par éclairs le regard serein et indifférent) le soin d'élever
comme une barrière supplémentaire la suite de mots in-

différents, des formules indifférentes (disant : « Ainsi
vous étiez... je veux dire : vous faisiez partie du même régiment, je veux dire du même escadron que... », ne
finissant pas, ne prononçant pas (comme par une
sorte de gêne, de pudeur — ou simplement de
paresse) le nom (ou les deux noms) que lui-
même n'avait pu se résoudre à écrire dans sa
lettre, se contentant de mentionner seulement le numéro
du régiment et de l'escadron, comme si lui aussi avait
éprouvé cette même gêne, cette même impossibilité),
et à un moment il l'entendit rire, disant : « Mais je crois
que nous sommes vaguement parents, quelque chose
comme cousins par alliance, non ?... », l'entendant prononcer six ans après et presque mot pour mot les paroles qu'il (de Reixach) avait lui-même dites dans un
petit matin glacé d'hiver tandis que derrière lui passaient et repassaient les taches floues et rougeâtres des
chevaux revenant de l'abreuvoir où il fallait casser la
glace pour qu'ils puissent boire, et maintenant c'était
l'été, — non le premier mais le deuxième après que
tout avait pris fin, c'est-à-dire s'était refermé, cicatrisé,
ou plutôt (pas cicatrisé, car aucune trace de ce qui
s'était passé n'était déjà plus visible) rajusté, recollé, et
si parfaitement qu'on ne pouvait plus discerner la moindre faille, comme la surface de l'eau se referme sur un
caillou, le paysage reflété un moment brisé, fracassé,
dissocié en une multitude incohérente d'éclats, de débris
enchevêtrés de ciel et d'arbres (c'est-à-dire non plus le
ciel, les arbres, mais des flaques brouillées de bleu, de
vert, de noir), se reformant, le bleu, le vert, le noir se
regroupant, se coagulant pour ainsi dire, s'ordonnant,
ondulant encore un peu comme de dangereux serpents,
puis s'immobilisant, et plus rien alors que la surface
vernie, perfide, sereine et mystérieuse où s'ordonne la
paisible opulence des branches, du ciel, des nuages paisibles et lents, plus rien maintenant que cette surface
laquée et impénétrable, pensant (Georges) : « Alors il

peut sans doute recommencer à y croire, à les aligner,
les ordonner élégamment les uns après les autres, in-
signifiants, sonores et creux, dans d'élégantes phrases
insignifiantes, sonores, bienséantes et infiniment rassu-
rantes, aussi lisses, aussi polie, aussi glacées et aussi
peu solides que la surface miroitante de l'eau recouvrant, cachant pudiquement... »

Mais Georges n'allait même plus jusqu'au kiosque à
présent, se contentant de le défier, de l'épier sans même
le regarder (car il n'en avait pas besoin, il n'avait pas
besoin de se servir de ses yeux pour cela, pouvant voir
sans avoir besoin que l'image s'en imprime sur sa rétine
la masse du corps à présent de plus en plus envahie par
la graisse, monstrueuse, de plus en plus accablée par
son propre poids, le visage aux traits de plus en plus
affaissés par l'effet de quelque chose qui n'était pas
seulement la graisse et qui prenait peu à peu possession de lui, l'envahissait, l'emprisonnait, le murait dans
une sorte de muette solitude, d'orgueilleuse et pesante
tristesse), comme il l'avait défié, épié à son retour, la
scène se déroulant ainsi : Georges, déclarant qu'il avait
décidé de s'occuper des terres, et soutenu (quoiqu'il fît
semblant de ne pas l'entendre, quoique affectant de
leur parler à tous deux également, et tourné cependant
ostensiblement vers elle seule et se détournant ostensiblement de son père, et cependant s'adressant à lui, et
ne tenant ostensiblement aucun compte d'elle ou de ce
qu'elle pouvait dire), soutenu, donc, par la bruyante,
obscène et utérine approbation de Sabine ; et pas plus,
c'est-à-dire pas un mot, pas une observation, par un regret, la pesante montagne de chair toujours immobile,
silencieuse, la lourde et pathétique masse d'organes dis-
tendus et usés à l'intérieur de laquelle ou plutôt sous
laquelle se tenait quelque chose qui était comme une
partie de Georges, au point que malgré sa totale immobilité, malgré sa totale absence de réaction apparente
Georges perçut parfaitement et plus fort que l'assour-

dissant caquetage de Sabine comme une sorte de craque-
ment, comme le bruit imperceptible de quelque organe secret et délicat en train de se briser, et rien de
plus après cela, rien d'autre, sinon cette carapace de
silence, lorsque Georges venait s'asseoir à table dans sa
salopette souillée, avec ses mains non pas souillées mais
pour ainsi dire incrustées de terre et de cambouis au
soir des lentes et vides journées tout au long desquelles
il conduisait le tracteur, suivant les lents sillons, regardant à chaque aller et retour son ombre d'abord dis-
tendue, étirée, changer lentement de forme en même
temps qu'elle tournait lentement autour de lui comme
les aiguilles d'une montre, raccourcissant, se tassant,
s'aplatissant, puis croissant, s'allongeant de nouveau, démesurée, gigantesque à la fin, à mesure que le soleil
déclinait, sur la terre oublieuse et indifférente, le
monde perfide de nouveau inoffensif, familier, trom-
peur, tandis que passaient parfois confusément les images, le visage décharné de Blum, Iglésia, et quand ils
faisaient cuire les galettes, et l'obscure silhouette équestre, levant le bras, brandissant le sabre, s'écroulant lentement sur le côté, disparaissant, et elle, telle qu'il, ou
plutôt ils (mais il n'avait plus personne avec qui en parler maintenant, et Sabine avait dit qu'on lui avait dit
qu'elle s'était conduite d'une façon telle qu'on — c'est-à-
dire sans doute ceux et celles qui appartenaient ou que
Sabine jugeait dignes d'appartenir à ce milieu ou cette
caste dans laquelle elle se rangeait elle-même — ne la
recevait plus), telle donc qu'ils (c'est-à-dire lui, Blum
— ou plutôt leur imagination, ou plutôt leurs corps,
c'est-à-dire leur peau, leurs organes, leur chair d'adolescents sevrés de femmes) l'avaient matérialisée : debout dans le contre-jour ensoleillé d'une fin d'après-
midi, dans cette robe rouge couleur de bonbon anglais
(mais peut-être cela aussi l'avait-il inventé, c'est-à-dire
la couleur, ce rouge acide, peut-être simplement parce
qu'elle était quelque chose à quoi pensait non son es-

prit, mais ses lèvres, sa bouche, peut-être à cause de
son nom, parce que « Corinne » faisait penser à « corail » ?...) se détachant sur le vert pomme de l'herbe
où galopent des chevaux ; et souvent il lui arrivait de
la voir sous la forme d'une de ces reines dessinées sur
les cartes à jouer qu'il faisait maintenant lui aussi glisser lentement dans sa main en se composant un visage
indifférent (pensant : « En tout cas j'aurai au moins
appris quelque chose à la guerre. Comme ça je ne l'aurai pas faite pour rien. J'aurai au moins appris à jouer
au poker... » Car il jouait maintenant, retrouvait le
soir, dans l'arrière-salle d'un bar situé près du marché
aux bestiaux (s'y rendant comme il était, comme il
avait dîné à la table de son père, c'est-à-dire en salopette et ses mains indécrassables, imprégnées de terre
et de cambouis mêlés), trois ou quatre types aux identiques visages inexpressifs, aux identiques gestes brefs,
économes, et qui jouaient gros, vidaient (avec les mêmes
gestes qu'ils avaient pour jouer, de la même façon, silencieuse, rapide, et apparemment sans plaisir) des bouteilles du champagne le plus cher tandis que deux ou
trois filles avec lesquelles chacun avait couché à tour
de rôle attendaient en bâillant et se montrant leurs ba-
gues sur les banquettes râpées) : rien qu'un simple
bout de carton, donc, une de ces reines vêtues d'écar-
late, énigmatiques, et symétriquement dédoublées,
comme si elles se reflétaient dans un miroir, vêtues
d'une de ces robes mi-partie rouge et verte aux lourds
et rituels ornements, aux rituels et symboliques attri-
buts (rose, sceptre, hermine) : quelque chose sans plus
d'épaisseur, sans plus de réalité ni d'existence qu'un
visage dessiné au trait sur le fond blanc du papier, impénétrable, inexpressif et fatal, comme le visage même
du hasard ; puis — par un des joueurs — il apprit
qu'elle s'était remariée et habitait Toulouse, et alors
maintenant tout ce qui le séparait d'elle c'était cette vitre de derrière laquelle elle semblait à présent le regar-

der, lui parler, prononcer des mots, des paroles qu'il
(et probablement elle non plus) n'écoutait pas, exactement comme s'il s'était tenu de l'autre côté de la
glace d'aquarium, lui la regardant, pensant toujours :
« Je vais le faire. Elle va me frapper, appeler quelqu'un
et me faire mettre à la porte, mais je vais le faire... »,
et elle — c'est-à-dire sa chair — bougeant imperceptiblement, c'est-à-dire respirant, c'est-à-dire se dilatant
et se contractant tour à tour comme si l'air pénétrait en
elle non par sa bouche, ses poumons, mais par toute sa
peau, comme si elle était faite d'une matière semblable
à celle des éponges, mais d'un grain invisible, se dilatant et se contractant, semblable à ces fleurs, ces choses marines à mi-chemin entre le végétal et l'animal, ces
madrépores, palpitant délicatement dans l'eau transparente, respirant, et lui n'écoutant toujours pas, ne se
donnant même pas la peine de faire semblant d'écouter,
la regardant, tandis qu'elle essayait de nouveau de rire,
l'observait derrière son rire avec cette sorte de circons-
pection, ce mélange de curiosité, de méfiance, peut-être
de crainte, comme s'il eût été un peu quelque chose
comme un fantôme, un revenant, lui-même pouvant se
voir dans l'épaisseur glauque de la glace derrière elle,
avec son visage brûlé, son air de chien maigre, affamé,
pensant : « Ouais ! C'est à peu près de ça que je dois
avoir l'air ! D'avoir envie de mordre... », et elle disant
toujours n'importe quoi : Comme vous êtes brun Vous
revenez de la mer ? et lui : Quoi ? et elle : Vous êtes
tout hâlé par le soleil, et lui : La mer ? Pourqu... Oh !
Non je m'occupe des terres vous savez Je suis toute la
journée sur le tract..., puis sa propre main lui apparaissant, entrant dans son champ de vision, c'est-à-dire
comme s'il l'avait plongée dans l'eau, la regardant
s'avancer, s'éloigner de lui, avec une sorte d'étonnement,
de stupeur (comme si elle se séparait de lui, se détachait du bras, par l'effet de cette légère déviation du
rayon visuel quand il traverse la surface d'un liquide) :

la main maigre, brune, aux doigts longs et fins, dont il
n'avait pas réussi, en huit ans, malgré les manches de
fourches, de pelles, de pioches, la terre, le cambouis, à
faire une main de paysan et qui restait désespérément
déliée, faisant dire amoureusement et orgueilleusement
à Sabine qu'il avait une main de pianiste, qu'il aurait
dû faire de la musique, qu'il avait certainement gâché,
gaspillé là un don, une chance unique (mais il ne se
donnait même plus la peine maintenant de hausser les
épaules), chassant l'image, la voix de Sabine tandis
qu'il regardait toujours, comme fasciné, sa propre main
devenue maintenant pour ainsi dire étrangère à lui-
même, c'est-à-dire faisant partie au même titre que les
arbres, le ciel, le bleu, le vert, de ce monde étranger,
étincelant et incroyable où elle (Corinne) se tenait, irréelle, incroyable elle aussi malgré son lourd parfum,
sa voix, respirant de plus en plus vite maintenant, sa
poitrine, ses seins s'élevant et s'abaissant comme ces
gorges d'oiseaux, palpitant, l'air (ou le sang) affluant
en pulsations rapides tandis que sa voix se faisait plus
pressée, montait d'un demi-ton peut-être, disant : « Eh
bien j'ai été heureuse de vous voir Je dois maintenant
sortir Je crois qu'il doit être assez tard Il faut..., mais
ne bougeant pourtant pas, la main maintenant très
loin de lui (comme, au cinéma, les gens du balcon, près
de la cabine de projection, agitent le bras, leurs mains,
les cinq doigts ouverts s'interposant dans le rayon lumineux, projetant leurs ombres immenses et mouvantes sur l'écran comme pour posséder, atteindre, l'inac-
cessible rêve scintillant), complètement détachée, à présent, si bien que lorsqu'il la toucha (le haut du bras nu
un peu au-dessous de l'épaule) il éprouva d'abord la
bizarre sensation de ne pas la toucher vraiment, comme
lorsqu'on prend un oiseau dans la main : cette surprise,
cet étonnement provoqué par la différence entre le vo-
lume apparent et le poids réel, l'incroyable légèreté,
l'incroyable délicatesse, la tragique fragilité des plumes,

du duvet, et elle disant : Mais qu'est-ce que... qu'est-ce
que vous..., et incapable semblait-il tant de finir sa
phrase que de bouger, respirant seulement de plus en
plus vite, haletant presque, tandis qu'elle continuait à
le fixer avec cette expression d'effroi, d'impuissance,
et entre sa paume et la peau soyeuse du bras, encore
quelque chose, pas plus épais qu'une feuille de papier à
cigarette, mais quelque chose s'interposant, c'est-à-dire
la sensation du toucher éprouvée comme légèrement
en retrait, comme lorsque les doigts engourdis par le
froid se posent sur un objet et ne le perçoivent, semble-
t-il, qu'à travers une pellicule, une sorte de corne d'insensibilité, et tous les deux (Corinne et lui) parfaitement
immobiles, se dévisageant, puis la main se fermant sur
le bras, serrant, et alors il pouvait maintenant fermer
les yeux, respirant seulement son odeur de fleur, l'entendant haleter, l'air entrant et ressortant très vite à
travers ses lèvres, puis elle fit entendre quelque chose
comme un soupir, un gémissement, disant : Vous me
faites mal, disant : Lâchez-moi vous me Mais lâchez-
moi..., jusqu'à ce qu'il se rendît compte que sa main
serrait maintenant de toutes ses forces, mais il ne la re-
tira pas, relâchant seulement un peu ses muscles, se
rendant compte en même temps qu'à présent il trem-
blait, d'une façon continue, imperceptible, incontrôlable, et elle disant : Je vous en prie Mon mari peut rentrer Je vous en prie Lâchez-moi Cessez, mais ne bougeant toujours pas, haletant un peu, répétant d'une
voix monotone, mécanique, effrayée : Je vous en prie
Voyons Je vous en prie Je vous en prie..., Georges se
contentant maintenant de laisser sa main où elle était,
sans plus, et absolument immobile lui aussi, comme si
non pas entre eux maintenant mais autour d'eux, les
enserrant, l'air avait partout cette fallacieuse consistance du verre, invisible et cassant, d'une terrifiante
fragilité, et alors restant là (Georges) sans faire un
mouvement, sans oser bouger, essayant de retenir sa

respiration, de calmer la bruyante rumeur de son sang,
le vert et transparent crépuscule de mai tout entier
semblable à du verre, et dans la gorge cette espèce de
nausée qu'il s'efforçait de contenir, déglutissant, pensant entre deux assourdissantes ruées de l'air : C'est
d'avoir trop couru, pensant : Mais c'est peut-être tout
cet alcool ? pensant qu'il aurait dû essayer de vomir
comme tout à l'heure Iglésia dans le champ, pensant :
Mais vomir quoi ? cherchant à se rappeler la dernière
fois qu'il avait mangé ah oui ce bout de saucisson ce
matin dans la forêt (mais était-ce le matin ou quand ?),
son estomac empli par le genièvre qu'il lui semblait
sentir à l'intérieur de lui comme un corps étranger,
inassimilable, une boule solidifiée ou plutôt à demi solidifiée et lourde, quelque chose comme du mercure,
alors tout à l'heure il aurait dû se mettre les doigts
dans la gorge et vomir, au moins il aurait été soulagé,
quand ils étaient dans la maison en train d'enfiler de
nouveau leurs uniformes, et ensuite se tenant (de nouveau lourd, roide, exténué, dans sa gangue roide et
lourde de drap et de cuir) seul dans la chambre, toujours en train de se demander s'il allait vomir ou pas et
où Iglésia avait bien pu passer, tandis que par la fenêtre il regardait filer rapidement là-bas sur la route les
camionnettes du génie battant en retraite, pas plus
grosses que des jouets, se succédant sans interruption
dans une fuite précipitée, puis Iglésia de nouveau là
sans qu'il eût pu dire (pas plus que lorsqu'il avait disparu) quand et comment il était revenu, Georges sur-
sautant, se retournant, le regardant de ce même œil
exténué, incrédule, et Iglésia : « Ces pauv' carnes faut
quand même qu'elles bouffent », et lui pensant : « Bon
Dieu. Il a encore trouvé moyen d'y penser. Presque ivre
mort. Comme l'autre ce matin pour les faire boire.
Comme si... », puis s'arrêtant de penser, ne finissant
pas, cessant de s'intéresser à lui pour regarder lui aussi
ce que contemplaient maintenant les deux yeux globu-

leux et jaunes, ahuris, incrédules eux aussi, tous les
deux se tenant un instant immobiles tandis que là-bas,
par delà les prés en pente, les petites voitures jouets
continuaient à filer à la queu-leu-leu : puis dégringolant ensemble l'escalier, traversant en courant la cour
déserte de la ferme et reprenant en sens inverse le chemin qu'ils avaient suivi le matin, — et tout ce qu'il pouvait voir maintenant (couché de tout son long sur le
ventre dans l'herbe du fossé, haletant, essayant toujours
sans y parvenir de contenir le formidable bruit de
forge dans sa poitrine) c'était l'étroite bande horizontale à quoi, pour lui, se réduisait à présent le monde, li-
mitée en haut par la visière de son casque, en bas par
l'entrecroisement des brins d'herbe du fossé juste devant
ses yeux, flous, puis plus nets, puis non plus des brins
d'herbe : une tache verte dans le vert crépuscule, allant
se rétrécissant puis cessant à l'endroit où le chemin
empierré débouchait sur la route, puis les pavés de la
route et les deux bottes noires, soigneusement cirées,
de la sentinelle, avec leurs brillants replis d'accordéon
au niveau de la cheville, l'axe des bottes dessinant la
base d'un V renversé dans l'ouverture duquel, de l'autre
côté de la route, le cheval mort apparaissait et disparaissait entre les roues des camions sautant sur les pavés,
toujours là, à la même place que le matin mais, semblait-
il, comme aplati, comme s'il avait peu à peu fondu au
cours de la journée à la façon de ces personnages de neige
qui au fur et à mesure du dégel semblent s'enfoncer insensiblement dans la terre, comme attaqués par leur base,
se déformant lentement, de sorte que subsistent seules
à la fin les masses les plus importantes et les supports
— manches à balais, bâtons, — qui ont servi d'arma-
ture : ici le ventre, maintenant énorme, gonflé, distendu, et les os, comme si le milieu du corps avait as-
piré à son profit toute la substance de l'interminable
carcasse, les os avec leur tête ronde semblables maintenant à des piquets plantés de traviolle et soutenant

tant bien que mal comme une tente la croûte de boue
écaillée qui lui servait d'enveloppe : mais plus de
mouches maintenant, comme si elles-mêmes l'avaient
abandonné, comme s'il n'y avait plus rien à en tirer,
comme s'il était déjà — mais ce n'était pas possible,
pensa Georges, pas en un jour —, non plus viande
boucanée et puante mais transmuée, assimilé par la
terre profonde qui cache en elle sous sa chevelure
d'herbe et de feuilles les ossements des défuntes Rossi-
nantes et des défunts Bucéphales (et des défunts cheva-
liers, des défunts cochers de fiacre et des défunts
Alexandres) retournés à l'état de chaux friable ou de...
(mais il s'était trompé : il en jaillit brusquement une
— cette fois de l'intérieur des naseaux — et quoiqu'il
se trouvât à plus de quinze mètres il la vit (grâce sans
doute à cette nauséeuse et minutieuse acuité visuelle
que donne l'ivresse) aussi distinctement (velue, bleu-
noir, étincelante, et quoiqu'il eût les oreilles fracassées
par l'incessant tapage des camions lancés à toute vitesse,
il l'entendit aussi : son bourdonnement impétueux, vorace, furibond) que les têtes des clous dans les quatre
fers du cheval posés de champ sur la surface de la
route et maintenant, par rapport à Georges, au premier plan)... retournés, donc, à l'état de chaux friable,
de fossiles, ce qu'il était sans doute lui-même en passe
de devenir à force d'immobilité, assistant impuissant
à une lente transmutation de la matière dont il était
fait en train de se produire à partir de son bras replié
et qu'il pouvait sentir mourir peu à peu, devenir insensible, dévoré non par les vers mais par un fourmille-
ment gagnant lentement et qui était peut-être le secret
remue-ménage d'atomes en train de permuter pour
s'organiser selon une structure différente, minérale ou
cristalline dans le cristallin crépuscule dont le séparait
toujours l'épaisseur d'une feuille de papier à cigarette,
à moins que ce ne fût par une feuille de papier à cigarette mais le contact du crépuscule lui-même sur sa

peau car telle est, pensa-t-il, l'exquise délicatesse de la
chair des femmes qu'on hésite à croire qu'on les touche
réellement, la chair toute entière comme des plumes,
de l'herbe, des feuilles, de l'air transparent, aussi fragile que du cristal, et où il pouvait toujours l'entendre
haleter faiblement, à moins que ce ne fût son propre
souffle, à moins qu'il ne fût maintenant aussi mort que
le cheval et déjà à demi englouti, repris par la terre, sa
chair se mélangeant à l'humide argile, ses os se mélangeant aux pierres, car peut-être était-ce une pure question d'immobilité et alors on redevenait simplement un
peu de craie, de sable et de boue, pensant que c'était
cela qu'il aurait dû lui dire, pouvant le voir, tel qu'il
était sans doute à cette même heure, dans la pénombre
du kiosque crépusculaire où à travers les carreaux de
verres de couleur le monde apparaissait unifié, fait
d'une seule et même matière, verte, mauve ou bleue,
enfin réconcilié, à moin qu'il ne fît là-bas une de ces
soirées de mai trop chaudes pour rester dans le kiosque,
auquel cas ils devaient alors se trouver elle et lui encore sous le grand marronnier où ils ont pris le thé, le
marronnier en fleurs à cette époque, ses multiples grappes blanches comme des candélabres doucement phosphorescentes dans le crépuscule, l'ombre épaisse s'enté-
nèbrant de bleu, tombant sur eux maintenant, les recouvrant comme une couche opaque et uniforme de
peinture, lui et ses éternelles feuilles de papier étalées
devant lui sur la table à côté du plateau qu'il a écarté,
une soucoupe posée dessus pour empêcher que l'haleine du soir ne les disperse car il ne peut sans doute
même plus distinguer à présent la fine écriture qui les
couvre, se contentant sans doute à présent ou du moins
essayant de se contenter de savoir que ces caractères,
ces signes sont là, comme dans sa nuit un aveugle sait
— connaît — l'existence des murs protecteurs, de la
chaise, du lit, encore qu'il puisse au besoin les toucher
pour éprouver la certitude de leur présence, — alors que

le jour, ou la lumière (pensait Georges, toujours couché dans le fossé, attentif, raide, maintenant complètement insensible et paralysé de crampes, et aussi immobile que la carne morte, le visage parmi l'herbe nom-
breuse, la terre velue, son corps tout entier aplati,
comme s'il s'efforçait de disparaître entre les lèvres du
fossé, se fondre, se glisser, se faufiler tout entier par
cette étroite fissure pour réintégrer la paisible matière
(matrice) originelle, pensant aux soirs où on dinaît dehors et où, à cette heure, Julien apportait la lampe à
pétrole et, tandis qu'on disposait la table, son père se
remettait au travail, enfermé — lui et ces feuillets aux
coins retournés, raturés et qui étaient en quelque sorte
devenus comme une partie de lui-même, un organe
supplémentaire et aussi inséparable de lui que son
cerveau ou son cœur, ou sa pesante vieille chair —
dans cette espèce de cocon protecteur, d'œuf, de sphère
huileuse, jaunâtre et close que délimitait dans la nuit
du parc et le zézaiement des moustiques la lueur de la
lampe), alors, donc, que la lumière n'apporterait d'autre certitude que la décevante réapparition de griffon-
nages sans autre existence réelle que celle attribuée à
eux par un esprit non plus sans existence réelle pour
représenter des choses imaginées par lui et peut-être
aussi dépourvues d'existence, et alors mieux valait à
tout prendre son jacassement de volatile, ses colliers en-
trechoqués, son perpétuel et insensé verbiage qui
avaient au moins la vertu d'exister, quand ce ne serait
que par le bruit et le mouvement, en admettant que le
bruit et le mouvement ne fussent pas encore des formes futiles et illusoires du contraire de l'existence :
voilà ce qu'il aurait fallu savoir, ce qu'il aurait fallu
pouvoir demander au cheval, et peut-être était-ce un
problème que Georges aurait pu résoudre s'il avait été
moins ivre ou moins las, et, peut-être du reste la question se résoudrait-elle toute seule d'un instant à l'autre
et cela par le simple effet d'un coup de fusil, c'est-à-

dire par le fait que l'inertie naturelle de la matière serait pour un instant rompue (une combustion, une di-
latation, un projectile violemment chassé à l'intérieur
d'un tube), le transformant pour de bon en un simple
amas de matière chevaline que seule sa forme distin-
guerait de celle de cette rosse, pour peu qu'il vienne à
l'idée de cette sentinelle qui maintenant allait et venait
d'un côté à l'autre du chemin parallèlement au bord de
la route d'avancer au contraire perpendiculairement à
celle-ci d'une douzaine de mètres dans le chemin, et naturellement il (Georges) pourrait toujours essayer de
tirer le premier ce qui, en admettant qu'il réussisse à le
faire suffisamment vite et sauter ensuite suffisamment
vite par dessus la clôture, lui donnerait bien le temps
de goûter une dernière fois à cette forme futile et illusoire de la vie qu'est le mouvement (le temps de parcourir à son tour une dizaine ou une quinzaine de mètres) avant de savoir ce que ne savaient pas encore les
mouches, ce qu'elles sauraient à leur tour un jour, ce
que tout le monde finissait à la fin par savoir mais que
jamais, ni cheval, ni mouche, ni l'homme n'était jamais
revenu raconter à ceux qui l'ignoraient encore, et alors
il serait mort pour de bon, et si la sentinelle était la
plus rapide il n'aurait même pas le temps de se lever,
de sorte qu'il serait à cette même place, et qu'est-ce
qu'il y aurait de changé sinon qu'il ne serait plus tout
à fait dans la même position puisqu'il aurait essayé
d'épauler et viser, et c'était tout, car en définitive ce serait toujours la même paisible et tiède soirée de mai
avec sa verte senteur d'herbe et la légère humidité
bleuâtre qui commençait à tomber sur les vergers et les
jardins : il y aurait seulement eu un ou deux coups de
feu comme on peut en entendre en septembre après
l'ouverture de la chasse le soir, quand après le travail
un paysan ou un gamin a pris à tout hasard un fusil et
décidé de faire un petit tour du côté où il a levé ce lièvre l'autre jour et cette fois le lièvre était au rendez-

vous et il l'a tiré, avec cette différence que personne ne
le ramasserait pour le porter par les oreilles mais qu'il
serait toujours là, au même endroit, complètement et
définitivement immobile alors avec sans doute comme
Wack cette expression de surprise stupide des morts, la
bouche bêtement ouverte, les yeux ouverts aussi regardant sans la voir cette étroite bande d'univers qui
s'étendait devant lui, ce même mur aux briques rouge
foncé (les briques trapues, courtes et épaisses, d'une
matière grenue, les plus claires tachetées de sombre sur
un fond couleur rouille, les plus foncées couleur de
sang séché, d'un pourpre brunâtre allant parfois jusqu'au mauve sombre, presque bleu, comme si la matière
dont elles étaient faites avait contenu des scories fer-
rugineuses, du mâchefer, comme si le feu qui les avait
cuites avait pour ainsi dire solidifié quelque chose
comme, sanglante, minérale et violente, de la viande à
l'étal d'un boucher (mêmes nuances allant de l'orange
au violacé), le cœur même, la dure et pourpre chair
de cette terre à laquelle il était collé pour ainsi dire
ventre à ventre), les joints plus clairs faits d'un mortier
grisâtre dans lequel il pouvait voir, enchâssés, les grains
de sable, une herbe sauvage, d'un vert délicat, poussant
irrégulièrement tout contre la base du mur (comme
pour dissimuler la ligne de jonction, la charnière,
l'arête du dièdre formé par le mur et le sol), et, un
peu en avant, le départ des fortes tiges dont la visière
de son casque l'empêchait de voir le haut, la fleur (ou
les bourgeons : peut-être des roses trémières ou de jeunes tournesosl ?) : à peu près de l'épaisseur du pouce,
rayées de stries ou plutôt de cannelures longitudinales
d'un vert plus clair, presque blanc, et couvertes d'un
léger duvet non pas couché, mais poussant perpendiculairement à la tige, les premières feuilles du bas déjà
flétries et desséchées, pendant, flasques, comme des
feuilles de salade rongées, leurs bords jaunis, mais celles du dessus encore fermes, fraîches, avec leurs ner-

vures claires et ramifiées comme un réseau symétrique de veinules, de fleuves, d'affluents, la matière
même des feuilles moelleuse, veloutée, quelque chose
(se détachant sur les briques rugueuses, minérales et
sanglantes) d'incroyablement tendre, immatériel, les
brins d'herbe à peu près immobiles seulement agités
parfois d'un faible frisson, les tiges vigoureuses des
hautes plantes absolument immobiles elles, les larges
feuilles palpitant mollement de temps à autre dans
l'air calme, tandis que, de la route, continuait toujours
à parvenir ce gigantesque vacarme : pas le canon (on
ne l'entendait plus maintenant que lointain, sporadique,
dans la paisible et pure fin du jour, comme les derniers
soubresauts, sans conviction, attardés et conventionnels
de la bataille — comme ces gestes, ce simulacre de travail, cette activité de façade que des employés ou des
ouvriers entretiennent paresseusement en attendant
l'heure de la fermeture des bureaux ou des ateliers),
mais la guerre elle-même se ruant avec un fracas semblable — en démesuré — à celui que l'on peut entendre dans les gares, fait d'échos de tampons entrecho-
qués, de ferraille secouée, insolite, métallique et désas-
treux ; puis, plus à gauche, jaillissant juste de l'arête du
dièdre comme d'une fissure entre la terre et le mur, il
y avait une de ces plantes sauvages : une touffe, ou plutôt une corolle de feuilles réparties en couronne (comme
un jet d'eau retombant), déchiquetées, dentelées et hérissées (comme ces anciennes armes ou ces harpons),
vert foncé, râpeuses, puis, après cela, encore la tige
— celle-ci légèrement inclinée vers la droite — d'une de
ces mêmes hautes plantes, puis fixé au mur par un
(sans doute il y en avait-il encore un autre plus haut,
mais il ne pouvait pas non plus le voir) tenon de fer,
le montant ou plutôt le chevron de bois sur lequel était
articulée une porte de poulailler : le tenon complètement rouillé, scellé dans le mur de briques, le ciment
autour de l'épaisse lame de fer formant une collerette

crémeuse dans laquelle on pouvait encore voir les traces de la truelle qui en lissant le mortier y avait laissé
des empreintes dessinées par une bavure (léger bour-
geonnement grumeleux de la matière pressée) en relief,
le chevron — le montant de la porte, comme d'ailleurs
son châssis lui-même — décoloré par la pluie, grisâtre,
et, pour ainsi dire feuilleté, comme de la cendre de cigare, le châssis, lui, à moitié déglingué, une des deux
chevilles de bois qui tenaient l'angle inférieur presque
sortie de son logement, le tout ayant pris du jeu, la traverse inférieure faisant donc avec le montant vertical
un angle non pas droit mais légèrement obtus de sorte
qu'elle devait racler le sol quand on ouvrait la porte,
l'herbe qui entourait en touffes serrées et drues le pied
du chevron fixé au mur diminuant de hauteur à partir
de là jusqu'à n'être plus qu'une plaque rase aux brins
couchés sur le sol, aplatis et courts, puis cessant, la
terre nue rayée de courbes concentriques correspondant
aux saillies de la traverse inférieure lorsqu'elle pivotait
en frottant le sol autour du montant, le grillage de fil de
fer galvanisé pas en bien meilleur état, quoiqu'il ait
apparemment été remplacé à une date assez récente
(plus récente en tout cas que la construction du poulailler et de la porte) car il n'était pas encore rouillé
(mais les petits clous en forme de fer à cheval qui le
maintenaient au châssis, oui), par contre enfoncé et
distendu (le grillage), dessinant une surface bosselée,
une grande poche (peut-être conséquence des coups de
pieds nécessaires à la fermeture de la porte) s'étant
formée dans le bas, distendant, ou plutôt étirant irrégulièrement les mailles hexagonales, l'herbe poussant
de nouveau au pied du second montant de bois contre
lequel venait buter le châssis, de nouveau en touffes
serrées, et continuant tout le long du grillage qui reprenait au delà, le champ de vision de Georges s'arrêtant là, c'est-à-dire pas d'une façon nette : par cette
sorte de frange qui s'étend à droite et à gauche de no-

tre vue et à l'intérieur de laquelle les objets sont moins
vus que perçus sous forme de taches, de vagues contours, trop épuisé (Georges) ou trop ivre pour seulement tourner la tête : il ne vit pas de poules derrière
le grillage, ou peut-être étaient-elles déjà couchées puisqu'on dit qu'elles le font avec le soleil, et quand il entendit chuchoter Iglésia il ne comprit d'abord pas, répétant : Quoi ? Iglésia lui touchant cette fois la cuisse,
disant : ... les poules. J' parie qu'ils vont venir les chercher. Fait assez noir, non ?... Ils commencèrent alors à
ramper à reculons, la tête toujours fixe, le champ de
leur vision s'agrandissant au fur et à mesure qu'ils
s'éloignaient, la maison apparaissant peu à peu tout entière, rouge sombre et trapue avec, sur sa gauche, le
poulailler et au-dessus de l'endroit où ils étaient couchés l'instant d'avant une fenêtre avec un pot à lait en
émail bleu, presque plus discernable dans le crépuscule, posé sur le rebord, mais la fenêtre, quoique ouverte, vide, morte, noire, et les deux autres, au premier
étage, vides et noires elles aussi, sans vie, eux rampant
toujours à reculons dans le fossé, puis quand ils attei-
gnirent le tournant se redressant, s'élançant, basculant
par dessus la clôture et retombant de l'autre côté, et se
tenant encore là, immobiles, tapis, écoutant leurs deux
respirations de nouveau déréglées, et pendant un moment incapables de rien percevoir d'autre, puis, — rien
ne se produisant — traversant courbés en deux le jar-
dinet, franchissant une deuxième clôture, et après
(c'était un verger) de nouveau accroupis l'un derrière
l'autre, tout contre la haie, et de nouveau leur souffle,
leur sang tumultueux, mais ne bougeant pas encore, la
lente obscurité s'épaississant peu à peu, et dans son
dos la voix d'Iglésia chuchotant de nouveau, enrouée,
furieuse, empreinte de cette espèce de puérile indignation (et pas besoin de se retourner pour voir ses gros
yeux de poisson emplis eux aussi de cette même stupéfaction, moroses, outragés) : « Des camionnettes du

génie ! Tu parles... », Georges ne répondant pas, ne se
détournant même pas, le chuchotement indigné, réprobateur et plaintif s'élevant de nouveau : « Merde. Un
peu plus on lui tombait dans les bras. Où est-ce que tu
regardais ? », Georges ne répondant toujours pas,
commençant à reculer le long de la haie sans quitter
un seul instant des yeux le coin de la maison de briques
là-bas, obscure entre les ténébreuses branches des
pommiers : mais il ne passait plus de camions maintenant et tout ce qu'il pouvait voir c'était la tache claire
que faisait le chiffon rose accroché à la haie non loin
du cheval, mais pas le cheval, et pas la sentinelle non
plus, seulement la tache rose luisant faiblement dans
la pénombre, puis même plus le chiffon parce qu'ils
avaient franchi encore une autre haie, toujours à reculons, la tête toujours tournée du côté de la route, se
heurtant du dos à la haie, la main tâtonnant derrière
eux, levant la jambe, un moment à cheval sur la haie,
le buste couché dessus, et retombant de l'autre côté
sans qu'un seul instant ils aient cessé de surveiller
l'angle de la maison, leurs têtes et leurs corps absorbés
pour ainsi dire par des problèmes différents, agissant
chacun pour leur compte ou, si l'on préfère, se répartis-
sant les tâches, leurs membres accomplissant spontanément et sous leur propre autorité et contrôle la suite
des mouvements auxquels leurs cerveaux ne semblaient
pas prêter attention, la nuit presque complète à présent,
la cacophonique explosion de piaillements effrayés
s'élevant soudain du poulailler dans un concert de bat-
tement d'ailes et d'air froissé, la dérisoire et déchirante
protestation emplissant un moment le crépuscule, discordante, terrifiée et furibonde, comme un parodique
appendice à la bataille : quelque chose avec des jurons,
des mains, des bras maladroits fauchant l'air parmi les
indistinctes boules rousses et hérissées voletant maladroitement, se heurtant, s'égosillant, jusqu'à ce que
l'inégal combat s'apaise aussi peu à peu, prenant

fin sur un dernier cri terrifié, étranglé, pitoyable,
puis plus rien, seulement sans doute dans le poulailler vide la lente et silencieuse retombée des plumes
éparpillées descendant en se balançant, et la voix d'Iglésia disant : « Ben merde », et un moment plus tard disant encore : « Mince, c'est au moins toute une division
qui nous a défilé sous le nez, j'aurais jamais cru qu'il
y en avait tant ! J'aurais jamais cru qu'ils pouvaient aller aussi vite. S'ils font la guerre assis sur des banquettes, qu'est-ce qu'on foutait là, nous, avec nos cagneux.
Mince alors ! On avait bonne mine... »

III

La volupté, c'est l'étreinte d'un corps de mort par deux êtres vivants. Le « cadavre » dans ce cas, c'est le temps assassiné pour un temps et rendu consubstantiel au toucher.

MALCOLM DE CHAZAL.

Il parlait et maugréait encore, mais je fis tomber son briquet : nous tâtonnions dans le noir maintenant, trébuchant dans l'escalier de bois, naturellement le vieux n'était pas rentré et pas de canard alors, c'était à prévoir sans doute était-il en train de cuver son genièvre, il persistait comme une faible lueur dans la chambre celle qui s'attarde encore après le crépuscule on pouvait voir luire le bois du lit je me cognai contre la chaise et la fis tomber cela fit un bruit épouvantable dans la maison vide nous restâmes un moment écoutant comme si on avait pu l'entendre de la route puis je tâtonnai de nouveau dans le noir pour la ramasser posai mon fusil m'assis je vis alors qu'il s'était couché tel que sur le lit je dis Merde tu pourrais au moins retirer tes éperons, puis il n'y eut plus rien, c'est-à-dire ne me souvenant de rien, je pense que j'avais dû m'endormir là d'un bloc peut-être avant même d'avoir fini de parler, peut-être n'étais-je même pas arrivé jusqu'à éperons l'avais-je simplement pensé le néant le noir sommeil me tombant dessus comme une cloche m'ensevelissant alors que j'étais assis sur la chaise penché en avant ma main tâtonnant essayant de dé-

boucler la courroie de mes, pensant quelle idée nous
avions eu de les remettre puisque nous avions laissé
les chevaux à l'écurie quel   besoin, leurs mollettes
étaient bloquées par les caillots de sang à force de
lui avoir labouré les flancs le dimanche quand nous
avions fait ces quinze kilomètres presque tout le temps
au galop pour repasser le pont avant qu'il saute, une
fois il nous raconta qu'un de ces vieux types en pantalon rayé tube gris moustache à la phoque et rosette à la
boutonnière l'avait payé pour qu'il le monte (Le monter ? dis-je, Oui le monter quoi Comme un cheval Faut
te faire un dessin ? — me regardant de ses gros yeux
surpris comme si j'étais un idiot ou à peu près), Iglésia lui passant un filet dans la bouche, la cravache à la
main, revêtu de sa casaque de jockey botté et il avait dû
mettre des éperons, le type tout nu à quatre pattes sur le
tapis de sa chambre il devait le cravacher lui scier la
gueule et lui érafler le ventre de ses éperons, racontant
cela de sa même voix morose perpétuellement et naturellement scandalisée de sorte qu'il était impossible de savoir
s'il s'indignait réellement : tout au plus trouvait-il peut-
être la chose simplement un peu incompréhensible mais
pas tant que cela après tout, dégoûtante aussi,
mais pas tellement non plus, habitué qu'il était
aux excentricités des riches ayant pour eux cette
complaisance songeuse plus stupéfaite qu'outrée
et un peu mais pas tellement méprisante des pauvres,
putains maquerelles ou larbins ; cela me tomba dessus
comme si on m'avait jeté brusquement sur la tête une
couverture m'emprisonnant, tout à coup tout fut complètement noir, peut-être étais-je mort peut-être cette
sentinelle avait-elle tiré la première et plus vite, peut-
être étais-je toujours couché là-bas dans l'herbe odorante du fossé dans ce sillon de la terre respirant humant
sa noire et âcre senteur d'humus lappant son chose rose
mais non pas rose rien que le noir dans les ténèbres
touffues me léchant le visage mais en tout cas mes mains

ma langue pouvant la toucher la connaître m'assurer,
mes mains aveugles rassurées la touchant partout courant sur elle son dos son ventre avec un bruit de soie
rencontrant cette touffe broussailleuse poussant comme
étrangère parasite sur sa nudité lisse, je n'en finissais
pas de la parcourir rampant sous elle explorant dans la
nuit découvrant son corps immense et ténébreux, comme
sous une chèvre nourricière, la chèvre-pied (il disait
qu'ils faisaient ça aussi bien avec leurs chèvres qu'avec
leurs femmes ou leurs sœurs) suçant le parfum de ses
mamelles de bronze atteignant enfin cette touffeur lappant m'enivrant blotti au creux soyeux de ses cuisses
je pouvais voir ses fesses au-dessus de moi luisant faiblement phosphorescentes bleuâtres dans la nuit tandis
que je buvais sans fin sentant cette tige sortie de moi
cet arbre poussant ramifiant ses racines à l'intérieur de
mon ventre mes reins m'enserrant lierre griffu se glissant le long de mon dos enveloppant ma nuque
comme une main, il me semblait rapetisser à mesure
qu'il grandissait se nourrissant de moi devenant moi ou
plutôt moi devenant lui et il ne restait plus alors de mon
corps qu'un fœtus ratatiné rapetissé couché entre les
lèvres du fossé comme si je pouvais m'y fondre y disparaître m'y engloutir accroché comme ces petits singes sous le ventre de leur mère à son ventre à ses seins
multiples m'enfouissant dans cette moiteur fauve je dis
N'allume pas, j'attrapai son bras au vol elle avait un
goût de coquillage salé je ne voulais connaître, savoir
rien d'autre, rien que lapper sa

et elle : Mais tu ne m'aimes pas vraiment

et moi : Oh bon Dieu

et elle : Pas moi ce n'est pas moi que tu

et moi : Oh bon Dieu pendant cinq ans depuis cinq
ans

et elle : Mais pas moi Je le sais pas moi M'aimes-tu
pour ce que je suis m'aurais-tu aimé sans je veux dire
si

et moi : Oh non écoute qu'est-ce que ça peut faire laisse-moi te Qu'est-ce que ça peut faire à quoi ça rime laisse-moi je veux te

moule humide d'où sortaient où j'avais appris à estamper en pressant l'argile du pouce les soldats fantassins cavaliers et cuirassiers se répandant de la boîte de Pandore (engeance toute armée bottée et casquée) à travers le monde la gent d'armes ils avaient une plaque de métal en forme de croissant suspendue au cou par une chaîne étincelante comme de l'argent des galons des torsades d'argent ça avait quelque chose de funèbre de mortel ; je me rappelle ce pré où ils nous avaient mis ou plutôt parqués ou plutôt stockés : nous gisions couchés par rangées successives les têtes touchant les pieds comme ces soldats de plomb rangés dans un carton, mais en arrivant elle était encore vierge impolluée alors je me jetai par terre mourant de faim pensant Les chevaux en mangent bien pourquoi pas moi j'essayai de m'imaginer me persuader que j'étais un cheval, je gisais mort au fond du fossé dévoré par les fourmis mon corps tout entier se changeant lentement par l'effet d'une myriade de minuscules mutations en une matière insensible et alors ce serait l'herbe qui se nourrirait de moi ma chair engraissant la terre et après tout il n'y aurait pas grand-chose de changé, sinon que je serais simplement de l'autre côté de sa surface comme on passe de l'autre côté d'un miroir où (de cet autre côté) les choses continuaient peut-être à se dérouler symétriquement c'est-à-dire que là-haut elle continuerait à croître toujours indifférente et verte comme dit-on les cheveux continuent à pousser sur les crânes des morts la seule différence étant que je boufferais les pissenlits par la racine bouffant là où elle pisse suant nos corps emperlés exhalant cette âcre et forte odeur de racine, de mandragore, j'avais lu que les naufragés les ermites se nourrissaient de racines de glands et à un moment elle le prit d'abord entre ses lèvres puis tout entier dans sa

bouche comme un enfant goulu c'était comme si nous
nous buvions l'un l'autre nous désaltérant nous gorgeant
nous rassasiant affamés, espérant apaiser calmer un peu
ma faim j'essayai de la mâcher, pensant C'est pareil à de
la salade, le jus vert et âpre faisant mes dents râpeuses
un brin effilé me coupa la langue comme un rasoir me
brûlant, par la suite l'un d'eux m'apprit à reconnaître celles que l'on pouvait manger par exemple la rhu-
barbe : ils avaient aussitôt retrouvé leurs instincts de
nomades de primitifs s'arrangeant pour faire un feu et
y mettre à cuire un chien qu'ils avaient volé je me demande à qui sans doute à un de ces imbéciles un de
ces officiers ou sous-off's embusqués dans des bureaux
ou des états-majors comme on en voyait parmi nous
dans leurs élégants uniformes intacts se croyant bien à
l'abri probablement et ramassés un beau matin par un
type ouvrant la porte d'un coup de pied et les incitant
ironiquement du canon de sa mitraillette à s'aligner dans
la cour les bras au-dessus de la tête stupéfaits et ne
comprenant rien à ce qui leur arrivait, on disait qu'ils
en avaient pris comme ça des états-majors entiers pom-
madés et tirés à quatre épingles, nous ne nous privions
pas de les engueuler mais ceux-là avaient trouvé plus
profitable de rafler leur chien et de le mettre à la casse-
role se le partageant entre eux se tenant bistres ou oli-
vâtres, énigmatiques méprisants avec leurs éblouissan-
tes dents de loup leurs noms gutturaux et râpeux
Arhmed ben Abdahalla ou Bouhabda ou Abderhamane
leur parler brusque guttural et râpeux leurs corps lisses et glabres comme ceux des filles, et il y avait aussi
du pissenlit sauvage mais ils en amenaient sans cesse
d'autres par troupeaux entiers exténués et débraillés
certains avec des casquettes civiles leurs capotes dé-
boutonnées leur battant les mollets et bientôt le pré tout
entier se trouva piétiné et souillé entièrement recouvert
par les rangées de corps étendus têtes contre pieds et
dans les aubes grises l'herbe aussi était grise couverte

de rosée que je buvais la buvant par là tout entière la
faisant entrer en moi tout entière comme ces oranges
où enfant malgré la défense que l'on m'en faisait disant
que c'était sale mal élevé bruyant j'aimais percer un
trou et presser, pressant buvant son ventre les boules de
ses seins fuyant sous mes doigts comme de l'eau une
goutte cristalline rose tremblant sur un brin incliné
sous cette légère et frissonnante brise qui précède le lever
du soleil reflétant contenant dans sa transparence le ciel
teinté par l'aurore je me rappelle ces matins inouïs pendant toute cette période jamais le printemps jamais le
ciel n'avait été si pur lavé transparent, les fins de nuits
froides nous nous serrions l'un contre l'autre dans l'espoir de conserver un peu de chaleur encastrés l'un dans
l'autre en chien de fusil je pensais qu'il l'avait tenue
comme cela mes cuisses sous les siennes cette soyeuse et
sauvage broussaille contre mon ventre enfermant le
lait de ses seins dans mes paumes au centre desquelles
leurs bouts rose-thé mais humides brillants (quand j'éloignai ma bouche il était d'un rose plus prononcé vif
comme irrité enflammé d'une matière grumeleuse meur-
trie, un fil étincelant l'unissant encore à mes lèvres, je me
rappelle que j'en vis un minuscule sur un brin d'herbe
laissant derrière lui une traînée lumineuse et métallique
comme de l'argent, si petit qu'il le faisait à peine ployer
sous son poids avec sa minuscule coquille en colimaçon
chaque volute rayée de fines lignes brunes son cou
fait aussi d'une texture grumeleuse en même temps
fragile et cartilagineuse s'étirant s'érigeant ses cornes
s'érigeant mais rétractiles quand je les touchai pouvant
s'ériger et se rétracter, elle qui n'avait jamais allaité dé-
saltéré été bue par d'autres que des rudes lèvres
d'homme : au centre il y avait on pouvait deviner
comme une minuscule fente horizontale aux bords collés d'où pourrait couler d'où jaillissait invisible le lait
de l'oubli) s'érigeant s'appliquant comme deux taches,
comme les têtes des clous enfoncés dans mes paumes

pensant Ils ont compté tous les os, pouvant semblait-il
entendre mon squelette entier s'entrechoquer, guettant la montée de l'aube froide, agités d'un tremblement continu nous attendions le moment où il ferait
suffisamment jour pour qu'on aie le droit de se lever
alors j'enjambai avec précaution les corps emmêlés (on
aurait dit des morts) jusqu'à l'allée centrale où allaient
et venaient les sentinelles aux colliers de métal comme
des chiens : debout alors j'en avais encore pour un
moment à trembler, grelottant, cherchant à me rappeler quelle est cette cérémonie où ils vont tous étendus
par terre rang après rang les têtes touchant les pieds
sur les dalles froides de la cathédrale, l'ordination je
crois ou la prise de voile pour les jeunes filles les vierges
étendues de tout leur long de part et d'autre de la tra-
vée centrale où passe dans les nuages d'encens le vieil
évêque semblable à une momie desséchée et couverte d'or, de dentelles, agitant faiblement sa main gan-
tée d'amarante et baguée chantant d'une voix exténuée
à peine audible les mots latins disant qu'ils sont morts
pour ce monde et il paraît qu'on étend alors un voile sur
eux, l'aube uniformément grisâtre s'étendant sur la
prairie et dans le bas un peu de brume stagnait au-
dessus du ruisseau mais ils ne nous permettaient de
nous lever que lorsque le jour était franchement là et
en attendant nous restions à grelotter tremblant de tous
nos membres étroitement encastrés enlacés je roulai
sur elle l'écrasant de mon poids mais je tremblais trop
fébrile tâtonnant à la recherche de sa chair de l'entrée
de l'ouverture de sa chair parmi l'emmêlement cette
moiteur légère touffue mon doigt maladroit essayant de
les diviser aveugle mais trop pressé trop tremblant alors
elle le mit elle-même une de ses mains se glissant entre
nos deux ventres écartant les lèvres du majeur et de
l'annulaire en V tandis que quittant mon cou son
autre bras semblait ramper le long d'elle-même comme
un animal comme un col de cygne invertébré se fau-

filant le long de la hanche de Léda (ou quel autre oiseau symbolique de l'impudique de l'orgueilleuse oui le
paon sur le rideau de filet retombé sa queue chamarrée
d'yeux se balançant oscillant mystérieux) et à la fin con-
tournant passant sous sa fesse repliée m'atteignant le
poignet retourné posant sa paume renversée à plat sur
moi comme pour me repousser mais à peine contenant
mon impatience, puis le prenant l'introduisant l'enfouissant l'engloutissant respirant très fort elle ramena ses
deux bras, le droit entourant mon cou le gauche pressant mes reins où se nouaient ses pieds, respirant de plus
en plus vite maintenant le souffle coupé chaque fois
que je retombais la heurtais l'écrasais sous mon poids
m'éloignant et la heurtant elle rebondissait vers moi et
à un moment il sortit mais elle le remit très vite cette fois
d'une seule main sans lâcher mon cou, maintenant elle
haletait gémissait pas très fort mais d'une façon continue sa voix changée toute autre que je ne connaissais pas
c'est-à-dire comme si c'était une autre une inconnue enfantine désarmée gémissant se faisant entendre à travers elle quelque chose d'un peu effrayé plaintif égaré
je dis Est-ce que je t'aime ? Je la heurtai le cri heurtant
sa gorge étranglé elle parvint pourtant à dire :

Non

Je dis de nouveau Tu ne crois pas que je t'aime, la
heurtant de nouveau mes reins mon ventre la heurtant
la frappant de nouveau tout au fond d'elle sa gorge
s'étranglant un moment elle fut incapable de parler mais
à la fin elle réussit à dire une seconde fois :

Non

et moi : Tu ne crois pas que je t'aime Vraiment Tu ne
crois pas que je t'aime Alors est-ce que je t'aime maintenant Est-ce que je t'aime dis ? la heurtant chaque fois
plus fort ne lui laissant pas le temps la force de répondre sa gorge son cou ne laissant plus passer qu'un son
inarticulé mais sa tête roulant furieusement à droite
et à gauche sur l'oreiller parmi la tache sombre de ses

cheveux faisant Non Non Non Non, ils avaient enfermé
un fou dans la porcherie de la ferme en haut du pré
qui leur servait de corps de garde, devenu fou dans un
bombardement parfois il se mettait à crier sans fin sans
but semblait-il, paisiblement non pas tempêtant et tambourinant ou frappant contre la porte simplement il
criait et quelquefois dans la nuit je me réveillais l'écoutant je dis Qu'est-ce que c'est, et lui C'est le fou, toujours maussade morose il se recroquevilla essayant d'en-
fouir sa tête sous son manteau, je pouvais les voir, voir
leurs ombres noires allant et venant silencieusement
dans l'allée centrale engoncés dans leurs lourdes capotes avec leurs colliers métalliques de chien luisant parfois
sous la lune, le fusil à la bretelle, battant des bras eux
aussi pour se réchauffer comme des cochers de fiacres,
sa voix me parvint de sous son manteau étouffée furieuse
disant Si j'étais eux j'y foutrais un bon coup de crosse
sur la gueule alors il arrêterait peut-être de nous em-
merder il est foutu de brailler comme ça sans arrêt
toute la nuit, hurlant sans fin sans but dans les ténèbres,
hurlant puis brusquement elle cessa dénoués nous gisions comme deux morts essayant sans y parvenir de
reprendre notre souffle comme si avec l'air le cœur essayait de nous sortir par la bouche, morts elle et moi
assourdis par le vacarme de notre sang se ruant refluant en grondant dans nos membres se précipitant
à travers les ramifications compliquées de nos artè-
res comme comment appelle-t-on cela mascaret je crois
toutes les rivières se mettant à couler en sens inverse
remontant vers leurs sources, comme si nous avions
un instant été vidés tout entiers comme si notre vie
tout entière s'était précipitée avec un bruit de cataracte vers et hors de nos ventres s'arrachant s'extirpant
de nous de moi de ma solitude se libérant s'élançant
au dehors se répandant jaillissant sans fin nous inondant
l'un l'autre sans fin comme s'il n'y avait pas de fin
comme s'il ne devait plus jamais y avoir de fin (mais

ce n'était pas vrai : un instant seulement, ivres croyant
que c'était toujours, mais un instant seulement en réalité comme quand on rêve que l'on croit qu'il se passe
des tas de choses et quand on rouvre les yeux l'aiguille
a à peine changé de place) puis cela reflua se précipitant maintenant en sens inverse comme après avoir
buté contre un mur, quelque infranchissable obstacle
qu'une petite partie seulement de nous-mêmes aurait
réussi à dépasser en quelque sorte par tromperie c'est-à-
dire en trompant à la fois ce qui s'opposait à ce qu'elle
s'échappe se libère et nous-mêmes, quelque chose de
furieux frustré hurlant alors dans notre solitude frustrée,
de nouveau emprisonné, heurtant avec fureur les parois
les étroites et indépassables limites, tempêtant, puis peu
à peu cela s'apaisa et au bout d'un moment elle alluma,
je fermai vivement les yeux tout était marron puis marron rouge et je les gardai fermés j'entendis l'eau couler
argentine emportant dissolvant... (je pouvais l'entendre
argentine glacée et noire dans la nuit sur le toit de la
grange dégorgeant des chéneaux on aurait dit que dans
l'obscurité la nature les arbres la terre entière était en
train de se dissoudre noyée diluée liquéfiée grignotée
par ce lent déluge alors je décidai d'y aller moi aussi
de les rejoindre chez le boiteux qui nous avait invités
pour la soirée au lieu de monter m'étendre dans le foin
marron ou de m'en retourner boire au café ; Wack
n'avait pas cessé de le veiller, ce n'était pas lui le garde
d'écurie pour ce soir et pourtant il restait là : il me regarda passer sans rien dire et sortir dans la pluie noire
mais pas plus que pendant la journée je ne réussis à la
voir, les trouvant déjà installés, trois avec le boiteux autour de la table, Iglésia et un autre discutant à mi-voix
avec le valet à côté du fourneau ; seulement elle n'était
pas là, debout sur le seuil je la cherchai des yeux, mais
elle n'était pas là et à la fin je demandai si c'était le
soviet des soldats et des paysans, mais ils tournèrent
vers moi leurs regards méfiants désapprobateurs je leur

dis de ne pas se déranger je leur dis que je n'avais jamais pu apprendre à jouer à autre chose qu'à la bataille et j'allai m'asseoir à côté du fourneau : dessus
il y avait une grosse cafetière en fer émaillé et la table
sur laquelle ils jouaient était recouverte d'une toile
cirée jaune aux dessins rouges représentant des palmiers
des minarets des cavaliers à yatagans et des femmes à
la fontaine remplissant ou portant sur leurs épaules
des urnes aux formes allongées, chaque fois que l'un
des joueurs abattait une carte il la tenait d'abord en
l'air une ou deux secondes puis la plaquait d'un geste
(triomphal, furieux ?) sur la table qu'il heurtait violemment du poing, puis je la vis : non pas elle, cette blan-
cheur, cette espèce de suave et tiède apparition entrevue le matin dans le clair-obscur de l'écurie, mais pour
ainsi dire son contraire ou plutôt sa négation ou plutôt sa corruption la corruption même de l'idée de
femme de grâce de volupté, son châtiment : une ef-
froyable vieille à profil et barbiche de bouc la tête
agitée d'un tremblement continu et qui tourna vers moi
quand je m'assis auprès d'elle sur le banc derrière le
fourneau deux prunelles bleu pâle presque blanches
comme liquéfiées m'observant m'épiant un moment sans
cesser de mâchonner, de ruminer, son bouc grisâtre
montant et descendant, puis se penchant vers moi approchant de mon visage jusqu'à le toucher son masque
jaune et desséché (comme si j'étais là dans cette cuisine de paysans victime de quelque enchantement — et
en fait il y avait quelque chose comme cela ici dans ce
pays perdu coupé du monde avec ces vallées profondes
d'où parvenait seul un faible tintement de cloches ces
prés spongieux ces pentes boisées roussies par l'automne couleur rouille ; c'était cela : comme si le pays
tout entier enfermé dans une sorte de torpeur de
charme noyé sous la nappe silencieuse de la pluie se
rouillait se dépiotait rongé pourissant peu à peu dans
cette odeur d'humus de feuilles mortes accumulées s'en-

tassant se putréfiant lentement, et moi le cavalier le con-
quérant botté venu chercher au fond de la nuit au fond
du temps séduire enlever la liliale princesse dont j'avais
rêvé depuis des années et au moment où je croyais
l'atteindre, la prendre dans mes bras, les refermant, enserrant, me trouvant face à face avec une horrible et
goyesque vieille...) disant : Je l'ai bien reconnu. Ouais.
'vec sa barbe !

et l'un d'eux s'arrêtant de parler avec le valet, me
regardant me clignant de l'œil par dessus le fourneau,
disant T'as fait une touche

et moi C'est pour ça que je suis venu

et lui Seulement elle n'avait peut-être pas tout à fait
le même âge

et moi A peu près dans les deux cents ans de moins.
Mais ça ne fait rien. Qu'est-ce que vous avez vu grand-
mère ?

elle se pencha encore plus jeta un rapide coup d'œil
dans la direction du boiteux, des joueurs toujours occu-
pés à jeter bruyamment leurs cartes sur la table : Le
Jésus, dit-elle. Le Jésus. Le Christ. Mais c'est un malin.

par dessus le fourneau je le regardai il me cligna de
nouveau de l'œil Je crois bien dis-je C'est le plus malin de tous Où est-il ?

Dans les chemins

Oui ? Comment ça ?

Avec sa barbe dit-elle Et un bâton

Je l'ai vu aussi dis-je

Il a toujours son bâton Il a voulu me battre

Putain de bon Dieu, cria le boiteux en se retournant
T'as donc jamais fini de raconter tes bêtises Tu peux
pas aller te coucher hein

Merd' dit la vieille. Les trois soldats assis à la table
éclatant de rire, pendant un moment la vieille se tenant
coite observant le boiteux attendant qu'il reprenne ses
cartes tapie recroquevillée sur son banc ses petits yeux

décolorés bordés de rose brillant d'un éclat méchant haineux, Cocu ! dit-elle, (parlant toujours entre ses dents, marmonnant encore :) Ils sont méchants Je suis toute seule, répétant Cocu ! et encore Cocu ! mais ils avaient recommencé à jouer, elle me jeta un regard triomphant se pencha de nouveau vers moi, L'a chassé avec son fusil, dit-elle, L'a pris son fusil mais l'est cocu quand même. Par dessus le poêle je le regardai de nouveau il me cligna de l'œil.

Il peut bien l'enfermer dans sa chambre dit-elle avec un petit rire Elle se pencha davantage me poussa du coude ses petits yeux de morte aux coulées jaunâtres riant silencieusement Mais il y a pas qu'une clef dit-elle

Quoi

Il n'y a pas qu'une clef

Qu'est-ce que tu racontes encore, cria le boiteux Va donc te coucher ! Elle sursauta s'écarta précipitamment se rencogna silencieusement à l'autre bout du banc sans cesser pourtant de me faire des signes grimaçant les yeux toujours tournés vers moi haussant les sourcils tandis que sa bouche muette dessinait la forme des mots disant sans bruit Méchants, Méchants, tordant sa hideuse face de chèvre)... puis le lit fléchit de nouveau sous son poids je continuai à les garder fermés essayant de retenir de conserver cette obscurité sans limites sous mes paupières elle passait alternativement du marron au rougeâtre puis au pourpre puis un noir violacé des marbrures des taches floues se formaient et se déformaient glissant lentement des sortes de pâles soleils s'allumant et s'éteignant poilus je savais qu'elle avait laissé la lampe allumée et qu'elle me regardait me scrutait avec cette attention aiguisée et perspicace qu'elles peuvent mettre en œuvre j'enfouis mes joues mon front dans son aisselle pouvant maintenant entendre l'air pénétrer en elle, creuse, à chaque inspiration puis s'exhaler son cœur battait encore vite peu à peu il ra-

lentit, les yeux toujours fermés je me laissai glisser le
long d'elle longeant son flanc son ventre se soulevait et
s'abaissait palpitait comme une délicate gorge d'oiseau
(le paon palpitant tout entier avec le rideau son cou
galbé s'infléchissant en forme d'S et surmonté de la petite tête bleue ornée d'un éventail de plumes le rideau
continuant à osciller après qu'elle l'eut laissé retomber palpitant comme une chose vivante comme la vie
qui se cachait derrière, j'avais levé la tête une fraction de seconde trop tard avais-je vu n'avais-je pas vu
seulement cru voir la moitié d'un visage la main qui
s'étaient vivement retirés le laissant retomber seule
maintenant la longue queue de l'oiseau continuait à se
balancer puis elle s'immobilisa elle aussi, et le lendemain non plus nous ne réussîmes pas à l'apercevoir,
le cheval était mort pendant la nuit et nous l'enter-
râmes au matin dans un coin du verger dont les arbres
aux branches noires vernies par la pluie presque complètement dépouillées de leurs feuilles à présent s'égout-
taient dans l'air humide : nous hissâmes le corps sur
un charreton et le fîmes basculer dans la fosse et tandis que les pelletées de terre l'ensevelissaient peu à peu
je le regardai osseux lugubre plus insecte plus mante religieuse que jamais avec ses pattes de devant repliées
son énorme tête douloureuse et résignée qui peu à peu
disparut emportant sous la lente et sombre montée
de la terre que jetaient nos pelles l'amer ricanement de
ses longues dents découvertes comme si par delà la
mort il nous narguait prophétique fort d'une connaissance d'une expérience que nous ne possédions pas, du
décevant secret qu'est la certitude de l'absence de tout
secret et de tout mystère, puis la pluie se remit à tomber et quand l'ordre de départ arriva elle tombait dru
interposant entre l'autre versant de la vallée et nous un
voile gris presque opaque tandis qu'assis dans la grange
tout équipés les chevaux sellés nous attendions le signal
du rassemblement regardant dans l'encadrement de la

porte le rideau la herse d'argent qui se déversait du toit
creusant dans le sol un mince sillon parallèle au seuil et
un peu en avant (à la verticale du toit) où les cailloux
apparaissaient nus lavés déchaussés, l'air pénétrant humide glacé une épaisse buée bleuâtre s'échappant de
nos bouches quand nous parlions, sur le rideau le paon
se tenait toujours immobile énigmatique, tout en parlant nous levions parfois furtivement les yeux vers lui,
le visage livide de Blum ressemblait à un cachet d'aspi-
rine sous ses cheveux noirs avec seulement les deux taches de ses yeux noirs et fiévreux il tenait son casque à
la main sa tête son cou maigre sortaient bizarrement
nus du col de son manteau de cet équipement guerrier
de drap raide de cuir de courroies à l'intérieur duquel
il semblait se tenir fragile et délicat comme à l'intérieur
d'une carapace

on partira pas dit Wack Y a déjà une heure qu'on
attend je parie qu'on partira pas Ils vont nous faire rester toute la journée comme ça et puis à minuit ils vien-
dront nous dire de desseller et d'aller nous coucher

commence pas à pleurer dit Blum

je pleure pas dit Wack seulement je fais pas le malin
c'est tout je

bon Dieu dis-je je donnerai cher pour avoir cette clef

quelle clef dit Wack

Le paon ne bougeait toujours pas

la clef des champs dit Iglésia. Nous regardions toujours au delà de la herse de pluie la maison silencieuse
les fenêtres closes la porte fermée la façade semblable
à un impénétrable visage, de temps en temps une feuille
du gros noyer se détachait venait mollement s'affaler
sur le sol presque noire déjà rongée pourrie

je parie que c'est cet adjoint dit Blum.

c'est pas vrai dit Wack Elle l'a chassé Elle a décroché
le fusil quand il est rentré dans sa chambre

tiens? dit Blum Parce qu'il est rentré dans sa chambre?

j'en sais rien dit Wack Pourquoi tu vas pas i demander

il n'en sait rien dit Iglésia Alors de quoi tu causes de rien dit Wack

Wack a fait copain avec leur valet dit Iglésia Ce type qui ressemble à un ours

entre ours on se comprend dit Blum

je t'emmerde dit Wack

allons dis-je Te fâche pas Tu l'as aidé à rentrer ses patates alors il t'a aidé à savoir ce qui se passait Raconte-nous ça

il m'a toujours pas aidé à faire crever un cheval dit Wack

ça va dit Iglésia c'est pas toi qui étais obligé de le monter

c'est pas moi non plus qui l'ai fait crever dit Wack oh ta gueule dis-je

laisse-le dit Blum Si ça l'amuse. Il se tourna vers lui : Alors c'est l'adjoint ?

pourquoi tu vas pas i demander toi-même dit Wack alors c'est lui ?

c'est un vieil ami de la famille dis-je C'est le meilleur ami de la famille Il les aime beaucoup Il les a toujours beaucoup aimés

mais elle l'a chassé à coups de fusil dit Blum

c'est une famille de chasseurs dis-je

ça c'est ce que raconte l'ours dit Blum Ce n'est pas ce que dit la vieille

c'te vieille folle dit Wack

peut-être qu'elle confond dis-je Peut-être qu'elle croit que c'est encore l'autre

quel autre ? dit Blum

j' croyais que tu savais tout dit Wack

il y en avait un autre ? dit Iglésia

La herse d'eau coulait sans discontinuer, comme des fils d'argent, comme des traits métalliques parallèles barrant l'entrée de la grange, quelque part un

chéneau dégorgeait à pleine bouche avec un bruit de
lointaine cataracte : C'est pour ça qu'il a pris son
fusil dis-je Pour l'empêcher d'entrer

rentrer où dit Wack

oh là là dit Blum Tu ne comprends donc rien ? Dans
la maison parce qu'il voulait aussi rentrer dans la maison

puisque tu dis qu'il a une autre clef dit Wack

mais en plein jour au vu et au su de tous de plein
droit sous prétexte de montrer les chambres aux
margis entrant en maître tu ne comprends décidément
rien de rien non ?

c'est un homme d'intérieur dit Blum Il aime rentrer
tout partout

je comprends rien à ce que vous racontez dit Wack
Vous vous croyez trop malins Moi je vous dis vous
vous cr

seulement l'autre doit veiller sur ma famille dis-je

qui

le boiteux c'est une question d'honneur

ouais dit Blum Je ne savais pas que l'honneur était
fendu par le milieu avec du poil autour

espèce de con dit Wack

voilà le mot que je cherchais Je l'avais sur le bout
de la langue mais je ne le trouvais pas Ces types de la
campagne quand même ils n'ont l'air de rien et puis
tout à coup

et les youpins de la ville dit Wack de quoi ils ont
l'air ?

oh dis-je tu vas la fermer ?

tu crois que tu me fais peur dit Wack

Un lacis de rigoles emmêlées courait sur le sable blond
du chemin le bord du talus s'effritait peu à peu se dépiotait glissait en de minuscules et successifs éboule-
ments qui obstruaient un moment un des bras du réseau puis disparaissaient attaqués rongés emportés le
monde entier s'en allait avec un murmure continu de

source de gouttes se poursuivant le long des branches
luisantes se rattrapant se rejoignant se détachant tombant avec les dernières feuilles les derniers vestiges de
l'été des jours à jamais abolis qu'on ne retrouve ne retrouve jamais qu'avais-je cherché en elle espéré pour-
suivi jusque sur son corps dans son corps des mots des
sons aussi fou que lui avec ses illusoires feuilles de papier noircies de pattes de mouches des paroles que pro-
nonçaient nos lèvres pour nous abuser nous-mêmes vivre une vie de sons sans plus de réalité sans plus de
consistance que ce rideau sur lequel nous croyions voir
le paon brodé remuer palpiter respirer imaginant rêvant
à ce qu'il y avait derrière n'ayant même pas vu sans
doute le visage coupé en deux la main qui l'avait laissé
retomber épiant passionnément le faible mouvement
d'un courant d'air), elle dit A quoi penses-tu ? je dis
A toi, elle dit de nouveau Non Dis-moi à quoi tu penses,
je dis A toi tu le sais bien, je posai la main sur elle
juste au milieu c'était comme du duvet de légères plumes
d'oiseau un oiseau dans la main mais aussi un buisson
proverbe anglais elle dit Pourquoi fermes-tu les yeux, je
les ouvris la lumière était toujours allumée elle était
couchée sur le dos une jambe légèrement ouverte l'autre repliée haute comme une montagne au-dessus de
moi le pied à plat sur le drap froissé et en arrière un
peu plus bas que la cheville la peau plus épaisse à cet
endroit faisait trois plis horizontaux au-dessus du talon
légèrement teinté d'orangé, ma joue sur la face interne
de l'autre cuisse qui dans cette position devenait la face
supérieure je pouvais voir à l'endroit où elle s'attachait
au corps sous les poils légers qui commençaient là le
renflement formé par le tendon qui traverse l'aine en
diagonale, la peau très blanche en haut de la cuisse
se teintant d'un bistre clair à partir de l'aine, les lèvres
de la fente d'un bistre plus prononcé avant l'endroit
où commence la muqueuse comme s'il restait persistait
là mal effacé quelque chose de nos ancêtres sauvages pri-

mitifs sombres s'étreignant s'accouplant roulant nus violents et brefs dans la poussière les fourrés : dans cette posture elle était à peine ouverte, on voyait un peu de mauve pâle comme un ourlet une doublure dépassant légèrement, la couleur bistre allant encore s'accentuant plus prononcée fauve à mesure que le regard descendait vers les replis on aurait dit une étoffe une soie légèrement teintée pincée du dedans par deux doigts le haut dessinant comme une boucle ou plutôt une fronce une boutonnière de chair, elle dit A quoi penses-tu réponds-moi Où es-tu ? de nouveau je posai ma main dessus : Ici, et elle : Non, et moi : Tu trouves que je ne suis pas là ? J'essayai de rire, elle dit Non pas avec moi Tout ce que je suis pour toi c'est une fille à soldats quelque chose comme ce qu'on voit dessiné à la craie ou avec un clou sur les murs des casernes dans le plâtre effrité : un ovale partagé en deux et des rayons tout autour comme un soleil ou un œil vertical fermé entouré de cils et même pas de figure..., je dis Oh arrête veux-tu est-ce que tu peux comprendre est-ce que tu peux imaginer que pendant cinq ans je n'ai rêvé que de toi, et elle : Justement, et moi : Justement ? et elle : Oui Laisse-moi, elle essaya de se dégager je dis Qu'est-ce que tu as Qu'est-ce qui te prend ? elle essayait toujours de se dégager et de se lever, elle pleurait, elle dit encore une fois Des dessins comme en font les soldats, des propos de soldats, je les écoutais continuer à se disputer dans le soir regardant tomber le jour la pluie, Blum dit qu'il boirait bien quelque chose de chaud et Wack lui dit que puisqu'il était si malin pourquoi n'allait-il pas frapper à la maison et demander qu'elle lui fasse un peu de café, et Blum dit qu'il n'aimait pas les fusils qu'il en portait un sur le dos mais qu'il n'avait jamais eu des goûts de chasseur encore moins de gibier et que ce boiteux avait l'air d'avoir une telle envie de se servir du sien, disant « Après tout il a bien le droit de tirer son coup lui aussi quand tout le monde tout partout

brandit sa petite pétoire Après tout c'est la guerre »
mais à présent je n'entendais plus que sa voix il faisait
noir de nouveau et on ne voyait plus rien et toute la
connaissance du monde que nous pouvions avoir c'était
ce froid cette eau qui maintenant nous pénétraient de
toutes parts, ce même ruissellement obstiné multiple om-
niprésent qui se mélangeait semblait ne faire qu'un
avec l'apocalyptique le multiple piétinement des sabots sur la route, et cahotés sur nos montures invisibles nous aurions pu croire que tout cela (le village
la grange la laiteuse apparition les cris le boiteux l'adjoint la vieille folle tout cet obscur et aveugle et tragique et banal imbroglio de personnages déclamant s'in-
juriant se menaçant se maudissant trébuchant dans les
ténèbres tâtonnant jusqu'à ce qu'ils finissent par se cogner contre un obstacle une machine cachée là dans
l'obscurité (et même pas pour eux, même pas spéciale-
ment à leur intention) qui leur exploserait en pleine figure en leur laissant juste le temps d'entrevoir pour la
dernière fois (et probablement la première) quelque
chose qui ressemble à de la lumière) que tout cela
n'avait existé que dans notre esprit : un rêve une illusion alors qu'en réalité nous n'avions peut-être jamais
arrêté de chevaucher chevauchant toujours dans cette
nuit ruisselante et sans fin continuant à nous répondre
sans nous voir... Alors peut-être avait-elle raison après
tout peut-être disait-elle vrai peut-être étais-je toujours
en train de lui parler, d'échanger avec un juif maintenant mort depuis des années des vantardises des blagues
des obscénités des mots des sons rien que pour ne pas
nous endormir nous donner le change nous encourager
l'un l'autre, Blum disant maintenant : Mais peut-être ce
fusil n'était-il même pas chargé peut-être ne savait-il
même pas comment on s'en sert Les gens aiment tellement faire de la tragédie du drame du roman
     et moi : Mais peut-être était-il chargé quelquefois ça
arrive On en voit tous les matins dans les journaux

Alors il faudra acheter le journal demain il y aura au moins quelque chose d'intéressant à lire

Je croyais que cette guerre t'intéressait Je me figurais même que tu y étais directement intéressé

Pas à quatre heures du matin à cheval sur une carne et sous la pluie

Tu crois qu'il est quatre heures du matin Tu crois qu'il finira tout de même par faire jour ?

Est-ce que ce n'est pas le jour qui se lève Qu'est-ce qu'on voit d'un peu moins noir là-bas à droite

Où ? Où vois-tu quelque chose dans cette espèce de chaudron

De temps en temps on voit une plaque claire

C'est peut-être de l'eau Peut-être que c'est la Meuse

Ou le Rhin

Ou l'Elbe

Non pas l'Elbe on l'aurait su

Bon alors quoi ?

Une rivière qu'est-ce que ça peut faire

Quelle heure crois-tu qu'il peut être

Qu'est-ce que ça peut faire

Il doit bien y avoir trois jours qu'on est dans ce wagon

Alors mettons que ce soit l'Elbe

Les deux voix sans visage alternant se répondant dans le noir sans plus de réalité que leur propre son, disant des choses sans plus de réalité qu'une suite de sons, continuant pourtant à dialoguer : au commencement seulement deux morts en puissance, puis quelque chose comme deux morts vivants, puis l'un d'eux véritablement mort et l'autre toujours vivant (à ce qu'il paraissait, pensa Georges, et à ce qu'il paraissait aussi cela ne valait guère mieux), et tous deux (celui qui était mort et celui qui se demandait s'il ne valait pas mieux être mort pour de bon puisque au moins on ne le savait pas) pris, enserrés par cette chose à la fois immobile et mouvante qui rabotait lentement sous son poids la surface de la terre (et peut-être était-ce cela que Georges continuait toujours à percevoir, comme un glissement, un raclement imperceptible, monstrueux et continu derrière le menu et patient piétinement des sabots : cette olympienne et froide progression, ce lent glacier en marche depuis le commencement des temps, broyant, écrasant tout, et dans lequel il lui semblait les voir, lui et Blum, raides et glacés, juchés avec leurs bottes, leurs éperons, sur leurs carnes exténuées, intacts et morts parmi la foule des fantômes debout eux aussi dans leurs costumes aux couleurs suaves et fanées s'avançant tous à la même imperceptible vitesse comme un cortège figé de mannequins oscillants par saccades sur leurs socles, uniformément englobés dans cette épaisseur glauque à travers laquelle il essayait de les deviner, de les préciser, se répétant à l'infini dans les vertes profondeurs des miroirs), la voix pathétique et bouffonnante de Blum disant : « Mais qu'en sais-tu ? Tu ne sais rien. Tu ne sais même pas si ce fusil était chargé. Tu ne sais même pas si ce coup de pistolet n'est pas parti par hasard. Nous ne savons même pas quel temps il faisait ce jour-là, si c'était de la poussière ou de la boue qui le recouvrait, lui revenant bredouille avec son stock de bons sentiments invendus, et non seulement invendus mais accueillis à coups de pétoires, et trouvant sa femme (c'est-à-dire ton arrière-arrière-arrière-grand-mère qui n'est plus maintenant que quelques ossements friables dans une robe de soie flétrie au fond d'un caveau dans un cercueil lui-même mangé par les vers, de sorte que l'on ne sait pas non plus si la fine poudre jaunâtre qui se trouve dans les plis de taffetas est d'os ou de bois, mais qui alors était jeune, était chair, avait un ventre ombreux, des seins lilas, des lèvres, des joues avivées par le plaisir par dessus ces os jaunis), trouvant donc sa femme occupée à mettre en pratique ces principes naturistes et effusionnistes dont n'avaient pas voulu les Espagnols... »

Et Georges : « Mais non, il... »

Et Blum : « Non ? Tu as pourtant toi-même reconnu qu'il planait là-dessus dans ta famille une sorte de doute : d'embarras, de pudique silence. Ce n'est tout de même pas moi qui ai parlé de gravure galante, de porte enfoncée d'un coup d'épaule, de confusion, de cris, de désordre, de lumières dans la nuit... »

Et Georges : « Mais... »

Et Blum : « Et ne m'as-tu pas dit que sur ce second portrait, cette miniature, ce médaillon qui datait d'après sa mort à lui, tu ne l'avais pour ainsi dire pas reconnue, qu'il a fallu que tu lises plusieurs fois le nom et la date écrits au dos pour t'en convaincre, que tu... »

Et Georges : « Oui. Oui. Oui. Mais... » (elle avait un peu grossi entre les deux, c'est-à-dire qu'elle avait pris cette sorte de voluptueux embonpoint, s'était en quelque sorte épanouie, comme il arrive aux jeunes filles après leur mariage, un peu empâtée peut-être, mais toute sa personne exhalant — dans ce costume qui était comme une négation de costume, c'est-à-dire une simple robe, c'est-à-dire une simple chemise, et à demi transparente, et qui la laissait à demi nue, ses tendres seins offerts soulignés par un ruban, et jaillissant presque complètement hors de l'impalpable tissu d'un rose parme — quelque chose d'impudique, de repu et de triomphant, avec cette tranquille opulence des sens et de l'âme tout ensemble apaisés et rassasiés — et même gorgés — et ce sourire indolent, candide, cruel, que l'on peut voir sur certains portraits des femmes de cette époque (mais peut-être était-ce seulement l'effet d'une mode, d'un style, l'habileté, le savoir-faire, le conformisme du peintre habitué à représenter du même pinceau ou du même voluptueux crayon les mères de famille et les lascives odalisques mollement abandonnées sur les coussins des bains turcs ?) aux cous flexibles, aux gorges de colombes, et très certainement ce n'était

plus là la même femme que celle, un peu sèche, un peu
guindée, apprêtée, corsetée, baleinée et parée de durs et
froids bijoux, qui avait posé dans la lourde robe à crevées, Georges pensant : « Oui, comme si elle avait été,
entre temps, libérée, comme si sa mort à lui l'avait... »),
et entendant de nouveau la voix de Blum (s'élevant, ironique, et même sarcastique, mais sans s'adresser, semblait-il, à qui que ce fût, sinon peut-être au fond de sa
gamelle, avec laquelle il semblait parler, dialoguer, s'entretenir avec tendresse, sollicitude, et Georges se demandant jusqu'à quel point un homme pouvait maigrir sans
pour cela disparaître, être anéanti par ce qui serait le
contraire, en quelque sorte, d'une explosion : une aspi-
ration de la peau, de l'être tout entier, vers l'intérieur,
une succion, car Blum était alors d'une maigreur véritablement effrayante, les yeux enfoncés, sa pomme
d'Adam pointue, saillant à trouer la peau, sa voix ironique comme décharnée elle aussi disant :) « Mais est-ce
que par hasard il n'avait pas traîné, en plus de ses idées
genevoises, quelque autre tare, quelque malformation
honteuse ? Est-ce qu'il n'était pas aussi boiteux, ou
pied-bot ou quelque chose de ce genre : ça se portait pas
mal dans ce temps-là chez les nobles marquis, évêques
renégats ou ambassadeurs. Après tout tu ne l'as jamais
vu qu'en peinture et en buste, avec son fusil de chasse à
deux coups sur l'épaule, comme l'autre Othello bancal
de village. Peut-être après tout qu'il boitait. Simplement.
Que ça lui avait donné un complexe, qu'il... », et Georges : « Peut-être », et Blum : « Ou peut-être encore
avait-il simplement des dettes, peut-être l'affreux juif
local le tenait-il solidement avec quelque bon billet à
ordre. Les nobles seigneurs, tu sais, ça vivait surtout
d'emprunts. Ils étaient essentiellement animés de purs et
généreux sentiments mais ils ne savaient pas faire grand'
chose d'autre que des dettes, et sans la Providence que
constituait pour eux l'usurier juif aux doigts crochus ils
n'auraient sans doute pas su accomplir grand'chose, si-

non peut-être ce genre d'exploits qu'on raconte ensuite
orgueilleusement dans les familles, pour la noblesse du
geste, pour épater les relations, pour le prestige, la
tradition, pour que cent cinquante ans plus tard un de
ses petits-fils parte à la guerre en amenant avec lui celui — une sorte de domestique ou faisant fonction — qui
avait chevauché, sailli sa femme ni plus ni moins qu'une
jument, vivant l'un à côté de l'autre pendant tout un
automne, et tout un hiver, et la moitié d'un printemps
sans échanger un mot (excepté à l'occasion d'un cheval
qui boite ou d'une question de service) jusqu'à ce qu'ils
finissent par se trouver tous deux, l'un suivant toujours
fidèlement l'autre, ou l'un réussissant à se faire fidèlement suivre par l'autre, sur cette route où c'était non
plus la guerre, comme tu l'as dit, mais de l'assassinat, du
coupe-gorge, et où n'importe lequel des deux aurait pu
descendre l'autre d'un coup de flingue ou de revolver
sans jamais avoir de compte à rendre à personne, et
même alors, dis-tu, ils ne se parlèrent pas (peut-être tout
simplement parce qu'ils n'en éprouvaient le besoin ni
l'un ni l'autre : ce n'est sans doute pas plus compliqué
que cela), se tenant l'un l'autre à distance comme il
convenait à la fois à leurs grades et à leurs conditions
sociales respectives, comme deux étrangers, même dans
cette arrière-cour d'estaminet de campagne où il vous a
payé à boire un demi bien frais à peu près cinq minutes
avant de recevoir cette giclée de mitraillette, comme il
aurait payé un verre après une monte gagnante à la bu-
vette des jockeys, ce qui fait que par les trous il est
peut-être sorti non du sang mais des jets de bière, c'est
peut-être ce que tu aurais vu si tu avais bien regardé, la
statue équestre du Commandeur pissant des jets de
bière, transformée en fontaine de bière flamande sur le
piédestal de son... », mais ne finissant même pas, uniquement préoccupé maintenant, acharné à racler les
dernières traînées de soupe aigre, écœurante, à goût de
métal, au fond de sa gamelle, et Georges se taisant, le re-

gardant, c'est-à-dire, maintenant, derrière le crâne baissé, les deux tendons de la nuque comme deux cordes étirées, saillant, sa voix, sa bouche baissée parlant pour ainsi dire à présent dans sa gamelle, disant : « Comme ça devait être chouette d'avoir autant de temps à perdre, comme ça doit être chouette d'avoir tellement de temps à sa disposition que le suicide, le drame, la tragédie deviennent des sortes d'élégants passe-temps », disant : « Mais chez moi on avait trop à faire. Dommage. Je n'ai jamais entendu parler d'un de ces distingués et pittoresques épisodes. Je me rends compte que c'est une lacune dans une famille, une déplorable faute de goût, non pas qu'il n'y ait pas eu un ou deux ou peut-être même plusieurs Blum qui aient dû être tentés de le faire un jour ou l'autre, mais sans doute n'ont-ils pas trouvé un moment, la minute nécessaire, pensant sans doute Je le ferai demain, et remettant de jour en jour parce que le lendemain il fallait de nouveau se lever à six heures et se mettre aussitôt à coudre ou tailler ou porter des ballots de tissus enveloppés dans un carré de serge noire : après la guerre il faudra que tu viennes me voir, je te ferai visiter ma rue, il y a d'abord un magasin peint en jaune imitation bois avec écrit en lettres dorées sur fond de verre noir au-dessus des vitrines : Draperie Tissus Maison ZELNICK Gros Détail, et à l'intérieur rien que des rouleaux de tissus, mais pas comme dans ces magasins où un élégant vendeur parfumé sort des rayons une mince planche de bois sur laquelle est enroulée une fine draperie qu'il déploie avec des gestes élégants : des rouleaux à peu près de l'épaisseur d'un vieux tronc d'arbre, et à peu près de quoi, dans un seul, habiller dix familles, et des tissus laids, épais et sombres, et le magasin où il fait nuit en plein jour est éclairé par six ou sept de ces globes dépolis pendant au bout d'un tuyau de plomb dans lequel on s'est seulement contenté de faire passer un fil électrique à la place du gaz mais ce sont toujours les mêmes globes depuis cinquante ou soixante ans, et le

magasin suivant est peint d'une couleur rougeâtre cette
fois, se différenciant aussi du précédent par un soubas-
sement en imitation marbre, vert à veinules vert clair, la
raison sociale s'étalant toutefois sur le même fond de
verre noir avec les mêmes lettres dorées, et cette fois
c'est : Gros Doublures Lainages Z. DAVID et Cie Draperie Française, et à l'intérieur les mêmes énormes
troncs d'arbres aux enroulements concentriques de tissus
tristes, utilitaires et laids, et la boutique suivante est de
nouveau peinte de ce jaune pisseux imitation bois, et
cette fois c'est : Draperies WOLF Doublures, après quoi
il y a une large porte cochère au-dessus de laquelle un
cartouche allongé porte l'enseigne : Location de voitures
à bras Charbons, du bougnat qui est au fond de la cour,
et au-dessus de l'enseigne, dans l'étroit demi-cercle que
dessine le haut de la porte, il y a une fenêtre à peu près
carrée qui doit correspondre à une pièce située au-dessus
du porche et dans laquelle je me suis toujours demandé
comment un type pouvait se tenir debout et qui est cependant habitée puisqu'il y a des rideaux de tulle et des
plantes vertes dans des pots accrochés à la petite balus-
trade de fer, après quoi le mur lui-même est recouvert
d'une peinture brun-rougeâtre, et également la boutique
qui vient après le porche, portant comme enseigne en
caractères gothiques : Vins Fins La Vieille Cave Li-
queurs, puis de nouveau une devanture en imitation bois,
jaune : Tissus Gros et Demi-Gros SOLINSKI Confection pour Hommes et Jeunes Gens, et après c'est le coin
de la rue et en face le bistrot : Café AU VOLTIGEUR
Tabac, écrit en rouge sur fond blanc, la devanture rouge
sombre avec des panneaux rouge clair, la porte en pan
coupé sur l'angle des deux rues, et celle-là ouverte en
permanence, sauf quand il fait très froid, de sorte qu'on
peut toujours y voir deux ou trois types accoudés devant
le zinc (mais pas des gens de la rue : des ouvriers, des
encaisseurs, des représentants venus là faire une répara-
tion ou leur tournée) et luire les percos bien astiqués, et

la serveuse derrière le zinc, une boîte aux lettres bleue
à gauche de la porte, et au-dessus de la boîte, peint verti-
calement en lettres jaunes sur le fond rouge, de nouveau
le mot TABAC, et de l'autre côté, c'est-à-dire à droite de
la porte, un panneau étroit et haut, gris, avec un losange
vertical rouge dans lequel, encore une fois, est écrit, en
jaune, le mot TABAC, et au-dessous PAPIERS, TIM-
BRES, puis au-dessous deux espèces d'astragales calli-
graphiées au pinceau, deux doubles boucles, puis encore
au-dessous TELEPHONE, puis après le café une boutique, ou plutôt pas une boutique car il n'y a pas à proprement parler de devanture mais simplement une
grande fenêtre et une porte, le mur de la maison peint
jusqu'au premier étage en marron avec, en lettres blanches : MANUF^{re} d'Ouate, Cotons cardés et Epaulettes
en tous genres, Demi-Gros, Spécialités pour Tailleurs,
Fourreurs, Casquettiers, Fleuristes, Gainiers, Maroqui-
niers, Polisseurs, Carrossiers, Bijoutiers, etc...., je pourrais continuer, te réciter tout ça par cœur, à l'envers, en
prenant par le milieu ou par le bout que tu voudras, j'ai
vu ça pendant vingt ans de notre fenêtre du matin au
soir, ça et les gens en blouses grises cheminant chargés
comme des fourmis de ces énormes rouleaux de tissus
comme s'ils passaient leur temps à les porter et à les
remporter sans fin d'une boutique à l'autre, d'un ar-
rière-magasin à un autre, et dans toutes les maisons les
lumières sont allumées de six heures du matin jusqu'à
onze heures ou minuit sans interruption, et si elles s'étei-
gnent c'est qu'on n'a pas encore trouvé le moyen de
passer vingt-quatre heures sur vingt-quatre à tirer sur
une aiguille ou manier des ciseaux ou porter des rouleaux de tissus ou fabriquer des rembourrages d'épau-
lettes ou des molletonnages, alors même en admettant
qu'un tas de Blum aient eu je ne sais combien de fois
envie de se suicider comme c'est d'ailleurs probable,
comment veux-tu qu'ils aient trouvé je ne dis même pas

le temps mais seulement l'espace nécessaire pour le faire, même pas la...

— N'empêche que ça arrive, dis-je. Il n'y a qu'à lire les journaux. Il y a tous les jours des choses comme ça dans les journaux ». Il me regardait, la petite pluie fine se déposait en minuscules gouttelettes d'argent, de mercure, sur le drap de sa vareuse, une poussière d'un gris métallique là où l'épaule dépassait de l'abri de l'auvent, tandis que nous parvenaient les discordants échos, les éclats de voix incohérents, fragments de colère de passion détachés de ce comment dire : ce permanent et inépuisable stock ou plutôt réservoir ou plutôt principe de toute violence et de toute passion qui semble errer imbécile désœuvré et sans but à la surface de la terre comme ces vents ces typhons sans autre objet qu'une aveugle et nulle fureur secouant sauvagement et au hasard ce qu'ils rencontrent sur leur chemin ; maintenant peut-être avions-nous appris ce que savait ce cheval en train de mourir son œil allongé velouté pensif doux et vide dans lequel je pouvais pourtant voir se réfléter nos minuscules silhouettes, cet œil du portrait ensanglanté lui aussi allongé énigmatique et doux que j'interrogeais : Du théâtre de la tragédie du roman inventé, disait-il, tu t'y complais, tu en rajoutes tu, et moi Non, et lui Et au besoin tu inventes, et moi Non ça arrive tous les jours, nous pouvions entendre cette vieille à moitié idiote en train de gémir patiemment interminablement à l'intérieur de la maison l'œil sec, se balançant d'avant en arrière sur sa chaise tandis que le boiteux faisait ses rondes avec ce fusil chargé de chevrotines et prêt à partir tout seul claudiquant pataugeant dans les champs spongieux le verger détrempé où les empreintes de ses pas remontaient lentement avec un léger bruit de succion, et le général lui aussi suivi de son état-major pataugeant s'essoufflant à le suivre vif preste aussi sec et aussi insensible aurait-on dit qu'un vieux bout de bois, se tirant une balle dans la tête ce qui n'avait pas dû

faire beaucoup plus de tapage qu'une branche pourrie
se brisant, et gisant mort avec sa petite tête ridée de
jockey ses étincelantes petites bottes de jockey Est-ce
que je l'ai inventé dis-je Est-ce que je l'ai inventé ? Je
l'imaginais claudiquant rongé dévoré par ce tourment
comme un chien malheureux animal traqueur et tra-
qué par la honte l'insupportable affront enduré dans
la femme de son frère lui dont on n'avait pas voulu
pour faire la guerre à qui l'on n'avait pas voulu confier
un fusil, Allons dit-il lâchez cette arme c'est comme ça
que des accidents arrivent, mais il ne voulait rien entendre, apparemment il tenait à cet attirail de chasseur
à ce fusil avec lequel il s'était fait représenter symbole
ou quoi, longtemps j'ai cru à un accident de chasse je
pensais que c'était pour ça qu'elle ne voulait pas m'acheter cette carabine, à force de raconter de ressasser ses
sempiternelles histoires de famille, d'ancêtres, comme
elle s'était toujours obstinément refusée à me laisser
faire de l'escrime sous prétexte que je ne sais lequel encore des membres de sa famille était mort au cours
d'un assaut le cou traversé par un fleuret démoucheté
à moins qu'elle ne l'ait lu elle aussi dans un journal
dans la rubrique des faits divers des accidents des cri-
mes la rubrique mondaine des naissances les passions
déchaînées engendrées par la chair délicate de la belle
au bois dormant emmurée cachée, derrière, la queue
du paon oscillait encore faiblement mais pas de Léda
visible de qui donc le paon de quelle divinité est-il l'oiseau vaniteux fat stupide promenant solennel ses plumes multicolores sur les pelouses des châteaux et les
coussins de concierges ? Je l'imaginais sous la forme
d'une de ces, je pouvais toucher presser palper ses seins
son ventre soyeux à peine voilé à peine couverte
qu'elle était par cette chemise dont émergeait son cou
semblable dis-je à du lait tu entends dis-je la seule
chose dont elle peut donner l'idée c'est de ramper se
pencher comme une source et de lapper, robes qui res-

semblaient à des chemises, mauve pâle et un ruban vert enserrant ses... oui quelle différence avec cet autre portrait cruel et dur sorte de Diane alors elle aurait dû sur celui-là avoir auprès d'elle un lévrier allongé ras aigu tandis que plus tard au contraire un de ces petits chiens poils frisés où l'on passe les doigts frétillants d'aise léchant les doigts de sa langue mouillée se roulant de plaisir en gémissant frétillant comme un poisson dans l'eau, comme ce qu'on voit dessiné sur les murs avait-elle dit les deux hiéroglyphes les deux principes : féminin et masculin, quelquefois celui-ci n'est plus qu'un signe ressemblant à des ciseaux fermés avec en bas deux ronds comme les anneaux dans lesquels on passe le pouce et l'index et la pointe dressée vers le haut les ronds symboliques en bas symboliquement aussi entourés de traits comme des rayons et l'autre aussi ovale avec sa ligne médiane deux astres rayonnants dans le firmament des murs noirâtres dessinés avec la pointe d'un clou, vaincue maintenant, renonçant, elle se contentait de faire entendre ce bruit enfantin qui pouvait aussi bien être des sanglots une plainte ou le contraire, quelquefois je m'écartai le retirai complètement pouvant le voir au-dessous de moi sorti d'elle luisant mince à la base puis renflé comme un fuseau un poisson (on disait qu'ils se reconnaissaient en traçant sur les murs des villes et des catacombes le signe du poisson) avec au bout cette espèce de tête, d'ogive ou plutôt comme une sorte de bonnet avec sa fente en haut à la fois bouche muette et œil furieux et mort aux bords rosis comme ceux de ces animaux poissons qui vivent dans les rivières souterraines les cavernes, devenus aveugles à force d'habiter les ténèbres bouche et œil suppliants et furibonds de carpe ou quoi apoplectique hors de l'eau exigeant suppliant de retourner aux humides et secrètes cachettes, la bouche d'ombre, on dit gland à cause de la peau qui le recouvre à moitié, c'était alors de nouveau l'automne mais en un an nous avions ap-

pris à nous dépouiller non seulement de cet uniforme
qui n'était plus maintenant qu'un dérisoire et honteux
stigmate mais encore pour ainsi dire de notre peau ou
plutôt notre peau dépouillée de ce qu'un an plus tôt
encore nous nous imaginions qu'elle renfermait, c'est-à-
dire même plus des soldats même plus des hommes,
ayant peu à peu appris à être quelque chose comme des
animaux mangeant n'importe quand et n'importe quoi
pourvu qu'on puisse réussir à le mâcher et l'avaler, et
il y avait de grands chênes en lisière de la forêt qui
longeait le chantier les glands tombant jonchant le
chemin sur lequel les Arabes allaient les ramasser, la
sentinelle commençant d'abord à crier et à les chasser
mais ils revenaient comme des mouches obstinés pa-
tients tenaces et à la fin elle dut y renoncer haussa les
épaules et prit le parti de les ignorer attentive surtout
à surveiller si aucun officier ne s'amenait, je me mêlai
à eux courbé vers le sol faisant semblant de chercher
et de les mettre dans mes poches le guettant du coin de
l'œil et à un moment il tourna le dos alors je fus dans
le fourré haletant courant à quatre pattes comme une
bête à travers les taillis traversant les buissons me déchirant les mains sans même le sentir toujours courant
galopant à quatre pattes j'étais un chien la langue pen-
dante galopant haletant tous deux comme des chiens
je pouvais voir sous moi ses reins creusés, râlant, la
bouche à moitié étouffée voilant son cri mouillé de sa-
live dans l'oreiller froissé et par delà son épaule sa joue
d'enfant couchée sa bouche d'enfant aux lèvres gonflées meurtries entr'ouvertes exhalant le râle tandis
que je m'enfonçais lentement entrant m'engloutissant il
me semblait de nouveau que cela n'aurait pas ne pouvait pas avoir de fin mes mains posées, appuyées sur
ses hanches écartant je pouvais le voir brun fauve dans
la nuit et sa bouche faisait Aaah aaaaaaaah m'enfon-
çant tout entier dans cette mousse ces mauves pétales
j'étais un chien je galopais à quatre pattes dans les

fourrés exactement comme une bête comme seule une
bête pouvait le faire insensible à la fatigue à mes mains
déchirées j'étais cet âne de la légende grecque raidi
comme un âne idole d'or enfoncée dans sa délicate et
tendre chair un membre d'âne je pouvais le voir allant et venant luisant oint de ce qui ruisselait d'elle je
me penchai glissai ma main mon bras serpent sous son
ventre atteignant le nid la toison bouclée que mon doigt
démêlait jusqu'à ce que je le trouve rose mouillé comme
la langue d'un petit chien frétillant jappant de plaisir
sous laquelle l'arbre sortant de moi était enfoncé sa
gorge étouffée gémissant maintenant régulièrement à
chaque élan de mes reins combien l'avaient combien
d'hommes emmanchée seulement je n'étais plus un
homme mais un animal un chien plus qu'un homme
une bête si je pouvais y atteindre connaître l'âge d'Apu-
lée poussant sans trêve en elle fondant maintenant ouverte comme un fruit une pêche jusqu'à ce que ma nuque éclate le bourgeon éclatant tout au fond d'elle
l'inondant encore et encore l'inondant, inondant sa blan-
cheur jaillissant l'inondant, pourpre, la noire fontaine
n'en finissant plus de jaillir le cri jaillissant sans fin de
sa bouche jusqu'à ce qu'il n'y ait plus rien sourds tous
les deux tombés inanimés sur le côté mes bras l'enserrant toujours se croisant sur son ventre sentant contre
moi ses reins couverts de sueur les mêmes coups sourds
le même bélier nous ébranlant tous deux comme un animal allant et venant cognant allant et venant violemment
dans sa cage puis peu à peu je commençai à voir de nouveau, distinguer le rectangle de la fenêtre ouverte et le
ciel plus clair et une étoile puis une autre et une autre encore, diamantines froides immobiles tandis que respirant péniblement j'essayais de dégager une de mes jambes prises sous le poids de nos membres emmêlés nous
étions comme une seule bête apocalytique à plusieurs
têtes plusieurs membres gisant dans le noir, je dis Quelle
heure peut-il être ? et lui Qu'est-ce que ça peut faire

qu'est-ce que tu attends Le jour ? qu'est-ce que ça changera Tu as tellement envie de voir nos sales gueules ?
j'essayai de respirer d'écarter ce poids de sur moi de
trouver l'air puis je ne sentis plus de poids, seulement
dans l'ombre des mouvements furtifs silencieux, des
froissements, je me réveillai tout à fait je dis Qu'est-ce
que tu fais ? elle ne répondit pas, on commençait à pouvoir vaguement distinguer les choses mais pas beaucoup,
peut-être y voyait-elle dans l'obscurité comme les chats
je dis Bon Dieu qu'est-ce qui se passe qu'est-ce que tu
fais Réponds, et elle Rien, et moi Tu..., je me réveillai
tout à fait m'assis sur le lit et allumai elle était déjà habillée tenait un de ses souliers à la main : un instant je la
vis son visage fragile trop beau tragique deux traînées
brillantes sur les joues, en ce moment il avait quelque
chose de hagard égaré puis furieux dur sa bouche dure
criant Eteins cette lampe je n'ai pas besoin de lumière,
et moi Mais qu'est-ce que, et elle Eteins je te dis éteins
éteins tu entends éteins, puis le bruit de lampe de la
table de chevet se brisant dégringolant pêle-mêle avec
le soulier qu'elle avait jeté et pendant un moment je ne
vis plus rien disant Mais qu'est-ce qui te prend, et elle
Rien, entendant de nouveau les bruits furtifs silencieux
dans le noir comprenant qu'elle cherchait son soulier
me demandant comment elle faisait dans cette obscurité,
disant Mais enfin qu'est-ce qui se passe, et elle cherchant toujours son soulier Il y a un train à huit heures,
et moi Un train ? Mais qu'est-ce que... Tu m'as dit que
ton mari ne rentrait que demain, et elle ne répondant
pas continuant à s'affairer dans le noir elle avait dû
trouver son soulier maintenant et le mettre, je pouvais
l'entendre la deviner debout allant et venant, et moi
Bon Dieu ! Je me levai mais elle me frappa je retombai
sur le lit elle me frappa encore, de sa figure tout près de
moi sortait comme un gargouillis qu'elle s'efforçait de
ravaler je crois qu'elle disait Laisse-moi, disant Espèce
de sale salaud, et moi Quoi ? et elle Espèce de salaud

Espèce de salaud Tu ne pouvais pas me laisser tranquille jamais encore quelqu'un ne m'a traitée comme, et
moi Traitée ? et elle Rien Je ne suis rien pour toi moins
que rien moins que, et moi Oh, et elle Moi qui... Moi
qui..., et moi Allons, et elle Ne me touche pas, et moi
Allons, et elle Ne me... et moi Je vais te raccompagner
Tu ne vas pas prendre le train Je vais te raccompagner
avec la voiture Je, et elle Laisse-moi laisse-moi laisse-
moi, dans la chambre à côté quelqu'un frappa contre le
mur, je me levai cherchai mes vêtements disant Bon
Dieu ! disant Où est mon... mais elle me frappa de nouveau n'importe comment dans le noir avec quelque
chose de dur, son sac je pense, frappant à plusieurs reprises de toutes ses forces une fois elle m'atteignit à la
figure je sentis l'espèce de saveur bizarre des coups, violente comme si la chair éclatant sur la pommette répandait à l'intérieur en même temps que la douleur comme
un jus vert âpre pas désagréable, s'irradiant, pensant à
la peau, à la saveur des prunes des reines-claudes mûres
bleuâtres se fendant et leur jus sucré, je la lâchai retombai sur le lit tâtant ma pommette pouvant l'entendre
de nouveau aller et venir rapide avec ces mouvements
rapides précis qu'ont les femmes pour ranger, se baissant ramassant quelque chose je me demandai comment
elle pouvait faire mais sans doute décidément pouvait-
elle voir dans le noir, puis j'entendis le fermoir de sa
sa mallette puis le choc des hauts talons traversant vivement la pièce et un moment je la vis à la lumière de
l'ampoule du couloir mais pas son visage : ses cheveux,
son dos se découpant en noir, puis la porte se referma
j'entendis son pas rapide s'éloigner décroître puis plus
rien et au bout d'un moment je sentis la fraîcheur de
l'aube, ramenant le drap sur moi, pensant que l'automne n'était plus bien loin maintenant, pensant à
ce premier jour trois mois plus tôt où j'avais été chez
elle et avais posé ma main sur son bras, pensant qu'après
tout elle avait peut-être raison et que ce ne serait pas de

cette façon c'est-à-dire avec elle ou plutôt à travers elle
que j'y arriverai (mais comment savoir ?) peut-être était-
ce aussi vain, aussi dépourvu de sens de réalité que d'aligner des pattes de mouches sur des feuilles de papier et
de le chercher dans des mots, peut-être avaient-ils raison
tous deux, lui qui disait que j'inventais brodais sur rien
et pourtant on en voyait aussi dans les journaux, de sorte
qu'il faut croire qu'entre les magasins aux devantures
en faux bois jaune et aux enseignes noires et or et le
café-tabac, ou entre minuit et six heures du matin, ou
entre deux rouleaux de drap, ils trouvaient parfois assez
de temps et assez de place pour s'occuper de ces choses
— mais comment savoir, comment savoir ? Il aurait
fallu que je sois aussi celui-là caché derrière la haie le
regardant s'avancer tranquillement au-devant de lui,
au-devant de sa mort sur cette route, se pavanant
comme avait dit Blum, insolent imbécile orgueilleux et
vide dédaignant ou peut-être n'ayant pas même l'idée
de mettre son cheval au trot n'entendant même pas ceux
qui lui criaient de ne pas continuer ne pensant peut-être
même pas à la femme de son frère chevauchée ou plutôt à la femme chevauchée par son frère d'armes ou plutôt son frère en chevalerie puisqu'il le considérait en
cela comme son égal, ou si l'on préfère le contraire puisque c'était elle qui écartait les cuisses chevauchait, tous
deux chevauchant (ou plutôt qui avaient été chevauchés
par) la même houri la même haletante hoquetante ha-
quenée, avançant donc dans le paisible et éblouissant
après-midi me demandant

　　quelle heure pouvait-il être ?

　　en tenant compte que la route se dirigeait à peu près
est-ouest et qu'à ce moment je pouvais voir son ombre
équestre et raccourcie sur la droite et dirigée en arrière
de lui selon un angle d'environ quarante degrés et que
nous étions maintenant déjà dans la seconde quinzaine
de mai je suppose que le soleil en face de nous et à gauche (ce pourquoi les yeux à demi aveugles et avec en

plus cette espèce de gravier, de toile émeri conséquence du manque de sommeil sous nos paupières nous ne pouvions voir que la face ombrée noire des arbres, des toits d'ardoise, des granges, des maisons étincelant comme du métal comme des casques au milieu de cette sombre verdure vert-noir, sans être roussis les champs étaient d'un vert tirant sur le jaune, devant nous l'asphalte de la route étincelait aussi) le soleil se trouvait dans la position sud-ouest donc environ deux heures de l'après-midi mais comment savoir ?

cherchant à nous imaginer nous quatre et nos ombres nous déplaçant à la surface de la terre, minuscules, parcourant en sens inverse un trajet à peu près parallèle à celui que nous avions emprunté dix jours plus tôt en nous portant à la rencontre de l'ennemi l'axe de la bataille s'étant entre temps légèrement déplacé l'ensemble du dispositif ayant subi de ce fait une translation du sud vers le nord d'environ quinze à vingt kilomètres de sorte que le trajet suivi par chaque unité aurait pu être schématiquement représenté par une de ces lignes fléchées ou vecteur figurant les évolutions des divers corps de troupes (cavalerie, infanterie, voltigeurs) engagés dans les batailles sur la carte desquelles figurent en grosses lettres parce que passés à la postérité les noms d'un simple village ou même hameau ou même une ferme ou un moulin ou une butte ou un pré, lieux-dits

les Quatre Vents

l'Epine

l'Ecrevisse

Trou des Loups

le Fond du Baudet

la Belle Tandinière

Perche à l'Oiseau

Trieux du Diable

le Lapin Blanc

Baise Cul

la Croix du Carme
Ferme aux Puces
Ferme de la Folie
Ferme Blanche
Ferme des Fils de Fer
Bois Chuté
Bois du Roy
Long du Bois
les Dix Journels
la Savate
le Chaudron
la Cendrière
les Joncs
le Pré de la Rosière
Champ Martin
Champ Benoît
Champs des Lièvres

les collines figurées sur la carte au moyen de petits
traits en éventail bordant la ligne onduleuse d'une crête,
de sorte que le champ de bataille semble parcouru de
mille-pattes sinueux, chaque corps de troupe étant représenté par un petit rectangle à partir duquel s'élance
le vecteur correspondant, chacun d'eux se recourbant
en l'occurence de façon à affecter à peu près la forme
d'un hameçon, c'est-à-dire le dard dirigé au rebours de
la partie du trait formant pour ainsi dire la hampe, le
sommet de la courbe ainsi décrite coïncidant avec le
point où le contact avait été pris avec les troupes enne-
mies l'ensemble de la bataille qui venait de se dérouler
pouvant donc être représenté sur la carte d'état-major
par une série de hameçons disposés parallèlement et la
pointe retournée vers l'ouest, cette représentation sché-
matique des évolutions des différentes unités ne tenant
évidemment compte ni des accidents du terrain ni des
obstacles imprévus surgis au cours du combat, les tra-
jets réels ayant en réalité la forme de lignes brisées zig-
zaguant et quelquefois se recoupant s'embrouillant sur

elles-mêmes et qu'il aurait fallu dessiner au départ à
l'aide d'un trait épais vigoureux allant ensuite s'amenuisant et (comme les tracés de ces oueds d'abord impétueux et qui peu à peu — au contraire des autres fleuves
dont la largeur va constamment croissant depuis la
source jusqu'à l'embouchure — disparaissent s'effacent
évaporés bus par les sables du désert) se terminant par
un pointillé les points s'espaçant s'égrenant puis finissant eux-mêmes par disparaître tout à fait

mais comment appeler cela : non pas la guerre non
pas la classique destruction ou extermination d'une des
deux armées mais plutôt la disparition l'absorption par
le néant ou le tout originel de ce qui une semaine auparavant était encore des régiments des batteries des escadrons des escouades des hommes, ou plus encore : la
disparition de l'idée de la notion même de régiment de
batterie d'escadron d'escouade d'homme, ou plus encore : la disparition de toute idée de tout concept si bien
que pour finir le général ne trouva plus aucune raison
qui lui permît de continuer à vivre non seulement
en tant que général c'est-à-dire en tant que soldat mais
encore simplement en tant que créature pensante et
alors se fit sauter la cervelle

luttant pour ne pas céder au sommeil

les quatre cavaliers avançant toujours parmi les pâtu-
rages cloisonnés de haies les vergers les archipels de maisons rouges tantôt isolées tantôt se rapprochant s'agglu-
tinant au bord de la route jusqu'à former une rue puis
s'espaçant de nouveau les bois épars sur la campagne taches semblables à des nuages verts déchiquetés hérissés
de sombres cornes triangulaires.

et encore des soldats du fait qu'ils étaient revêtus d'un
uniforme et armés c'est-à-dire tous les quatre également
munis d'un sabre dit bancal d'environ un mètre de long
d'un poids de deux kilogs à la lame légèrement courbe
soigneusement affûtée dans un fourreau de métal lui-
même à l'abri d'un fourreau de tissu marron, sabre et

fourreau maintenus par deux courroies dites courroie
de pommeau et courroie de sabre sur le côté gauche de
la selle entre le quartier et le faux quartier de sorte que
le fourreau dessinait un léger renflement sous la cuisse
gauche du cavalier la poignée de cuivre du sabre venant se placer à gauche du pommeau et pouvant être facilement saisie en cas de besoin par la main droite du
cavalier, les deux officiers étant en outre pourvus chacun d'un revolver d'ordonnance et les deux simples cavaliers d'un mousqueton à canon court porté en bandoulière

et plus tout à fait des soldats du fait qu'ils se trouvaient coupés de toute formation régulière et dans l'igno-
rance de ce qu'ils devaient faire non seulement parce que
le plus élevé en grade des quatre (le capitaine) n'avait
reçu aucune directive (sauf peut-être celle de gagner un
certain point de repli, ordre datant vraisemblablement de
la veille ou de l'avant-veille si bien qu'il était impossible
de savoir si ce point de repli n'était pas déjà occupé par
l'ennemi (ce que prétendaient les blessés ou les gens ren-
contrés sur la route) et si par conséquent cet ordre pouvait encore être considéré comme valable et devant être
exécuté) mais encore parce qu'il apparaissait qu'il (le
capitaine) n'était même plus disposé à en donner (des
ordres) ni animé du désir de se faire obéir comme il était
apparu un peu plus tôt lorsque deux estafettes cyclistes
qui suivaient encore avaient déclaré qu'elles se refusaient
à continuer plus longtemps et qu'il n'avait même pas
détourné la tête pour les écouter ni ouvert la bouche
pour leur interdire de déserter ni fait mine de tirer son
revolver pour les en menacer, mais comment savoir ?

les cinq chevaux avançant d'un pas pour ainsi dire
somnambulique quatre demi-sang tarbais produits de
croisement connu sous l'appellation d'anglo-arabe deux
d'entre eux entiers celui du capitaine hongre le quatrième (monté par le simple cavalier) étant en fait une
jument, âges s'échelonnant entre six et onze ans, robes :

celui du capitaine bai-brun c'est-à-dire presque noir avec
une pelote en tête, celui du sous-lieutenant alezan doré,
la jument montée par le simple cavalier baie avec liste
en tête et deux balzanes (antérieur et postérieur droit),
celui de l'ordonnance bai clair (acajou) une balzane à
l'antérieur gauche, et le cheval de main (un sous-verge
d'un attelage de mitrailleuse, les bricoles coupées (à
coup de sabre ?) traînant par terre) percheron de réqui-
sition, alezan ou plutôt rouquin ou plutôt rose lie-de-
vin, moucheté de gris la queue d'un gris jaunâtre légèrement ondulée, liste en tête, descendant jusqu'aux
naseaux et la lèvre supérieure d'un blanc rosé, le cheval
étant alors dit « buvant dans son blanc », les crinières
des cinq chevaux réglementairement tondues présentant (sauf celle des alezans) l'aspect de chenilles noires
velues et annelées lorsque le cheval porte la tête haute
de sorte que la peau sur l'arête supérieure de l'encolure
se gonfle en replis superposés, les queues longues jusqu'au jarret, l'une des cinq bêtes — celle du sous-lieutenant — ferrant c'est-à-dire entrechoquant la pince de
son postérieur gauche contre le talon de son antérieur
droit à l'allure du trot, la monture de l'ordonnance boitant légèrement du postérieur gauche du fait d'une blessure à la sole causée probablement par une des pierres
du ballast de la voie de chemin de fer sur laquelle elle a
été contrainte de galoper l'avant-veille lorsque le peloton s'est dégagé d'une précédente embuscade les bêtes
n'ayant pu être dessellées ni déharnachées depuis six
jours et présentant probablement de ce fait de larges
blessures à la selle provoquées par le frottement et le
manque d'aération

mais comment savoir, comment savoir ? les quatre
cavaliers et les cinq chevaux somnambuliques et non pas
avançant mais levant et reposant les pieds sur place pratiquement immobiles sur la route, la carte la vaste surface de la terre les prés les bois se déplaçant lentement
sous et autour d'eux les positions respectives des haies

des bouquets d'arbres des maisons se modifiant insensiblement, les quatre hommes reliés entre eux par un invisible et complexe réseau de forces d'impulsions d'at-
tractions ou de répulsions s'entrecroisant et se combinant pour former pour ainsi dire par leurs résultantes
le polygone de sustentation du groupe se déformant lui-
même sans cesse du fait des incessantes modifications
provoquées par des accidents internes ou externes

par exemple le simple cavalier chevauchant en arrière
et à la droite du sous-lieutenant entrevoyant un instant
(à un moment où celui-ci tourne la tête pour répondre
au capitaine) le profil qui présente un dessin dénotant
une nature prétentieuse ou stupide, de sorte que l'indifférence qu'éprouvait ou que croyait éprouver le simple
cavalier un moment auparavant pour le sous-lieutenant se mue d'une façon irraisonnée en un sentiment
proche de l'hostilité et du mépris tandis qu'au même
moment, découvrant au-dessous du casque la nuque juvénile presque enfantine, mince et même maigre et
même, apparemment, malingre, le regard descendant
encore détaille le buste les épaules les omoplates souffre-
teuses, si bien que l'hostilité fraîchement née se trouve
balancée par une certaine forme de pitié les deux impulsions pitié et hostilité se neutralisant l'indifférence se
réinstallant alors

les rapports des deux officiers sans doute assez distants teintés cependant d'une certaine reconnaissance et
estime réciproque pour un savoir-vivre qui leur permet-
tait d'entretenir une conversation anodine dépourvue
d'intérêt et futile particulièrement précieuse dans ce
moment — proche de leur mort — où une commune
préoccupation d'élégance et de bonne tenue leur faisait
une nécessité d'échanger des propos anodins dépourvus
d'intérêt et futiles

le capitaine et l'ordonnance se suivant à une distance
d'environ quatre mètres sans que jamais le premier ne
se retourne pour adresser la parole au second que, mis

à part cet impérieux souci d'élégance, il eût sans doute
préféré comme interlocuteur au sous-lieutenant (mais
comment savoir ?) en raison des liens plus anciens et
plus étroits qui s'étaient formés entre eux conséquence
d'un caprice (d'un besoin) du premier qui l'avait
amené à épouser une jeune fille d'environ la moitié de
son âge dont un caprice l'avait amené à monter une écurie de courses et engager un jockey dont le caprice de la
jeune femme ou plutôt un caprice de la chair de la jeune
femme... A moins que ce ne fût un caprice de son esprit si l'on tient compte de la personnalité purement
plysique du jockey qui ne semblait rien présenter de particulièrement séduisant, à moins que sans plus tenir
compte de son aspect extérieur que des qualités (comme
son habileté à monter les chevaux de course) qui pouvaient faire oublier sa conformation physique peu sé-
duisante elle n'ait vu en lui (mais comment le savoir
puisque par la suite — c'est-à-dire la guerre finie — elle
se refusa à admettre qu'elle ait pu entretenir avec lui à
un moment ou à un autre des rapports personnels, ne
s'enquérant même pas de ce qu'il était devenu, ne cherchant pas à le revoir (et lui non plus), de sorte qu'il n'y
avait peut-être de réel dans tout ceci que de vagues racontars et médisances et les vantardises auxquelles deux
adolescents captifs imaginatifs et sevrés de femmes le
poussèrent ou plutôt qu'ils lui extorquèrent) à moins
donc qu'elle n'ait vu en lui qu'un instrument (pour ainsi
dire phallique ou priapique comme ce comment s'appelle que les épouses japonaises attachent à leur talon
pour, s'asseyant dessus dans une position incommode
particulière à la science érotique et légèrement acroba-
tique des Orientaux, s'en pourfendre, introduisant en
elles (et se remplissant de) cet orgueilleux et invincible
succédané de la virilité) un instrument commode de par
sa dépendance servile et les facilités qu'elle avait de le
joindre chaque fois qu'elle désirait apaiser d'élémentai-
res besoins physiques ou peut-être de l'esprit — tels que

défi revanche vengeance et non seulement à l'égard de
l'homme qui l'avait épousée (achetée) et prétendait la
posséder mais encore d'une classe sociale d'une éducation de coutumes de principes et de contraintes qu'elle
avait en haine.

les rapports entre le capitaine et l'ancien jockey gre-
vés en plus de cette hypothèque pratiquement impossible à lever que constitue entre deux êtres humains une
énorme différence de disponibilités monétaires, puis de
grades, aggravée par le fait que chacun d'eux usait d'un
langage différent ceci élevant entre eux une barrière
d'autant plus infranchissable que sauf en ce qui concernait le problème technique et passionnel qui les avait
réunis (c'est-à-dire les chevaux) ils employaient non pas
des mots différents pour désigner les mêmes choses mais
les mêmes mots pour désigner des choses différentes le
capitaine nourrissant peut-être un certain ressentiment
ou une certaine jalousie pour les dons dont faisait montre l'ancien jockey pour monter chevaux et autres créatures et celui-ci éprouvant de façon toute naturelle et
dépourvue d'arrière-pensée (ayant eu la chance de naître
dans un milieu social où faute de temps et de loisirs ce
sous-produit parasitaire du cerveau (la pensée) n'a pas
encore eu la possibilité de faire ses ravages, le viscère enfermé par la cavité cervicale restant par conséquent apte
à aider l'homme dans l'accomplissement de ses fonctions
naturelles), éprouvant donc le genre de sentiments que
peut nourrir un individu originaire d'une classe labo-
rieuse envers la personne dont il dépend matériellement
et — par la suite — hiérarchiquement, c'est-à-dire avant
tout (quelques impulsions d'estime de sympathie ou de
commisération étonnée qui aient pu naître par la suite)
déférents, admiratifs (ceci pour l'argent et le pouvoir
détenus) et aussi respectueusement que totalement indif-
férents, le capitaine n'ayant d'existence pour lui que
dans la mesure où il le payait (pour monter et entraîner
ses chevaux), et plus tard était habilité à lui donner des

ordres, toute espèce de liens ou de sentiments étant de ce fait condamnés à disparaître au moment précis où pour une raison quelconque (ruine, liquidation de l'écurie de courses, choix d'un autre jockey ou d'un autre entraîneur) le capitaine cesserait de vouloir ou de pouvoir le rétribuer ou (mutation, blessure, mort) le commander

le simple cavalier et l'ancien jockey libres l'un et l'autre (quoique pour des raisons différentes) de tout souci d'élégance et de distinction, échangeant de loin en loin des propos dont le caractère épisodique bref et à la limite de l'incohérence tenait d'une part au tempérament naturellement renfermé et peu communicatif du jockey, de l'autre à l'état d'extrême fatigue dans lequel ils se trouvaient tous deux, le cavalier se contentant donc de continuer à suivre le (ou plutôt à laisser son cheval suivre celui du) capitaine à l'égard duquel il ne nourrissait à présent qu'une vague stupéfaite et impuissante fureur

mais comment savoir, que savoir ? Environ donc deux heures de l'après-midi, le moment où les oiseaux s'arrêtent de chanter où les fleurs se recroquevillent et pendent à demi flétries sous le soleil, où les gens finissent d'habitude de boire leur café où les vendeurs de journaux du soir proposent leur première ration de gros titres mais pas encore Sport-Complet ou La Veine, la cloche de la première course tintant seulement appelant au départ et en passant je vis sur un mur de briques une vieille affiche délavée déchirée annonçant Courses à la Capelle, là-bas dans le Nord ils aiment les paris les combats de coqs les queues multicolores avec leurs plumes à reflets bleus et verts voletant éparpillées, pays de prés de bois d'étangs paisibles pour les pêcheurs du dimanche (mais où étaient les pêcheurs les baigneurs les gamins s'éclaboussant en caleçons rayés les buveurs des guinguettes à tonnelles à balançoires pour les petites filles — mais où étaient-elles, elles et leurs courtes robes blanches leurs maladroites et fraîches jambes nues...),

Flamands, Flahutes, visages hauts en couleurs et les maisons sang de bœuf, les réclames jaunes d'Anis Pernod
sur les façades de briques, on prétendait que celles pour
une marque de chicorée portaient au dos des renseigne-
ments pour l'ennemi, des plans, des cartes : peut-être
aurions-nous pu nous échapper le lendemain ne pas
être pris si nous en avions eu une, si nous étions allés
vers le nord au lieu de, mais il aurait fallu savoir, connaître les chemins creux les layons dans la forêt les bo-
quetaux (nous glissant de nouveau haletants et furtifs de
haie en haie guettant haletants avant de franchir les prés
les endroits découverts) l'arbre en boule la corne du
bois carrière briqueterie combe clôture de barbelés
remblai devers, le sol la terre entière étroitement inven-
toriée décrite possédée dans ses moindres replis sur les
cartes d'état-major les forêts sont figurées au moyen
d'un semis de petits ronds de lunules entourées de points
comme si elles avaient été récemment coupées, les rejets
repartant en taillis pointillistes autour des troncs sciés au
pied (il faudrait les colorier de ce jaune fauve du bois
fraîchement abattu) les troncs et le piquetis se faisant
plus denses se resserrant le long des lisières comme une
impénétrable et mystérieuse barrière, nous pouvions la
voir s'étendre laineuse et vert sombre sur les collines au
sud, c'est sans doute pour ça que nous nous sommes dirigés par là pensant que si nous pouvions l'atteindre
mais d'abord il nous fallait retraverser la route rien ne
paraissait y bouger cependant nous nous sommes appro-
chés en nous cachant, nous élançant pour la traverser,
courant et une dernière fois je le vis j'eus le temps de le
reconnaître pensant que maintenant il devait commencer à puer pour de bon oh très bien qu'il pourrisse sur
place qu'il infecte qu'il empeste, jusqu'à ce que la terre
entière le monde entier soit obligé de se boucher le nez
mais il n'y avait plus personne rien qu'une vieille portant un bidon de lait longeant le mur de l'usine et qui
s'est arrêtée comme effrayée ou peut-être simplement

étonnée pour nous regarder passer semblables à des
voleurs

quelque chose comme la scène vide d'un théâtre
comme si une équipe de nettoyage était passée des pillards ou les vainqueurs ne laissant que ce qui avait été
trouvé trop lourd ou trop encombrant pour être emporté
ou vraiment inutilisable maintenant il n'y avait même
plus la valise crevée je ne vis pas non plus le chiffon rose
et pas non plus les mouches mais certainement elles
devaient être de nouveau au travail c'est-à-dire à table
bourdonnant entrant et sortant par les naseaux puis
toujours courant nous tournâmes au coin du mur et je
ne le vis plus, après tout ce n'était qu'un cheval mort une
charogne juste bonne pour l'équarrisseur : sans doute
passerait-il aussi avec les chiffonniers et les ramasseurs
de ferraille d'ordures récupérant les accessoires oubliés
ou hors d'usage maintenant que les acteurs et le public
étaient partis, le bruit du canon s'éloignant lui aussi, sur
la droite à présent, vers l'ouest, on pouvait voir un haut
clocher gris à bulbes au-dessus de la campagne mais
savoir s'ils avaient pris le patelin comment savoir comment savoir nous pouvions voir leurs noms énigmatiques
sur les plaques indicatrices les bornes, coloriés eux aussi
et moyennâgeux Liessies comme liesse kermesse Hénin
nennin Hirson hérisson hirsute Fourmies tout entier
vermillon-brique théorie d'insectes noirs se glissant le
long des murs disparaissant on se demandait où dans les
renfoncements des portes les fissures le moindre recoin
le moindre trou là où un cafard lui-même n'aurait pas
réussi à s'introduire s'applatissant disparaissant s'éva-
nouissant chaque fois qu'un obus arrivait éclatait nuage
poussiéreux et sale on ne savait trop pourquoi dans ces
plâtras cette ville où il n'y avait plus rien que cette la-
mentable procession de fourmis et nous quatre sur nos
rosses fourbues, mais il faut croire qu'ils en avaient une
provision un stock à écouler, peut-être les avaient-ils dé-
chargés pendant la nuit et tiraient-ils maintenant au

petit bonheur seulement pour s'éviter la peine de les
recharger dans le camion à munitions, femmes proté-
geant l'enfant sorti de leur ventre le fruit de leurs entrailles serré contre elles transportant des ballots des édre-
dons rouges crevés dont les plumes le duvet se répandait
traînant au dehors les entrailles les tripes blanches des
maisons qui se déroulaient comme des bandes des ser-
pentins des guirlandes parfois accrochées aux arbres
quel est donc ce saint dont j'avais vu le supplice représenté sur un tableau les bourreaux musculeux enroulant
sur un treuil les intestins livides et sanglants sortis de
son ventre, une seconde fois je revis la même affiche
elles devaient dater d'au moins un an mais c'étaient des
courses de trot, des chevaux attelés, pas montés, ce
n'était pas le mien que je montais mais celui d'un inconnu mort sans doute cela n'avait pas grande importance pourtant je regrettais ma lampe électrique neuve
et ce jambon que j'avais tout de même réussi à trouver
hier dans une maison pourtant déjà pillée de fond en
comble, sale affaire d'être dans la cavalerie couvrir une
retraite passer les derniers quand les autres biffins ou
artilleurs ont déjà tout raflé : tout ce que nous avions
trouvé pour bouffer depuis huit jours c'étaient des com-
potes de fruits seules choses à manger qu'ils avaient
négligées, buvant avalant à même les bocaux le jus sucré
et poisseux dégoulinant des deux côtés de la bouche,
toujours à cheval jetant le bocal encore aux trois quarts
plein qui se cassait sur le bord de la route impossible à
emporter parce que ça aurait coulé partout, je regrettais
aussi mes affaires de toilette j'aurais voulu me laver me
baigner me rafraîchir sentir l'eau ruisseler sur moi les
morts étaient tous d'une saleté répugnante leur sang pareil à d'inconvenantes déjections comme s'ils s'étaient
laissé aller sous eux mais allez donc vous laver à la
guerre contre la sacoche de gauche bouclé par les courroies il y avait le seau de toile réglementaire applati replié comme une lanterne vénitienne en principe pour

faire boire les chevaux mais ils nous avaient surtout
servi pour nous raser chaque fois que je pense à ces
seaux je les revois pleins d'une eau recouverte comme
d'une taie par une pellicule savonneuse bleuâtre et cra-
quelée et contre les parois rugueuses des grappes de
bulles agglutinées, à droite il y avait une pince à couper
les barbelés, je me demandais ce que cet idiot de mort
pouvait bien transporter dans ses monosacs ils étaient
gonflés à craquer sans doute une chemise un caleçon sales peut-être des lettres d'une femme qui lui demandait
Est-ce que tu m'aimes, tu parles qu'est-ce qu'elle voulait
de plus quand je n'avais fait que penser à elle pendant
quatre ans peut-être des chaussettes aussi qu'elle lui
avait tricotées en tout cas il devait être petit parce que
les étriers étaient trop courts pour moi faisaient remonter mes genoux et les coinçaient contre les sacoches alors
que j'avais l'habitude je veux dire j'habitais l'attitude je
veux dire j'habitudais de monter long pas comme ces
singes de jockeys j'avais bien l'intention de les allonger
depuis que j'étais dessus je me répétais qu'il fallait que
je les allonge d'un et même de deux trous mais il y avait
bien maintenant une heure déjà et je ne le faisais toujours pas pensant espérant d'un instant à l'autre qu'il
allait tout de même se décider à prendre le trot pensant
Bon Dieu filer d'ici nous sortir ventre à terre de ce
coupe-gorge où tout ce qu'on faisait c'était se promener
noblement comme des cibles mais probablement que sa
dignité le lui interdisait sa race sa caste les traditions à
moins que ce ne fût tout bêtement son amour des chevaux parce qu'il avait sans doute dû piquer un fameux
galop pour se tirer de cette embuscade et peut-être es-
timait-il simplement que son cheval avait besoin de repos même si cela devait lui coûter la vie comme un
peu plus tôt il avait eu le souci de le faire boire : continuant donc à mener son cheval au pas parce qu'il avait
ancestralement appris qu'on doit laisser souffler une
bête à laquelle on vient de demander un effort violent

voilà pourquoi nous avancions aristocratiquement cava-
lièrement à une majestueuse allure de tortue lui continuant comme si de rien n'était à parler avec ce petit
lieutenant l'entretenant sans doute de ses succès équestres et des mérites de la bride en caoutchouc pour monter en course magnifique cible pour ces Espagnols impé-
nétrables absolument rebelles allergiques il faut croire
aux larmoyantes homélies sur la fraternité universelle la
déesse Raison la Vertu et qui l'attendaient embusqués
derrière les chênes-lièges ou les oliviers je me demande
quelle odeur quelle haleine avait alors la mort si
comme aujourd'hui elle sentait non pas la poudre et la
gloire comme dans les poésies mais ces écœurants nau-
séeux relents de soufre et d'huile brûlée les armes noires
et huileuses grésillant fumant comme une poêle oubliée
sur le feu puanteur de graillons de plâtre de poussière

　　sans doute aurait-il préféré ne pas avoir à le faire lui-
même espérait-il que l'un d'eux s'en chargerait pour lui,
lui éviterait ce mauvais moment à passer mais peut-être
doutait-il encore qu'elle (c'est-à-dire la Raison c'est-à-
dire la Vertu c'est-à-dire sa petite pigeonne) lui fût infidèle peut-être fut-ce seulement en arrivant qu'il trouva
quelque chose comme une preuve comme par exemple
ce palefrenier caché dans le placard, quelque chose qui
le décida, lui démontrant de façon irréfutable ce qu'il se
refusait à croire ou peut-être ce que son honneur lui interdisait de voir, cela même qui s'étalait devant ses
yeux puisque Iglésia lui-même disait qu'il avait toujours
fait semblant de ne s'apercevoir de rien racontant la fois
où il avait failli les surprendre où frémissante de peur de
désir inassouvi elle avait à peine eu le temps de se rajus-
ter dans l'écurie et lui ne lui jetant même pas un coup
d'œil allant tout droit vers cette pouliche se baissant
pour tâter les jarrets disant seulement Est-ce que tu
crois que ce révulsif suffira il me semble que le tendon
est encore bien enflé Je pense qu'il faudrait quand même
lui faire quelques pointes de feu, et feignant toujours de

ne rien voir pensif et futile sur ce cheval tandis qu'il
s'avançait à la rencontre de sa mort dont le doigt était
déjà posé dirigé sur lui sans doute tandis que je suivais
son buste osseux et raide cambré sur sa selle tache
d'abord pas plus grosse qu'une mouche pour le tireur à
l'affût mince silhouette verticale au-dessus du guidon de
l'arme pointée grandissant au fur et à mesure qu'il se
rapprochait l'œil immobile et attentif de son assassin
patient l'index sur la détente voyant pour ainsi dire l'envers de ce que je pouvais voir ou moi l'envers et lui l'endroit c'est-à-dire qu'à nous deux moi le suivant et l'autre
le regardant s'avancer nous possédions la totalité de
l'énigme (l'assassin sachant ce qui allait lui arriver et
moi sachant ce qui lui était arrivé, c'est-à-dire après et
avant, c'est-à-dire comme les deux moitiés d'une orange
partagée et qui se raccordent parfaitement) au centre de
laquelle il se tenait ignorant ou voulant ignorer ce qui
s'était passé comme ce qui allait se passer dans cette espèce de néant (comme on dit qu'au centre d'un typhon
il existe une zone parfaitement calme) de la connaissance, de point zéro : il lui aurait fallu une glace à plusieurs faces, alors il aurait pu se voir lui-même, sa silhouette grandissant jusqu'à ce que le tireur distingue
peu à peu les galons, les boutons de sa tunique les traits
mêmes de son visage, le guidon choisissant maintenant
l'endroit le plus favorable sur sa poitrine, le canon se
déplaçant insensiblement, le suivant, l'éclat du soleil sur
l'acier noir à travers l'odorante et printanière haie d'aubépines. Mais l'ai-je vraiment vu ou cru le voir ou tout
simplement imaginé après coup ou encore rêvé, peut-être
dormais-je n'avais-je jamais cessé de dormir les yeux
grands ouverts en plein jour bercé par le martèlement
monotone des sabots des cinq chevaux piétinant leurs
ombres ne marchant pas exactement à la même cadence
de sorte que c'était comme un crépitement alternant se
rattrapant se superposant se confondant par moments
comme s'il n'y avait plus qu'un seul cheval, puis se dis-

sociant de nouveau se désagrégeant recommençant semblait-il à se courir après et cela ainsi de suite, la guerre pour ainsi dire étale pour ainsi dire paisible autour de nous, le canon sporadique frappant dans les vergers déserts avec un bruit sourd monumental et creux comme une porte en train de battre agitée par le vent dans une maison vide, le paysage tout entier inhabité vide sous le ciel immobile, le monde arrêté figé s'effritant se dépiautant s'écroulant peu à peu par morceaux comme une bâtisse abandonnée, inutilisable, livrée à l'incohérent, nonchalant, impersonnel et destructeur travail du temps.

UNE INTERVIEW
DE
CLAUDE SIMON

La route des Flandres, à qui vient de le lire, paraît être un roman où l'anecdote ne compte pas. Comme vous l'avez dit dans votre prière d'insérer, seule importe l'empreinte qu'il laisse dans le souvenir, la sensibilité d'un témoin. Il en résulte que votre livre se présente comme un puzzle où le présent et le passé se mêlent sans se confondre. Comment se construit ce puzzle dans votre esprit ?

— *Ce que vous appelez puzzle naît d'une certaine vision des choses. De même qu'à partir de quelques ruines l'archéologue reconstitue un temple entier, il me semble qu'à partir de quelques éléments du souvenir, de ce qu'on peut savoir de la vie des autres, il est possible de reconstituer un ensemble de choses vécues, senties. L'archéologue comble les lacunes d'un monument en ruines par du ciment grisâtre. Pour moi, je refuse ce procédé, qui invente un ordre dont on ne saura jamais s'il est authentique.*

« *Je ne comble pas les vides. Ils demeurent comme autant de fragments. Ces bribes de souvenir, pourquoi chercher à les classer en un ordre chronologique ? Je*

ne me soucie pas de ce qu'on pourrait appeler la pers-
pective du temps. Vous avez lu mon livre ? Eh bien ! en
ces quelques heures d'une nuit d'après guerre que je re-
tiens, tout se presse dans la mémoire de Georges : le
désastre de mai 1940, la mort de son capitaine à la tête
d'une compagnie de dragons, son temps de captivité, le
train qui le menait au camp de prisonnier, etc. Dans la
mémoire tout se situe sur le même plan : le dialogue,
l'émotion, la vision coexistent. Ce que j'ai voulu, c'est
forger une structure qui convienne à cette vision des
choses, qui me permette de présenter les uns après les
autres des éléments qui dans la réalité se superposent,
de retrouver une architecture purement sensorielle. C'est
cela qui me semble le plus naturel, le plus difficile aussi.
Les peintres ont bien de la chance. Il suffit au passant
d'un instant pour prendre conscience des différents élé-
ments d'une toile. Je voudrais amener le lecteur à con-
fondre son temps avec le mien, à repérer mes thèmes,
mon thème. »

— Et votre thème, ici ?

— *Ici, la guerre. Le titre provisoire de* La route des
Flandres *était : Description fragmentaire d'un désastre.*
Je l'ai vécue. Je suis incapable d'inventer quoi que ce
soit. Pendant la guerre un type que je connaissais, un
capitaine, est mort sous mes yeux. Dans de telles con-
ditions que j'ai eu nettement l'impression d'assister à un
suicide. Voilà le thème. Mais une émotion, une sensa-
tion — Samuel Beckett l'a très justement remarqué —
ne se présente jamais seule au souvenir. Elle provoque
des harmoniques, ou si vous préférez des couleurs com-
plémentaires.

« Ici les complémentaires c'est d'abord l'histoire
— elle a bercé toute mon enfance — de cet ancêtre qui
s'est tué d'un coup de pistolet, et dont j'avais sous les
yeux le portrait. C'est aussi la rencontre avec les pay-
sans, leur jalousie, leur drame, etc. Les trois « voix »
s'entrelacent, se superposent comme dans une fugue.

Ainsi, m'a-t-on dit, le Talmud serait l'éternel commentaire d'un fait ou d'un épisode par d'autres épisodes semblables ou contraires qui le complètent, qui s'opposent à lui, qui présentent un autre aspect du même thème.

» J'étais hanté par deux choses : la discontinuité, l'aspect fragmentaire des émotions que l'on éprouve et qui ne sont jamais reliées les unes aux autres, et en même temps leur contiguïté dans la conscience. Ma phrase cherche à traduire cette contiguïté. L'emploi du participe présent me permet de me placer hors du temps conventionnel. Lorsqu'on dit : il alla à tel endroit, on donne l'impression d'une action qui a un commencement et une fin. Or il n'y a ni commencement ni fin dans le souvenir... »

(*Le Monde* — 8 octobre 1960)

C<small>LAUDE</small> S<small>ARRAUTE</small>.

UN ORDRE
DANS LA DÉBACLE

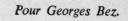

Pour Georges Bez.

La Route des Flandres, le dernier roman de Claude Simon, est le lieu d'un curieux phénomène. Une espèce d'envers de l'écriture s'y manifeste. Il serait bien hâtif, toutefois, de rejeter, au nom même de l'écriture, une entreprise si évidemment concertée. La densité, sans doute — chacun d'eux l'obtenant à sa manière — est le propre des grands écrivains. Mais un certain type de relâchement verbal, lorsqu'il devient méthode, n'est-il pas, pour une écriture, l'occasion d'apparaître dans — et par — son contraire? Mais comment ? Toute complexité littéraire évitant le disparate par sa soumission à une cohérence directrice — ce roman, remarquons-le d'abord, est parcouru au niveau des événements, comme à celui du langage, par deux courants simultanés aux dynamismes inverses.

I. — DÉCOMPOSITION

Traçant l'axe de la plupart des scènes, l'un de ces deux courants est un courant de désagrégation. Pour rendre mieux sensible la complexité de l'œuvre comme l'importance de ce mouvement, celui-ci doit être examiné dans un certain nombre de ses modalités.

La scène qui suscite le plus grand nombre d'évocations est cette débâcle de l'armée française en 1940 dans laquelle se trouvent pris Georges le narrateur, son cousin le capitaine de Reixach, Iglésia l'ordonnance du capitaine après avoir été le jockey de son écurie de course, Blum, Wack et leurs chevaux. Pour fixer les idées, on peut ramener à cinq niveaux la décomposition généralisée provoquée par cette débandade.

Par la décimation et la dissociation des régiments, des unités (1), par la disparition de la discipline (2) qui le cimentait, tout un *ordre militaire* est complètement désagrégé. Mais cette situation entraîne elle-même une décomposition de l'*ordre social*. Non seulement les civils, égarés sur les routes, ont perdu leur caractéristique sociale esssentielle, le travail, mais un renversement direct de l'ordre établi se fait jour lorsqu'un paysan, en présence du capitaine, en arrive à menacer, de son fusil de chasse, un adjoint au maire En outre, la dislocation des carrosseries des voitures (3) et la mise hors d'usage des moteurs traduisent, dans l'*ordre mécanique,* ce mouvement général de décomposition.

Mais l'espace militaire traditionnel, lui-même, cet *ordre spatial,* hiérarchisé en un front et des arrières, doté d'un sens, est dépolarisé par la disparition de la ligne des combats, par l'inextricable imbrication des deux armées. Dans cette région plate, ou uniformément ondulée, les Flandres, privée de repères naturels, l'espace de la déroute — les embuscades étant partout possibles, derrière la moindre haie — est un espace statiquement désorienté qui se révèle dynamiquement — les soldats vaincus, perdus, tournant en rond — comme un espace labyrinthique.

A cette décomposition spatiale correspond une désorganisation de l'*ordre temporel,* la chronologie. Epuisés par leurs incessantes chevauchées (4), les soldats subissent de longs moments d' « absence » ; mais leur itinéraire, surtout, joue un rôle primordial. En dessinant des boucles qui se recoupent dans l'espace, leur trajet ramène à plusieurs reprises les soldats devant le même spectacle (le cheval mort par exemple). L'intervalle de temps qui sépare ces deux apparitions tend à se contracter, à se gommer (5). A l'inverse, la ressemblance des spectacles (il y a plus d'un cheval mort sur les routes, mais c'est encore *le* cheval, *déjà*) distend le moment qui sépare les deux apparitions. Vivant ce temps désorganisé, hétérogène, les soldats — « Mais j'ai déjà vu ça quelque part. Je connais ça. Mais quand ? Et où donc ?... » — finissent par perdre toute notion de l'espace et du temps.

Cette quintuple dégradation, toutefois, pourrait aussi bien être le résultat d'une simple circonstance anecdotique, la débâcle de l'armée. Si cette décomposition, plus profondément, est issue d'un certain niveau du langage, le roman doit apporter de nouveaux exemples de désagrégation, indépendants de cette débâcle.

L'ordre se caractérise toujours, en quelque manière, par une forme. Par son pouvoir de liquéfaction — de la terre à la boue — la pluie installe dans l'*ordre cosmique* (6) une décomposition que la température accentue de deux manières. Par la débâcle des glaces (7) — que l'on songe ici à la bataille de l'*Alexandre-Nevski* d'Eisenstein : cette double débâcle des glaces et d'une armée — comme par son pouvoir d'accélérer la putréfaction (8).

Mais, dans un tout autre domaine, d'une manière plus curieuse, se décompose un *ordre généalogique*, celui de la famille de Reixach dont les ancêtres sont communs au capitaine et au narrateur. L'histoire de la famille est restituée par Sabine, la mère du narrateur. Mais celle-ci n'a retenu que les ragots, les événements troubles dont le pouvoir de désintégration est évident (9). Il est probable, ainsi, que la femme d'un de Reixach délégué de la Convention aux Armées trompait son mari. Non seulement cet adultère manifeste la décomposition de l'ordre

du couple et de la famille, mais encore — par la possibilité des bâtards — il contamine la pureté de la descen-
dance. C'est, en quelque façon, dans leur hérédité, leur
chair, que de Reixach et Georges, le narrateur, sont
touchés.

La mort, et le suicide surtout — ce chatoiement de
réussite et d'échec, où l'échec est la condition d'une re-
lative réussite, où la réussite est la preuve de l'échec —
sont la réalisation la plus expressive du phénomène de
dévastation qui hante le livre. L'hypothèse des suicides
est en effet avancée selon le schéma d'une intériorisa-
tion d'échecs, de forces centrifuges qui conduisent à un
éclatement. Le Conventionnel Reixach (10), en se suicidant à l'issue d'une défaite, intériorise ce désordre militaire, la désunion du couple et cette désorganisation plus
subtile d'une personnalité — ce pouvoir d'organisation — par les *idées reçues* (11). Selon un schéma semblable, la mort du capitaine de Reixach, dans une embuscade, est probablement un suicide, qui manifeste le
viol du pouvoir organisateur d'un homme par ces forces
de désagrégation que sont, ici, la débâcle de 1940, l'adultère de Corinne avec le jockey Iglésia, les idées reçues —
un certain esprit mal assimilé de Saumur où l'honneur,
comme à Azincourt, consiste à rester à découvert, à se
laisser massacrer. Et cet anéantissement d'un monde et
de la personnalité qui l'orientait, se double, de surcroît,
d'une décomposition corporelle.

Cette expérience, qui effectue de toutes les manières
une décomposition, possède cependant une dimension
supplémentaire, métaphysique. Cet instant précis du passage d'un état à un autre, cette mutation dont souhaitait
savoir jouir Montaigne, ce moment infinitésimal où
l'être se trouve comme à cheval (12) entre deux états,
dans la mesure où il concentre en un seul point toutes
les modalités de la décomposition, livrera, peut-être, par
une mutation correspondante de la conscience, la clef,
le sens de ce monde désorganisé (13).

Il ne peut s'agir là, toutefois, en tout état de cause, que d'une *hypothèse* du narrateur. Cette hypothèse négative, puisqu'elle ne peut être, à la fois, vérifiée et utile, manifeste, cependant, sur le plan de la passivité, cette ébauche de recomposition dans le désordre dont nous verrons plus loin la forme active.

Mais, auparavant, il convient de préciser la correspondance de cette désorganisation générale avec cette matière verbale en décomposition que constitue le langage de *La Route des Flandres*.

Le mot, d'abord, cet atome insécable de l'organisme du langage, vole ici en éclats, d'une façon évidente, par un très curieux usage des jeux de mots. Parlant, au cours de l'évocation de la débacle, des habitudes du capitaine de Reixach, le narrateur déclare : « de ces *réflexes* et *traditions ancestralement conservées comme qui dirait dans la Saumur* ». Cette formule, qui risque de faire sursauter les puristes, constitue, à notre avis, un exemple privilégié de cet éclatement du langage. Regardons de plus près. Ici, les deux composantes du mot Saumur ainsi employé — le sel, l'école militaire — constituent deux vecteurs divergents. En effet, si le vecteur secondaire — l'école militaire — était potentiellement inférieur au vecteur primaire — l'idée de saumure — il l'illustrerait et le renforcerait. Mais, au contraire, et là réside toute l'originalité de ce banal jeu de mots, les deux vecteurs sont équivalents. Par simple symétrie, la phrase bifurque autour de cette charnière que constitue le mot Saumur, et, sans transition, passe à un autre thème, à l'évocation de Corinne qui fit abandonner la carrière — le prolongement de Saumur — à de Reixach. Plus frappante, peut-être, est, ailleurs, cette bifurcation : « ... toute la lumière et la gloire sur l'acier virginal... Seulement, vierge, il y a belle lurette qu'elle ne l'était plus... »

Ce phénomène de dislocation du discours par l'équi-

valence entre les deux vecteurs qui composent ces mots
privilégiés définit un langage non-orienté, d'une manière rigide, extérieurement à lui-même, définit un langage non domestiqué. Maître de soi, le langage se développe, alors, au hasard de ses propres possibilités. Et
toute figure qui repose sur la mise en rapport de deux
termes devient, par l'équivalence absolue de ces deux
termes, le lieu d'un phénomène de divergence. Ces facteurs d'approfondissement et d'étaiement du discours
que représentent, dans leur utilisation traditionnelle, les
comparaisons (comme...), les précisions (ou plutôt...) ;
l'évocation des détails (cette mise en relation d'un niveau général et d'un niveau particulier), les parenthèses,
deviennent ici autant d'éléments de disjonction. Ils amor-
cent autant de changements de direction et introdui-
sent de faux thèmes seconds dont la simple ampleur tend
à faire de nouveaux thèmes principaux. Mais la plus curieuse utilisation *a contrario* de ces formes de cohérence est celle du *donc*. Cette conjonction, ce barrage
destiné à endiguer une digression pour en revenir au
thème principal, se trouve le plus souvent placé à la
suite d'une de ces digressions qui était devenue, elle-
même, un thème majeur. Ce nouveau thème principal,
ainsi, est sectionné. Mais le thème initial, auquel le
donc se réfère est si éloigné, si enchevêtré lui-même et
transformé par le thème second, que le nouveau discours, ainsi introduit, ne constitue en aucune manière
une reprise du fil directeur, mais, simplement, une nouvelle bifurcation (14).

Cette désorganisation concertée de la phrase par une
utilisation contraire à la coutume des adverbes et des
conjonctions permet de comprendre la signification de
l'usage non orthodoxe — un examen superficiel dirait :
fantaisiste — qu'il est fait de la ponctuation.

Rien n'est tel qu'un point — que l'on nous pardonne
ce truisme — pour terminer une phrase. Or, le point,
très souvent ici, est placé au *milieu* de la phrase, comme

par erreur, le mouvement de la phrase se prolongeant
après lui. Dans ce cas, objectera-t-on, le plus simple est
de le supprimer, comme dans cette étonnante version
italienne en français vieilli de la page 55 (15). Mais ce
désordre, que l'absence de ponctuation rendrait évident,
serait moins efficace dans la mesure où il introduirait
ce principe unificateur de la conscience qui résulte de
la sûreté du jugement. Le comble du désordre, car il est
intériorisé, c'est le doute, cette instabilité, ce chatoiement. Plutôt que de supprimer ces facteurs d'ordre que
figurent les éléments de la ponctuation, mieux vaut,
dans cette perspective, et comme cela a déjà été fait pour
les conjonctions, retourner leurs possibilités orthodoxes.
Etablissant l'incapacité du point à terminer une phrase,
la narration accrédite chez le lecteur une sensibilité
particulière à cette ponctuation contaminée, une manière de réflexe conditionné. Si, dans certains cas, un
point est incapable de terminer une phrase, n'est-on pas
autorisé à penser, à l'inverse, que lorsqu'il semble en
terminer une, cette terminaison est illusoire ?

Une étude de l'utilisation des virgules (16), des retours
à la ligne, des chapitres même, indiquerait également ce
que l'on pourrait appeler *un usage par la dérision*.

Dans ces conditions, privée de la stabilité de ces extrémités — dans la mesure où le point constitue en quelque sorte les limites, la *peau,* de l'organisme de la phrase,
on pourrait reprendre cette expression de *dépiautage*
qui hante le livre — la phrase n'est plus, comme un organisme, fermée. Elle est informe.

En outre, sa longueur même, qui atteint de nom-
breuses pages quelquefois, ajoute, au niveau pratique de
la lecture, une confusion supplémentaire. Pendant la lecture d'une phrase, l'attention du lecteur est une sorte
de mobile dont la position est balistiquement déterminée
par rapport à la majuscule initiale et au point terminal.
Ces deux distances inversement proportionnelles, situant
la place du détail dans l'ensemble, du moment dans le

temps, jouent un rôle essentiel dans la perception glo-
bale, rythmique et — dans la mesure où le rythme est la
manifestation de la diversité d'une unité — unitaire de
la phrase. La lecture, ici, par le simple éloignement matériel des deux extrémités *polaires* de la phrase, en les
perdant de vue, abandonne toute notion d'orientation.

Ainsi, se procréant en quelque sorte lui-même, selon
ses propres possibilités, le langage se développe dans
une complète anarchie du discours, dans une totale dé-
temporalisation, par le passage sans transition du réel à
l'imaginaire. Livré à lui-même, il tend même à expulser
l'homme qui est censé le produire. La présentation de
certains dialogues, par exemple, a été remarquée et com-
parée à celle des poèmes en prose. Mais cette présentation provient de la simple disparition des tirets.
L'absence de ce signe typographyque chargé d'indiquer
les changements d'interlocuteurs montre précisément
qu'il n'y a plus de changement d'interlocuteur, parce
qu'il n'y a plus d'interlocuteur du tout. Le dialogue se
poursuit de lui-même, selon ses propres mécanismes que
rien ne saurait mieux exprimer, exactement, que les cli-
chés employés, cette formulation mécanique.

Si la dualité qui est le support organique de tout dialogue se désagrège dans la confuse unité d'un monolo-
gue du langage lui-même, l'unité confuse de la narration
à l'inverse, éclate en se portant, sans transition, sur
plusieurs narrateurs. La narration, en effet, change ici
de narrateur tout autant que de personne. Elle va du
narrateur-je (Georges) au narrateur-Georges, de Georges à Blum, camarade de Georges, certes, mais surtout, comparse dans cette tentative d'éparpillement du
discours (17).

Mais cette dislocation du discours — cette manière
de ne pas parler — n'est-elle pas une certaine condition pour que quelque chose se dise ? Ou, plus exactement dans cette autonomie anarchique que constitue ici

le langage, n'existe-t-il pas les possibilités d'un certain mode de recomposition ? Nous l'examinerons plus loin.

II. — RECOMPOSITION

Nous l'avons vu, l'hypothèse de la révélation métaphysique suscitée par la mort est l'aspect négatif — dans la mesure où la condition de cette apparition de l'ordre est aussi celle de sa disparition — de ce phénomène de retournement pressenti, où, dans le plus extrême abandon au désordre, un ordre nouveau est retrouvé.

Mais, ce renversement se produit au niveau même des événements. En effet, en l'absence de ce fil directeur qui aurait pu les organiser en une hiérarchie univoque, ceux-ci perdent leur sens. Or, privés de leur sens, ils retrouvent l'intégrité de leur forme, cette faculté infinie de recevoir des significations. Ils héritent de cette possibilité de s'accorder les uns aux autres selon de nouveaux *patrons,* de composer un ordre second, sous-jacent à la dislocation de l'ordre premier, en filigrane.

Dans ce phénomène, la déchronologie joue un rôle capital. Libérés de l'ordre chronologique (18) qui les aurait liés à un ensemble par une seule de leurs facettes, les événements sont rapprochés, et de toutes les manières, mis en *présence* dans une sorte d'éternel *présent* où l'ordre de signification chronologique est remplacé parce que l'on pourrait qualifier *un ordre de signification morphologique.*

Si ce nouvel ordre qui tend à se recomposer est de nature sensorielle et, de là, érotique, on le doit, certes, à la situation anecdotique — *chevauchant,* entassés dans un wagon, prisonniers, les soldats sont privés de femmes — mais surtout aux caractéristiques mêmes de l'érotisme qui constitue une manifestation privilégiée dans l'ordre

de la signification morphologique. Alors que la signification imposée à une forme tend, d'une certaine manière, à l'effacer, à réduire l'objet à l'état de simple
ustensile (et même : sous le mot arbre, c'est *cet* arbre
qui disparaît), le désir, au contraire, loin de *se servir* de la
forme — des formes, dit-on — ne peut exister qu'au niveau même de cette forme, que *dans* cette forme elle-
même. Au lieu d'être un tremplin abandonné, le lieu
d'une divergence, la forme, ici, est le siège d'une convergence. Elle est dotée d'un double pouvoir *d'aimanta-*
tion : aimantation des formes entre elles selon un projet
érotique, aimantation, par la forme, du désir.

La désorientation de l'espace — cette impossibilité de
mesurer des distances *efficaces* — joue un rôle analogue
à celui de la déchronologie du temps. La dislocation de
l'espace utilitaire des ustensiles, en effet, libère un espace privilégié où les éléments érotiques, déjà libérés de
leur isolement temporel, entrent en contiguïté, prennent
plus de relief, accordent leurs ressemblances. Ainsi, ils
constituent des *séries* convergentes, qui, nouant entre
elles des relations latérales, sources d'enrichissement réciproque et de cohésion, composent ce que l'on serait
tenté de nommer des *faisceaux érotiques.*

Relevons, à titre d'exemple, la série du chiffon rose
qui est la couleur choisie *par* Corinne pour l'écurie de
course des de Reixach (19) ; mais aussi couleur de sous-
vêtements féminins (20), etc... à laquelle il convient
d'ajouter, parmi bien d'autres, la série de la jeune fille de
la ferme, et celle de la gravure galante. On le voit, ces
éléments jouent dans cette polarisation érotique, le rôle
d'évocateurs. Ils constituent des succédanés — ces mixtes
de tromperie et d'indication — qui composent en quelque sorte des relais morphologiques, comparables à la
bouche et aux aisselles, par exemple, par rapport au sexe
féminin.

Mais, le désir impliquant ici l'éjaculation, se dessine,
en convergence avec le faisceau femelle, et selon les

mêmes modalités, un faisceau mâle dont les éléments principaux sont la croix (21), le fusil (22) et les glands. Le coït, il est vrai, constitue d'une certaine manière une expérience symétrique à celle de la mort. Par lui s'effectue le mouvement inverse d'une dislocation, certes, l'accouplement, mais surtout, une mutation. L'acte de procréation réorganise les éléments initiaux selon le patron d'un nouvel organisme. La révélation que l'instant précis de la destruction de la vie est censé apporter, est espérée ici, de l'instant exact de sa création, de ce double mouvement vers l'origine de la vie que représente la fécondation, et, par le retour symbolique du corps dans la matrice, à la période fœtale.

Mais cet expérience n'apporte aucune révélation métaphysique positive. La conscience se perd dans un enlisement bestial — « ... je n'étais plus un homme mais un animal, un chien plus qu'un homme... » —. Et cet échec, une fois encore provient certes des conditions anecdotiques — la femme, Corinne, refusant, dans l'acte même, de se reconnaître, d'être le pôle unique, véritable, de ce mouvement de recomposition érotique, — mais surtout des caractéristiques mêmes du désir. Facteur essentiel de ce mouvement de recomposition, le désir exige, en lui-même, sa propre destruction. Et ainsi, aucune vérité stable n'est acquise. Ce courant de recomposition, dans la mesure où il exige son immobilisation, sa destruction, ramène au chaos initial.

Le langage de *La Route des Flandres,* avions-nous remarqué, n'est pas cet ustensile par l'usage duquel se communique une signification univoque. A l'encontre du dicours continu du roman traditionnel, organisé selon un principe de division du travail en phrases spécialisées (23) (description, dialogue, analyse psychologique, etc...*),* le langage, ici, désarticulé, libère les mots de leur sujétion à l'égard d'un ordre supérieur de signification. Dès lors, les mots deviennent des *foyers d'irradiation sémantique,* qui, sous la croûte disloquée de leur sens propre, recomposent entre eux, de proche en proche, les relais d'un langage au second degré, mouvant et libre, où se font jour les sens dérivés et les dérivations de sens.

Nous nous en tiendrons aux exemples les plus flagrants. La lecture peut, toutefois, en découvrir de plus subtils. Dans la perspective sexuelle de recomposition que nous avons relevée, l'argot, par son pouvoir de dérivation symbolique directe, surimpose à la langue quotidienne ce langage second, la langue verte. Parlant du paysan qui menaçait de son fusil l'adjoint au maire, Blum déclare : « Après tout il a bien le droit de tirer son coup lui aussi quand tout le monde tout partout brandit sa petite pétoire. Après tout c'est la guerre. »

Mais l'émergence de cette signification dérivée ne se produit pas toujours, selon cette surimpression, dans cette sorte de *cohabitation sémantique évidente*. D'une manière moins superficielle, les deux significations, première et dérivée, ouvrent entre elles un conflit dans lequel le double sens statique laisse place à une dynamique de la méprise où les thèmes se combattent, s'échangent et se renforcent dans un mouvement que l'on pourrait qualifier de *symphonie sémantique* : « ... a voulu lui aussi monter cette alezane, sans doute parce que à force de voir un vulgaire jockey la faire gagner il pensait que la monter c'était la mater, parce que sans doute pensait-il aussi qu'elle... (cette fois je parle de l'alezane-femme, la blonde femelle qu'il n'avait pu ou n'avait su, et qui n'avait d'yeux — et vraisemblablement autre chose aussi que les yeux — que pour ce...). Bref : peut-être a-t-il pensé qu'il ferait alors, si l'on peut dire, d'une pierre deux coups, et que s'il parvenait à monter l'une, il materait l'autre, ou vice-versa, c'est-à-dire que s'il matait l'une il monterait l'autre aussi victorieusement, c'est-à-dire qu'il l'amènerait elle aussi au poteau, c'est-à-dire que son poteau à lui l'amènerait victorieusement là où il n'avait sans doute jamais réussi à la conduire, lui ferait

passer le goût ou l'envie d'un autre poteau (est-ce que je
m'exprime bien ?) ou si tu préfères d'un autre bâton,
c'est-à-dire que s'il réussissait à se servir de son bâton
aussi bien que ce jockey qui... »

Délivrés de leur état d'ustensile les mots libèrent non
seulement leurs sens dérivés, classiques, argotiques, symboliques, mais encore de véritables dérivations de sens
greffées sur les consonnances. C'est ainsi que dans les
successions suivantes : « moule poulpe pulpe vulve » et :
« Hirson hérisson hirsute », entre autres, les assonnan-
ces, ces ressemblances de formes, servent de relais sémantiques (24). Mais l'exemple le plus curieux de ce
pouvoir évocateur des consonnances est donné par cette
série plus raffinée : « ... dans cette robe rouge couleur
de bonbons anglais (mais peut-être cela aussi avait-il été
inventé, c'est-à-dire la couleur, ce rouge acide, peut-être
simplement parce qu'elle était quelque chose à quoi
pensait non son esprit, mais ses lèvres, sa bouche, peut-
être à cause de son nom, parce que « Corinne » faisait
penser à « corail » ?...) »

Libéré du carcan d'une signification monovalente qui
se serait servie de lui, le langage de *La Route des Flandres* donc, tend à offrir, à la limite, une possibilité indé-
finie de significations. Comme le désir ne signifiait que
dans son mouvement vers lui-même — et cessait d'être
un facteur d'organisation et de recréation au moment
exact de l'orgasme, où son mouvement, cette mobilité
hypothétique, était arrêté dans une pseudo-vérité éternelle — le langage, ici, est un mouvement qui trouve sa
signification sur le mode hypothétique. Tel est, à notre
avis, le sens de la recomposition de cet ordre dans la débâcle, le sens ultime de ce roman.

III. — L'ÉCRITURE, LA LECTURE

En libérant le langage d'une fonction purement ins-
trumentale, cet envers de l'écriture apparaît ainsi
comme l'une des manières par lesquelles le langage se
trouve transformé en écriture. Qu'entend-on, en effet,
par écriture ?

La littérature, pour simplifier, est probablement cette
double exigence : donner le maximum de réalité au réel
en assurant le maximum de leur pouvoir aux mots. Un
écrivain ne choisit pas un mot en fonction de sa simple
signification immédiate, mais en vertu de ses prolongements sémantiques. Ces prolongements, certes, sont
ceux qu'a recensé Littré. Mais ils sont surtout ces possibilités hypothétiques, imaginaires pourrait-on dire, que
chaque mot renferme du fait même de sa dimension so-
nore, voire typographique (25), du fait même de sa
forme.

L'écriture, ainsi, est l'exigence d'une densité formelle-
hypothétique. Considéré comme une forme, comme un
foyer d'irradiation sémantique, le mot est choisi, enserré
dans la phrase, de manière à se trouver lié aux autres
mots par le plus grand nombre de ses facettes. Les mots
révèlent alors, l'un par l'autre, les divers niveaux de leur
richesse sémantique. Polyvalente, l'écriture excite la lecture et la sensibilise à la forme du mot. Sensibilisée, polyvalente, la lecture, à son tour, excite selon une exégèse
hypothétique, les possibilités de chaque mot. Bref, la
lecture reçoit de l'écriture la mission de l'enrichir constamment de la dimension imaginaire que recèle son ordre.

Mais cet envers de l'écriture, cette destruction concer-

tée d'un ordre monovalent dont *La Route des Flandres*
est un flagrant exemple, est le siège d'un phénomène
analogue. Délié d'un discours continu, isolé dans l'espace disloqué d'une phrase aux structures relâchées, le
mot, en récupérant sa forme, devient disponible. Mais
cette disponibilité n'est pas affligée de la passivité qui
caractérise les mots d'un lexique. Elle est un appel lancé
par chaque mot dans — et par — le courant destructeur
qui le libère. La lecture, ici, est la réponse à cet appel.
Sensibilisée à la forme des mots, elle en utilise les disponibilités secrètes, et, de proche en proche, de loin en
loin, les mettant en relation, elle recrée, dans ses dimensions hypothétiques, un ordre second, une sous-jacente
écriture.

L'écriture ne devient véritablement écriture que dans
l'exacte proportion où elle recèle une écriture imaginaire
qu'une lecture monovalente, précisément, attachée à la
signification immédiate des mots — la façon dont se lit
un journal — n'est pas en mesure de susciter. *La Route
des Flandres,* pensons-nous, offre un mode particulier
de l'écriture — où, certes, l'écriture ne se manifeste pas
par la densité et son économie de moyen, mais par une
sorte de gaspillage révélateur — dans la mesure où la
destruction concertée du discours est le support et la
condition d'une écriture imaginaire, qu'une lecture sensible à la physionomie des mots, une lecture littéraire
— a pour mission de révéler et de recréer.

La valeur d'une écriture, d'un livre, peut se juger, en
dernière analyse, sur le niveau de la lecture qu'elle au-
torise et exige. *La Route des Flandres* mérite, me semble-t-il, des lecteurs de qualité.

JEAN RICARDOU.

NOTES

(1) « ... son escadron lui-même était à peu près tout ce qui avait fini par rester du régiment tout entier avec peut-être quelques autres cavaliers *démontés* perdus par-ci par-là dans la nature... » (Les italiques des citations sont de nous : J.R.)

(2) « Par la suite je me contentai simplement d'en faire encore moins (...) je n'avais plus qu'à passer un chiffon sur les aciers et de temps en temps un petit coup de toile émeri quand ils étaient vraiment trop *rouillés...* »

(3) « ... ces vieilles guimbardes aux tôles et aux pièces *rouillées, cliquetantes, rafistolées* à l'aide de bouts de fil de fer, menaçant à chaque instant de s'en aller en *morceaux...* »

(4) Et ailleurs, avec le même effet, les soldats restent très longtemps entassés dans un wagon à bestiaux.

(5) Un phénomène du même ordre tend à se produire, à l'échelle du roman, dans *Les Gommes* d'A. Robbe-Grillet.

(6) « Il avait recommencé à pleuvoir, ou plutôt le pays, le chemin, le verger, s'étaient remis *à fondre,* silencieusement, lentement, *se désagrégeant, se dissolvant* en une fine *poussière* d'eau qui glissait sans bruit *délayant* les arbres, les maisons... »

(7) ... semblable à une armée en marche surprise par un cataclysme et que le lent glacier à l'invisible progression restituerait (...) à moins que tout ne se mette à *pourrir* et à *puer,* pensa-t-il. Comme ces mammouths... »

(8) « ... l'été *pourrissant* où quelque chose finissait définitivement de se *corrompre, puant* déjà... »

(9) « ... en rapportant ces histoires scandaleuses, ou ridicules ou infamantes, ou *cornéliennes,* elle désirait *déprécier* cette noblesse... »

(10) Notons, en passant, comme détérioration d'un *ordre artistique* la craquelure qui affecte le portrait de cet aïeul.

(11) de Rousseau : « ... cet incendiaire bavardage de vagabond touche-à-tout, musicien, exhibitionniste et pleurard qui, à la fin, lui fera appliquer contre sa tempe... »

(12) Il est permis, à ce propos, de constater que la position d'un cavalier se définit comme un équilibre *instable.*

(13) « ... *comme* si au dernier moment leur avait été *révélé* quelque chose à quoi durant toute leur vie ils n'avaient jamais eu l'idée de penser, c'est-à-dire sans doute quelque chose d'absolument contraire à ce que peut apprendre la pensée, de tellement étonnant, de tellement... » et, ailleurs : « ... *comme* s'il avait abandonné, renoncé au spectacle de ce monde pour retourner son regard, le concentrer sur une vision intérieure plus reposante que l'incessante agitation de la vie, *une réalité plus réelle que le réel...* »

(14) Si l'humour douteux de ce jeu sur le mot Saumur indiquait une dislocation du langage, à l'inverse cette dislocation du langage, par l'usage *a contrario* du *donc,* introduit, d'une certaine façon, une manière, supérieure, d'humour.

(15) Il faudrait noter, aussi, dans ce texte, l'instabilité de la forme des mots que représente une orthographe non fixée. A quoi il convient de rapprocher, ce *pertinetadme,* autre liquéfaction de la forme des mots. Et, aussi,

ce décalage entre la forme de *Reixach* et la prononciation de *Reichac.*

(16) Le point et virgule, pratiquement absent, aurait pu voir, ici, son ambiguïté typographique décuplée.

(17) « ... et Blum (ou Georges) : « c'est fini ? », et Georges (ou Blum) : « je pourrais continuer », et Blum (ou Georges)... »

(18) que le sens commun assimile à un ordre logique. Alors que, en elle-même, la logique expulse toute idée de chronologie.

(19) « ... cette casaque rose vif, tirant sur le mauve qu'elle leur avait en quelque sorte imposée à tous deux (Iglésia et de Reixach) comme une sorte de *voluptueux* et *lascif* symbole (comme la couleur d'un *ordre* ou plutôt les insignes de leurs fonctions pour ainsi dire *séminales* et *turgescentes*... » Ce passage est également un exemple des relations transversales établies entre les faisceaux mâle et femelle.

(20) « ... cette casaque dont elle avait elle-même choisi les couleurs et qui semblait (de cette même matière brillante dont on fait les *dessous* — soutien-gorge, culotte et ces porte-jarretelles noirs — *féminins*)... »

(21) « ... la haute croix de cuivre *fichée* dans le cornet de cuir du baudrier qui pend à hauteur de son bas-ventre (si bien qu'il semble tenir à deux mains dans un geste enfantin, équivoque et canaille, quelque symbole *priapique* démesuré jailli entre ses deux cuisses, noir et surmonté d'une croix)... »

(22) « ... Car peut-être ce *viril* attirail de chasseur — l'arme... »

(23) Et, précisément les grands écrivains se reconnaissent en ceci : cette division du travail est une pseudo-division. L'écriture établit ce qu'on pourrait appeler une division synthétique.

(24) Dans cette hypothèse, la qualité du titre provient du fait que d'une certaine manière, *La Route des Flandres* peut se lire aussi comme *La Route des Flancs.*

25) Administrer des preuves sortirait ici de notre propos. On peut s'appuyer, cependant, et parmi d'autres, sur les textes suivants : Jean-Paul Sartre : *Qu'est-ce qu'écrire ?* (*Situations,* II) la page 66 en particulier et ceci : « Sa sonorité, ses désinences masculines ou féminines, son aspect visuel lui composent un visage de chair qui *représente* la signification plutôt qu'elle ne l'exprime. » Et Francis Ponge : *La Pratique de la Littérature* (Mercure de France, juillet 1960), plus particulièrement les pages 395, 401 et 402 : « Les mots c'est bizarrement concret... ils ont, mettons, deux dimensions pour l'œil et pour l'oreille, et peut-être la troisième c'est quelque chose comme leur signification. »

TABLE DES MATIÈRES

ACHEVÉ D'IMPRIMER LE
22 FÉVRIER 1963 SUR LES
PRESSES DE L'IMPRIMERIE
BUSSIÈRE, SAINT-AMAND (CHER)

— Nº d'édit. 64. — Nº d'imp. 361 —
Dépôt légal : 1er trimestre 1963
Imprimé en France

OUVRAGES DÉJÀ PARUS :

Vous qui avez adopté 10|18

La bibliothèque universelle au format de votre poche
remplissez le bon ci-dessous.

LA COLLECTION 10|18 compose pour vous la bibliothèque complète, idéale, vivante, à l'usage de notre époque. Toutes les disciplines y seront représentées et pour que nous tenions compte des désirs de chacun, nous vous demandons de classer par ordre numérique de préférence les genres ci-dessous :

BIOGRAPHIES...... ROMANS...... HISTOIRE........

MÉMOIRES..... SOUVENIRS..... PHILOSOPHIE.....

ACTUALITÉ........ ETHNOLOGIE..... SCIENCES.....

.THÉÂTRE......... DICTIONNAIRES PRATIQUES....

VOYAGES....... RELIGION......... ESSAIS.....

CLASSIQUES...... N° 91/92